CLÁSICOS

Willa Cather nació en Winchester (Virginia) en 1873, de una familia de origen irlandés, y pasó su infancia en Nebraska, en los años de la primera gran colonización por parte de inmigrantes checos y escandinavos. Siempre activa y de espíritu independiente, estudió en la Universidad de Nebraska, donde se presentó, vestida de hombre, con el nombre de William Cather. Fue viajera, periodista, maestra, dirigió revistas, vivió durante cuarenta años con su compañera, Edith Lewis y, cuando hubo ahorrado lo suficiente, se dedicó exclusivamente a la literatura. Admiradora de Flaubert y Henry James, así como de Turguéniev, Joseph Conrad y Stephen Crane, su primera novela, *Alexander's Bridge*, se publicó en 1912. Al año siguiente, con *O Pioneers!*, introdujo el que habría de ser uno de sus temas centrales: el mundo vitalista de los colonos en el que transcurrió su infancia. A esta siguieron otras novelas como *Mi Ántonia* (1918), *One of Ours* (1922), que mereció el Premio Pulitzer, *Death Comes to the Archbishop* (1927) o *Shadows on the Rock* (1931) y algunas exquisitas *nouvelles* como *Mi enemigo mortal* (1926), ejemplos de un modo de escribir complejo y personal que se ganaría la admiración de William Faulkner. Willa Cather murió en Nueva York en 1947.

Mi Ántonia

Willa Cather

Traducción de
Gema Moral Bartolomé

DEBOLSILLO

Edición a cargo de Luis Magrinyá

Diseño original de la portada: Moll de Alba
Adaptación de la portada: Departamento de diseño de Random House Mondadori
Ilustración de la portada: *La mañana* (detalle), 1883, de Jules Breton

Primera edición en DeBols!llo: febrero, 2004

Printed in Spain – Impreso en España

ISBN: 84-9793-153-X
Depósito legal: B. 1.426 - 2004

Fotocomposición: Lozano Faisano, S. L. (L'Hospitalet)

Impreso en Novoprint, S. A.
Energia, 53. Sant Andreu de la Barca (Barcelona)

P 8 3 1 5 3 X

Índice

NOTA AL TEXTO

La primera edición de *Mi Ántonia* la publicó Houghton Mifflin (Boston, 1918). La traducción que aquí ofrecemos se basa en la edición de Virago (Londres, 1984).

Para Carrie e Irene Miner

En recuerdo de un afecto antiguo y sincero

Optima dies... prima fugit.
VIRGILIO

Introducción

El verano pasado, durante un período de intenso calor, Jim Burden y yo atravesamos Iowa casualmente en el mismo tren. Somos viejos amigos, crecimos juntos en la misma población de Nebraska, y teníamos mucho de que hablar. Mientras el tren recorría interminables kilómetros de campos de trigo maduro, dejando atrás pueblos, pastos cubiertos de flores vistosas y robledales mustios por el sol, nos sentamos en el vagón panorámico, donde la madera estaba caliente al tacto y una gruesa capa de polvo rojo lo cubría todo. El calor y el polvo, el ardiente viento, nos recordaron muchas cosas. Charlábamos sobre lo que significa pasar la infancia en poblaciones como ésas, enterradas entre trigo y maíz, padeciendo los estimulantes extremos del clima: veranos abrasadores en los que la tierra verde y fecunda yace bajo el cielo fulgente, y uno se ahoga casi en vegetación, en el color y el olor de la densa maleza y las cosechas ubérrimas; inviernos borrascosos con poca nieve, cuando la tierra toda queda pelada y gris como una plancha de hierro. Convinimos en que era preciso haber crecido en una pequeña población de la pradera para saber lo que era aquello. Era una especie de francmasonería, dijimos.

Aunque tanto Jim Burden como yo vivimos en Nueva York, allí no solemos coincidir. Él es abogado de una de las grandes compañías de ferrocarriles del Este y a menudo pasa semanas enteras lejos de su despacho. Ésta es una de las razones por las que apenas nos vemos. Otra razón es que a mí no me gusta su mujer. Es atractiva, vital, enérgica, pero a mí me parece fría e incapaz, por temperamento, de entusiasmarse. Los gustos apacibles de su marido la irritan, creo, y considera que vale la pena desempeñar el papel de mecenas de un grupo de jóvenes pintores y poetas de ideas avanzadas y talento mediocre. Tiene una fortuna propia y vive su propia vida. Por alguna razón, desea seguir siendo la señora de James Burden.

En cuanto a Jim, las decepciones no le han hecho cambiar. El carácter romántico, que a menudo le hacía parecer muy divertido cuando era adolescente, ha sido uno de los elementos fundamentales de su éxito. Ama con pasión el gran país que su ferrocarril atraviesa con múltiples ramales. Su fe en él y sus conocimientos sobre él han desempeñado un importante papel en su desarrollo.

Durante aquel caluroso día en que atravesábamos Iowa, nuestra conversación volvía una y otra vez a centrarse en una figura crucial, una chica de Bohemia[1] a la que ambos habíamos conocido hacía mucho tiempo. Ella, más que ninguna otra persona a la que recordáramos, parecía encarnar el país, las condiciones de vida, la aventura de nuestra infancia. Yo le había perdido la pista por completo, pero Jim había vuelto a verla después de muchos

---

[1] Bohemia es la región más extensa e importante de la actual República Checa. Hasta 1918 estuvo bajo el dominio del Imperio Austrohúngaro, después formó parte de la antigua Checoslovaquia. Cuando se hable aquí de la lengua bohemia, por tanto, debe tenerse en cuenta que la autora se refiere al checo. *(Si no se indica lo contrario, tanto esta como las notas siguientes son de la traductora.)*

años, y había renovado una amistad que significaba mucho para él. Aquel día, sus pensamientos estaban llenos de ella. Hizo que yo también volviera a verla, a notar su presencia, a revivir el antiguo afecto que le tenía.

«De vez en cuando me dedico a escribir todo lo que recuerdo sobre Ántonia –me dijo–. En el curso de mis viajes a lo largo y ancho del país, me distraigo con ello en mi compartimento.»

Cuando le dije que me gustaría leer su relato, me aseguró que lo leería... si llegaba a terminarlo.

Meses más tarde, en una tempestuosa tarde de invierno, Jim vino a verme a mi apartamento con una carpeta en la mano. Entró en la sala de estar con ella y dijo, mientras se frotaba las manos para calentarlas:

«Aquí tienes lo de Ántonia. ¿Todavía quieres leerlo? Lo acabé anoche. No lo he corregido; simplemente me he limitado a escribir todo lo que su nombre me recuerda. Supongo que no tiene forma alguna. Ni tampoco título.» Entró en la habitación contigua, se sentó a mi escritorio y escribió en la cara superior de la carpeta la palabra «Ántonia». La miró un momento con el entrecejo fruncido, luego añadió otra palabra, convirtiéndolo en «Mi Ántonia». Esto pareció dejarlo satisfecho.

Primer libro

Los Shimerda

I

Oí hablar de Ántonia[2] por primera vez en lo que me pareció un viaje interminable a través de la gran llanura central de Norteamérica. Entonces tenía yo diez años; había perdido a mi padre y a mi madre en el intervalo de un año, y mis parientes de Virginia me enviaron a casa de mis abuelos, que vivían en Nebraska. Viajaba al cuidado de un chico de la frontera, Jake Marpole, uno de los «peones» de la vieja granja de mi padre, al pie de los Montes Azules, que iba al Oeste a trabajar para mi abuelo. Jake no tenía mucha más experiencia del mundo que yo. Jamás había subido a un tren hasta la mañana en que partimos juntos para probar fortuna en un nuevo lugar. Hicimos todo el camino de día, sintiéndonos más pegajosos y sucios con cada nueva etapa del viaje. Jake compraba todo lo que le ofrecían los vendedores de periódicos: caramelos, naranjas, botones de latón para cuellos, un amuleto para colgar del reloj y, para mí, una biografía de Jesse James, que recuerdo como uno de

[2] El nombre bohemio *Ántonia* se acentúa en la primera sílaba, como el nombre inglés *Anthony*. El nombre se pronuncia Án-to-nia.

los libros más satisfactorios que he leído en mi vida. Más allá de Chicago estuvimos bajo la protección de un amable revisor, que lo sabía todo sobre el país al que nos dirigíamos y que nos dio muchos consejos a cambio de nuestra confianza. A nosotros nos pareció un hombre experimentado que había estado en casi todas partes; en su conversación introducía como si tal cosa nombres de estados y ciudades distantes. Llevaba anillos e insignias de varias fraternidades a las que pertenecía. Hasta los gemelos de los puños los llevaba grabados con jeroglíficos, y se le veían más inscripciones que a un obelisco egipcio.

En una ocasión de las que se sentó con nosotros a charlar, nos dijo que en el vagón de inmigrantes que había más adelante viajaba una familia de «allende los mares», cuyo destino era el mismo que el nuestro.

–No hay ninguno que hable inglés, excepto una niña, y todo lo que sabe decir es: «Ir Black Hawk[3], Nebraska». No es mucho mayor que tú, tendrá unos doce o trece años, y se la ve tan brillante como un dólar nuevo. ¿No quieres ir a verla, Jimmy? ¡Tiene unos bonitos ojos castaños, además!

Este último comentario me volvió vergonzoso; meneé la cabeza y me sumergí en mi libro de Jesse James. Jake asintió, mostrando su aprobación, y dijo que con los extranjeros lo más probable es que le contagiaran a uno alguna enfermedad.

No recuerdo haber cruzado el río Misuri, ni nada de lo

---

[3] «Halcón negro.» Teniendo en cuenta que la novela está ambientada en la época de los pioneros, en la que necesariamente el hombre blanco fue dando nombre a lugares antes inexplorados, hemos creído conveniente que el lector conozca la traducción de los topónimos.

que vimos durante el largo día que tardamos en atravesar Nebraska. Seguramente habíamos cruzado ya tantos ríos que me aburrían. Lo único realmente destacable de Nebraska fue que no dejó de ser Nebraska en todo el día.

Llevaba mucho tiempo dormido, hecho un ovillo en un asiento de felpa roja, cuando llegamos a Black Hawk. Jake me despertó y me cogió de la mano. Bajamos del tren a trompicones y nos encontramos en un apartadero de madera por el que iban y venían corriendo unos hombres con faroles. No vi población alguna, ni siquiera luces distantes; reinaba una oscuridad impenetrable. La locomotora jadeaba trabajosamente tras su larga carrera. Al rojo resplandor de la caldera vi un grupo de gente apiñada en el andén, rodeada de cajas y bultos. Comprendí que debía de ser la familia de inmigrantes de la que nos había hablado el revisor. La mujer llevaba la cabeza cubierta por un pañuelo con flecos y en los brazos sostenía una pequeña caja de hojalata, que acunaba como si fuera un bebé. Había un hombre viejo, alto y encorvado. Dos chicos adolescentes y una niña llevaban sendos bultos de hule, y una niña pequeña se aferraba a las faldas de su madre. Al poco se acercó a ellos un hombre con un farol y les habló profiriendo gritos y exclamaciones. Agucé los oídos, pues desde luego era la primera vez que oía hablar en una lengua extranjera.

Se acercó otro farol. Una voz burlona nos preguntó:

–Hola, ¿sois vosotros los familiares del señor Burden? Si es así, es a mí a quien buscáis. Soy Otto Fuchs. Soy jornalero del señor Burden y voy a llevaros a su casa. Hola, Jimmy, ¿no te da miedo venirte tan al Oeste?

Alcé la vista con interés hacia aquel rostro nuevo a la luz del farol. Aquel hombre parecía salido de las páginas de Jesse James. Llevaba sombrero mexicano, con una ancha tira de cuero y una hebilla reluciente, y un mostacho con las puntas rígidas y retorcidas hacia arriba, como cuernos pequeños. Tenía un aire vivaz y fiero, pensé, como si tuviera un turbio pasado. Una larga cicatriz le cruzaba la mejilla y levantaba la comisura de la boca en una mueca siniestra. Le faltaba un trozo a la parte superior de su oreja izquierda y tenía la piel tan tostada como la de los indios. No cabía la menor duda de que era el rostro de un forajido. Cuando se paseó por el andén con sus botas de tacones altos, buscando nuestros baúles, vi que era un hombre enjuto y nervudo, rápido y de pies ligeros. Nos dijo que teníamos un largo camino por delante durante la noche y que haríamos bien en emprender la marcha. Nos condujo hasta un poste al que había atados dos carros; vi que la familia extranjera se amontonaba en uno de ellos. El otro era para nosotros. Jake se sentó en el pescante con Otto Fuchs y yo viajé sobre la paja dentro del carro, tapado con una piel de búfalo. Los inmigrantes se alejaron rodando con estrépito, adentrándose en el negro vacío, y nosotros fuimos detrás.

Intenté dormir, pero las sacudidas hacían que me mordiera la lengua, y pronto empezó a dolerme todo el cuerpo. Cuando la paja se aplanó, mi cama se volvió muy dura. Salí cautelosamente de debajo de la piel de búfalo, me puse de rodillas y me asomé por un costado del carro. No parecía haber nada a la vista; no había vallas, ni árboles ni arroyos, no había campos ni colinas. Si existía una carretera, yo no pude distinguirla bajo la tenue luz de las estrellas. No había nada más que tierra: no era un país, sino el material del que están hechos los países. No, no había nada más que tierra... ligeramente ondulada, eso sí que lo sabía, porque las ruedas chirriaban a menudo al frenar cuando bajábamos hasta el fondo de una hondonada y volvíamos a subir dando bandazos por el otro lado. Tenía la sensación de que dejábamos atrás el mundo, de que habíamos traspasado sus límites y nos encontrábamos fuera de la jurisdicción de los hombres. Hasta entonces no había alzado jamás la vista sin ver la silueta familiar de una cadena montañosa recortada en el cielo. Pero allí había, sencillamente, la bóveda celeste. No creía que mis difuntos padres me estuvieran contemplando desde allá arriba; seguirían buscándome en el aprisco, junto al arroyo, o a lo largo del blanco sendero que conducía a los pastos de la montaña. Incluso a sus espíritus los había dejado tras de mí. No creo que sintiera añoranza. No importaba que no llegáramos a ninguna parte. Entre aquella tierra y aquel cielo, me sentía borrado. No recé mis oraciones aquella noche: me pareció que, allí, lo que tuviera que ser, sería.

II

No recuerdo nuestra llegada a la granja de mi abuelo, poco antes de despuntar el día, después de un trayecto de treinta kilómetros en un carro tirado por recios caballos de labor. Me desperté por la tarde en una pequeña habitación, apenas más grande que la cama en que me hallaba acostado, y un cálido viento hacía batir suavemente la persiana de la ventana junto a mi cabeza. Una mujer alta con la piel curtida y los cabellos negros me contemplaba; comprendí que debía de ser mi abuela. Noté que había estado llorando, pero sonrió cuando abrí los ojos; me miró con preocupación y se sentó a los pies de la cama.

–¿Has dormido bien, Jimmy? –preguntó con tono enérgico. Luego, en un tono muy diferente, añadió, como si hablara consigo misma–: ¡Dios mío, cómo te pareces a tu padre! –Recordé que mi padre había sido su hijo; seguramente lo había despertado a menudo de aquella misma forma cuando dormía más de la cuenta–. Aquí tienes tu ropa limpia –continuó, acariciando la colcha con la mano morena mientras hablaba–. Pero primero baja a la cocina conmigo y date un buen baño caliente detrás de los fogones. Tráete tus cosas; no hay nadie más.

La idea de «bajar a la cocina» me resultó extraña; en mi casa había que «salir a la cocina». Cogí los zapatos y los calcetines y la seguí por la sala de estar y por una escalera hasta el sótano. Éste estaba dividido en un comedor, a la derecha de la escalera, y una cocina, a la izquierda. Ambas estancias tenían las paredes enlucidas y encaladas; el revoque se había aplicado directamente a las paredes de tierra, como solía hacerse en las chozas. El suelo era de cemento duro. Arriba, junto a las vigas de madera del techo, había unos ventanucos con cortinas blancas y unos tiestos de geranios y unas tradescantias en los anchos alféizares. Al entrar en la cocina percibí un agradable aroma a pan de jengibre cociéndose. La cocina de fogones era muy grande, con brillantes adornos de níquel, y detrás de ella había un largo banco de madera contra la pared y una tina que la abuela llenó de agua fría y caliente. Cuando me trajo el jabón y las toallas, le dije que estaba acostumbrado a bañarme solo.

–¿Sabes lavarte las orejas, Jimmy? ¿Estás seguro? Bueno, pues desde luego eres un muchachito muy listo.

La cocina era muy agradable. El sol que entraba por el ventanuco del Oeste se reflejaba en el agua de mi baño, y un gran gato maltés se acercó y se frotó contra la tina, observándome con curiosidad. Mientras me frotaba, mi abuela estaba ocupada en el comedor, hasta que la llamé con gran inquietud.

–¡Abuela, creo que el pan se está quemando! –Entonces llegó ella riendo y agitando el delantal como si espantara gallinas.

Era una mujer alta y enjuta, un poco encorvada, y era propensa a adelantar la cabeza en actitud atenta, como si contemplara o escuchara algo distante. Cuando me hice mayor, llegué a la conclusión de que se debía únicamente a que pensaba muy a menudo en cosas que a los demás se nos escapaban. Caminaba deprisa y todos sus movimientos eran enérgicos. Tenía una voz aguda y algo chillona, y con frecuencia hablaba con entonación preocupada, pues sentía un exagerado deseo porque todo se hiciera con el debido orden y decoro. También su risa era aguda, y quizá algo estridente, pero dejaba traslucir una inteligencia despierta. Tenía entonces cincuenta y cinco años de edad y era una mujer fuerte, de una inusitada resistencia.

Una vez vestido, exploré la amplia despensa contigua a la cocina. Estaba excavada bajo el ala de la casa, con las paredes enlucidas y el suelo de cemento, con una escalera y una puerta que daba al exterior, por la que entraban y salían los hombres. Debajo de una de las ventanas tenían un lugar para lavarse cuando llegaban de trabajar.

Mientras mi abuela preparaba la cena, me acomodé en el banco de madera que había tras los fogones y trabé amistad con el gato; me enteré de que no sólo cazaba ratas y ratones, sino también ardillas de tierra. El rectángulo de luz que dibujaba un rayo de sol en el suelo fue desplazándose hacia la escalera mientras charlaba con mi abuela sobre el viaje y sobre la llegada de la familia de Bohemia; me dijo que serían nuestros vecinos más próximos. No mencionamos la granja de Virginia, que había sido su hogar durante muchos años. Pero cuando los hombres llegaron del campo y nos sentamos todos a la mesa para cenar, preguntó a Jake por su antiguo hogar y por los amigos y vecinos que había dejado allí.

Mi abuelo habló poco. Me dio un beso al llegar y me habló con amabilidad, pero no era una persona efusiva. Me percaté enseguida de su carácter reflexivo y digno, y me sentí algo intimidado. Lo primero que llamaba la atención en él era su hermosa barba rizada, blanca como la nieve. En una ocasión oí comentar a un misionero que era como la barba de un jeque árabe. Su cabeza calva no hacía sino realzarla más.

Los ojos del abuelo no eran en absoluto los de un viejo; eran de un vivo color azul y lanzaban fríos destellos. Tenía los dientes blancos, regulares, y tan sanos que no había necesitado ir al dentista en toda su vida. El sol y el viento maltrataban con facilidad su cutis delicado. De joven, tenía los cabellos y la barba de color rojo; las cejas aún conservaban el tono cobrizo.

En la mesa, Otto Fuchs y yo no dejamos de mirarnos a hurtadillas. Mientras preparaba la cena, la abuela me había contado que era austríaco, que había llegado al país siendo muy joven y que había llevado una vida aventurera en el lejano Oeste, en las explotaciones mineras y los ranchos de ganado. Su constitución de hierro se había resentido a causa de una neumonía contraída en la montaña, y se había instalado en aquella zona de clima más templado durante una temporada. Tenía parientes en Bismarck, un asentamiento de colonos alemanes situado al norte de la granja, pero hacía ya un año que trabajaba para el abuelo.

En cuanto terminó la cena, Otto me llevó a la cocina para decirme entre cuchicheos que en el establo había un poni y que lo habían comprado para mí en una subasta; lo había montado él mismo para averiguar si tenía malas mañas, pero el poni era un «perfecto caballero», y se llamaba *Dude*[4]. Fuchs me contó todo cuanto quería saber de él: que había perdido la oreja durante una ventisca en Wyoming, cuando era conductor de diligencias, y cómo se echaba el lazo. Me prometió enlazar a un novillo para mí al día siguiente, antes de que se pusiera el sol. Sacó sus «chaparreras» y sus espuelas de plata para mostrárnoslas a Jake y a mí, y también sus mejores botas de vaquero, adornadas con llamativos dibujos: rosas y nudos marineros y figuras femeninas desnudas. Con tono solemne, explicó que eran ángeles.

Antes de acostarnos, llamaron a Jake y a Otto a la salita para rezar. El abuelo se puso unos anteojos de montura plateada y leyó varios salmos. Su voz era tan cordial y leía de un modo tan expresivo que me habría gustado que escogiera uno de mis capítulos favoritos de uno de los libros de los Reyes. Me sobrecogió la forma en que pronunciaba la palabra selah. «Él elegirá nuestro legado, lo más excelso de Jacob, a quien amaba. Selah.» Yo no tenía la menor idea de lo que significaba esa palabra; quizá él tampoco. Pero, cuando la pronunciaba, se convertía en parte de un oráculo, en la más sagrada de todas las palabras[5].

A la mañana siguiente, temprano, salí corriendo al exterior para explorar los alrededores. Me habían dicho que la nuestra era la única casa de madera al oeste de Black Hawk,

---

[4] Significa «dandy», «petimetre».

[5] La palabra hebrea *selah* aparece 71 veces en los Salmos de la Biblia, seguramente como exclamación (similar a «amén»), o tal vez como una indicación a los músicos o al coro para que alzaran el volumen de la música o de las voces.

hasta llegar al asentamiento de colonos de noruegos, donde había varias. Nuestros vecinos vivían en casas de tierra y en chozas, cómodas, pero no demasiado espaciosas. Nuestra blanca casa de madera, con una planta y otra media planta, además del sótano, se encontraba en el extremo este de lo que podría llamarse el corral, con el molino junto a la puerta de la cocina. Desde el molino, el terreno bajaba en una suave pendiente hasta los establos, graneros y pocilgas de la parte occidental. A fuerza de hollarla, la pendiente estaba pelada, la tierra era dura y estaba agrietada por los surcos sinuosos que dejaban las lluvias. Más allá de los graneros de maíz, en el fondo de la hondonada, había un pequeño estanque fangoso rodeado de sauces enanos de color rojizo. El camino que venía de la estafeta de correos pasaba por delante de nuestra puerta, atravesaba el espacio abierto y describía una curva hasta el otro lado del estanque, donde empezaba la pradera, ascendiendo en una suave ondulación y prolongándose ininterrumpidamente hacia el Oeste. Allí, siguiendo la línea del horizonte, bordeaba un vasto campo de maíz de una extensión superior a la de cuantos había visto hasta entonces. Aquel maizal y la parcela de sorgo que había detrás del establo eran los únicos cultivos que había en los alrededores. Hasta donde alcanzaba la vista, todo era una extensión cubierta de hierba roja y enmarañada, en su mayor parte casi tan alta como yo.

Al norte de la casa, dentro de los límites marcados por las zanjas cortafuegos, crecía un tupido bosquecillo de negundos achaparrados, cuyas hojas empezaban a amarillear. Este seto tenía una longitud aproximada de medio kilómetro, pero tuve que forzar la vista para divisarlo. Aquellos pequeños árboles eran insignificantes comparados con la hierba. Parecía como si la hierba estuviera a punto de arrollarlos, igual que a los ciruelos que había detrás del gallinero hecho de tierra.

Mientras recorría el paisaje con la mirada, tuve la sensación de que la hierba era la tierra, como el agua es el mar. El rojo de la hierba daba a la gran pradera el color de las manchas de vino o de ciertas algas marinas cuando llegan a la playa llevadas por la corriente. Y era tal el movimiento, que la tierra entera parecía lanzada a la carrera.

Casi había olvidado que tenía abuela cuando la vi salir con sombrero y llevando un saco de grano, y me preguntó si querría ir al huerto con ella a coger unas patatas para la cena.

Curiosamente, el huerto se encontraba a medio kilómetro de la casa, al final de un sendero que discurría por un barranco, más allá del corral. La abuela me enseñó un grueso bastón de nogal con la contera de cobre que colgaba de su cinturón por una correa de cuero. Era, según me dijo, su bastón para serpientes de cascabel. No debía ir nunca al huerto sin un palo grueso o un machete para cosechar maíz[6]; ella había matado a un buen montón de serpientes de cascabel en sus idas y venidas al huerto. A una niña que vivía junto a la carretera de Black Hawk la había mordido una en el tobillo y se había pasado todo el verano enferma.

Recuerdo exactamente la impresión que me produjo el paisaje mientras caminaba junto a mi abuela siguiendo las

---

[6] Se refiere a un cuchillo largo y pesado que se utiliza para cosechar las mazorcas de maíz a mano.

suaves roderas de los carros en aquella mañana de principios de septiembre. Tal vez me hallaba aún bajo la impresión del largo viaje en ferrocarril, pues predominaba en mí, sobre todas las demás, la sensación de movimiento en el paisaje; en la brisa fresca y ligera de la mañana, y en la tierra misma, como si la tupida hierba fuera una especie de piel suelta y debajo manadas de búfalos salvajes galoparan, galoparan...

Yo solo nunca habría dado con el huerto –de no ser, quizá, por las enormes calabazas amarillas esparcidas por doquier y protegidas apenas por sus hojas marchitas– y, una vez allí, no despertó en mí ningún interés. Lo que quería era seguir caminando por entre la hierba roja hasta el fin del mundo, que no podía estar muy lejos. La transparencia del aire me dijo que el mundo acababa allí: sólo quedaba la tierra y el sol y el cielo, y si seguía un poco más allá, sólo sol y cielo encontraría, y flotaría como los halcones pardos que sobrevolaban nuestras cabezas proyectando sombras fugaces sobre la hierba. Mientras la abuela cogía la horca que encontramos clavada en uno de los surcos y extraía las patatas, mientras yo las recogía de la tierra de un suave tono marrón y las metía en el saco, no dejaba de alzar la vista hacia los halcones que hacían lo que tan fácilmente podría hacer yo.

Cuando la abuela se dispuso a marcharse, le dije que prefería quedarme un rato en el huerto.

Me miró con atención por debajo del sombrero.

–¿No te dan miedo las serpientes?

–Un poco –admití–, pero me gustaría quedarme de todas formas.

–Bueno, si ves alguna, ni te acerques siquiera. Las grandes de color amarillo y marrón no hacen nada; son serpientes toro y evitan que haya demasiadas ardillas de tierra. No te asustes si ves asomar algo por el agujero de ese talud de ahí. Es la madriguera de un tejón. Es casi tan grande como una zarigüeya adulta, y tiene la cara a rayas blancas y negras. Se come una gallina de vez en cuando, pero no permito que los hombres le hagan daño. En un país nuevo las personas acaban haciéndose amigas de los animales. Me gusta que salga y me contemple mientras trabajo.

La abuela se echó el saco de patatas al hombro y se alejó por el sendero, un poco encorvada. El sendero seguía los meandros del barranco. Cuando llegó al primer recodo, me saludó con la mano y desapareció. Me quedé a solas con un sentimiento nuevo de ligereza y satisfacción.

Me senté en medio del huerto, donde las serpientes difícilmente podían acercarse sin ser vistas, y apoyé la espalda en una calabaza amarilla y caliente. A lo largo de los surcos crecían unos cuantos cerezos silvestres llenos de frutos. Di la vuelta a las vainas triangulares, de tacto semejante al papel, que protegían las cerezas, y me comí unas cuantas. Por todas partes había saltamontes gigantes, el doble de grandes de cuantos había visto hasta entonces, realizando proezas acrobáticas entre los sarmientos marchitos. Las ardillas de tierra correteaban de un lado a otro del huerto. Allí, en el fondo de la hondonada, el viento no soplaba con demasiada fuerza, pero le oía murmurar su melodía en lo alto y veía agitarse la alta hierba. Notaba caliente la tierra bajo mi cuerpo, y al dejarla caer, escurriéndose entre mis dedos. Aparecieron unos extraños bichos rojos desfilando lentamente en escuadrones en torno a mí. Tenían el dorso de un reluciente color bermellón con puntos negros. Me quedé tan quieto como me fue posible. No ocurrió nada. No esperaba que ocurriera nada. Yo era algo que yacía bajo el sol y lo sentía, igual que las calabazas, y no quería ser nada más. Era totalmente feliz. Tal vez nos sentimos así cuando morimos y nos convertimos en parte de un todo, sea el sol o el aire, la bondad o la sabiduría. En cualquier caso, eso es la felicidad: diluirse dentro de algo completo y grandioso. Cuando le sucede a uno, es un proceso tan natural como el sueño.

III

El domingo por la mañana, Otto Fuchs tenía que llevarnos en el carro a conocer a nuestros nuevos vecinos de Bohemia. Les llevábamos provisiones, pues se iban a instalar en un lugar salvaje donde no había huerto ni gallinero y la tierra de labor era muy poca. Fuchs subió un saco de patatas y un trozo de cerdo curado de la despensa, y la abuela colocaba unos cuantos panes del sábado, un tarro de mantequilla y varios pasteles de calabaza sobre la paja del carro. Nos encaramamos al pescante y emprendimos la marcha, dejando atrás el estanque para seguir el camino que subía hacia el gran maizal.

Yo estaba impaciente por ver lo que había más allá de aquel maizal, pero sólo vi hierba roja como la nuestra, y nada más, aunque desde el alto pescante del carro se abarcaba una amplia extensión de tierra. El camino seguía un trazado infernal, evitando los barrancos allí donde eran más profundos y atravesándolos por donde eran practicables. Y, tanto si daba vueltas como si iba en línea recta, a ambos lados crecían los girasoles; algunos eran tan grandes como árboles pequeños, con hojas grandes y toscas y numerosas ramas que soportaban docenas de capullos. Cruzaban la pradera como una cinta dorada. De vez en cuando, uno de los caballos arrancaba una planta llena de flores de un bocado, y seguía caminando mientras la masticaba, y las flores se balanceaban al compás de sus mordiscos, cada vez más cercanos.

La familia bohemia, según me contó la abuela conforme avanzábamos, había comprado la granja de un compatriota suyo, Peter Krajiek, pagándole por ella más de lo que valía. El trato lo habían cerrado antes de abandonar su país por medio de un primo de él, que también era pariente de la señora Shimerda. Los Shimerda eran la primera familia bohemia que llegaba a aquella parte del condado. Krajiek era su único intérprete, y podía decirles lo que le viniera en gana. No sabían hablar inglés, de modo que no podían pedir consejo, ni siquiera dar a conocer sus necesidades más acuciantes. Uno de los hijos, dijo Fuchs, era ya mayor, y lo bastante fuerte para cultivar la tierra, pero el padre era viejo y débil y no sabía nada de labranza. Era tejedor de profesión; había sido muy diestro en la confección de tapices y telas de tapicería. Se había traído su violín, que no le serviría de gran cosa allí, aunque en su lugar de origen ganaba algún dinero con él.

–Si son buena gente, detesto la idea de que pasen el invierno en esa covacha de Krajiek –dijo la abuela–. No es más que una madriguera de tejón; no es una choza en condiciones. Y me han dicho que les ha hecho pagar veinte dólares por su viejo fogón, que no valía ni diez.

–Sí, señora –dijo Otto–, y les ha vendido sus bueyes y sus

dos caballos viejos y escuálidos por el precio de buenos animales de labor. Yo habría intervenido en lo de los caballos, porque el viejo entiende algo el alemán, si hubiera creído que iba a escucharme. Pero los bohemios sienten una desconfianza innata hacia los austríacos.

La abuela pareció interesada.

–Vaya, ¿y eso por qué, Otto?

Fuchs arrugó el entrecejo y la nariz.

–Bueno, señora, cosas de la política. Sería muy largo de explicar.

El terreno se hacía cada vez más agreste; me dijeron que nos acercábamos al arroyo Squaw[7], que atravesaba la mitad occidental de la propiedad de los Shimerda y hacía que la tierra tuviera escaso valor agrícola. Pronto vimos las riberas arcillosas y cubiertas de hierba que señalaban los meandros del arroyo, y las relucientes copas de los álamos de Virginia y los fresnos que crecían en el fondo de la quebrada. Algunos de los álamos se estaban secando ya y las hojas amarillas y la relumbrante corteza blanca les daban la apariencia de los árboles dorados y plateados de los cuentos de hadas.

Nos acercábamos a la morada de los Shimerda, pero seguía sin ver nada más que las rojas colinas agrestes y los barrancos de taludes escalonados y largas raíces colgantes que asomaban allí donde la tierra se había desmoronado. Por fin, apoyada en uno de aquellos taludes vi una especie de cabaña techada con la hierba de color vino que crecía por todas partes. Junto a ella se alzaba un molino destartala-

7 «Mujer india.»

do y medio caído que no tenía rueda. Nos dirigimos hacia aquel armazón para atar a él los caballos, y entonces vi una puerta y una ventana hundidas en el talud. La puerta estaba abierta, y una mujer y una niña de catorce años salieron corriendo y alzaron hacia nosotros una mirada esperanzada. Las seguía una niña pequeña. Anudado a la cabeza, la mujer llevaba el mismo chal bordado con flecos de seda que le había visto al apearse del tren en Black Hawk. No era vieja, pero desde luego tampoco joven. Tenía un rostro vivaz y despierto, con el mentón afilado y unos ojillos perspicaces. Estrechó la mano de la abuela vigorosamente.

–¡Muy contenta, muy contenta! –exclamó. Inmediatamente señaló el talud del que había surgido y dijo–: ¡Casa no buena, casa no buena!

La abuela asintió con expresión consoladora.

–Conseguirán acomodarse mejor cuando pase el tiempo, señora Shimerda; harán buena la casa.

Mi abuela hablaba siempre a gritos a los extranjeros, como si fueran sordos. Hizo comprender a la señora Shimerda la intención amable de nuestra visita, y la mujer bohemia manoseó los panes e incluso los olió, y examinó los pasteles con viva curiosidad, exclamando:

–¡Mucho bueno, mucho gracias! –y volvió a estrechar con fuerza la mano de la abuela.

El hijo mayor, Ambro –lo pronunciaban Ambrosch–, salió de la covacha y se colocó junto a su madre. Tenía diecinueve años, era bajo y de anchas espaldas, con la cabeza chata y de cabellos muy cortos y el rostro grande y achatado. Sus ojos de color avellana eran pequeños y penetrantes, como los de su madre, pero más taimados y suspicaces;

prácticamente se le salieron de las órbitas al ver la comida. La familia había vivido de tortas de maíz y melaza de sorgo durante tres días.

La niña pequeña era bonita, pero Ántonia –acentuaban así el nombre, con fuerza, cuando la llamaban– aún lo era más. Recordé lo que había dicho el revisor de sus ojos. Eran grandes y cálidos y luminosos, como el sol reflejado en oscuros estanques en medio del bosque. También su piel era oscura, y tenía las mejillas encendidas, intensamente sonrosadas. Tenía una melena desgreñada de cabellos morenos y rizados. La hermana pequeña, a la que llamaban Yulka (Julka), era rubia, y parecía dócil y obediente. Mientras contemplaba con torpeza a las dos niñas, salió Krajiek del establo para ver qué estaba pasando. Le acompañaba otro de los Shimerda. Incluso desde lejos se notaba que aquel chico tenía algo extraño. Cuando se acercó a nosotros empezó a hacer ruidos burdos, y alzó las manos para enseñarnos los dedos, que eran palmeados hasta el primer nudillo, como si fueran de pato. Cuando me vio echarme hacia atrás, se puso a cacarear con deleite, «¡Cooo, co-co, co-co!», como un gallo. Su madre frunció el entrecejo y exclamó con severidad:

–¡Marek! –Luego se dirigió a Krajiek en bohemio, hablando deprisa.

–Quiere que les diga que el chico no hará daño a nadie, señora Burden. Nació así. Los otros son listos. Ambrosch será un buen granjero. –Dio un golpe a Ambrosch en la espalda y el chico esbozó una sonrisa cómplice.

En aquel momento salió el padre del agujero en el terraplén. No llevaba sombrero y tenía los espesos cabellos, grises como el acero, peinados hacia atrás. Eran tan largos que asomaban como una mata por detrás de las orejas, y le hacían parecer uno de los viejos retratos que yo recordaba de Virginia. Era alto y delgado, y tenía encorvados los hombros flacos. Lo comprendió todo con una mirada, luego tomó la mano de la abuela y se inclinó sobre ella. Me fijé en que sus manos eran blancas y bien formadas. Parecían irradiar cierta paz, y destreza. Sus ojos tenían una expresión melancólica y se hundían profundamente bajo las cejas. Sus facciones eran duras, pero tenía el rostro ceniciento, como si se hubiera extinguido en él toda la luz y el calor. Todo en aquel viejo armonizaba con su porte digno. Vestía pulcramente. Bajo la chaqueta, llevaba un chaleco gris de punto y, en lugar de cuello, un pañuelo de seda de un oscuro tono verde broncíneo, con los extremos cuidadosamente cruzados y sujetos por un alfiler rojo de coral. Mientras Krajiek traducía para el señor Shimerda, Ántonia se acercó a mí y me tendió la mano persuasivamente. Instantes después corríamos pendiente arriba juntos, con Yulka intentando seguirnos.

Cuando llegamos a lo alto y pudimos ver las copas doradas de los árboles, señalé en aquella dirección, y Ántonia se echó a reír y me apretó la mano, dándome a entender lo contenta que estaba de que hubiera ido. Corrimos en dirección al Squaw y no paramos hasta que la tierra misma se detuvo; desapareció ante nosotros de manera tan abrupta que el siguiente paso nos habría hecho caer en las copas de los árboles. Nos detuvimos jadeantes al borde del abismo, contemplando los árboles y los matorrales que crecían en el fondo, a nuestros pies. El viento era tan fuerte que tuve que sujetarme el sombrero con la mano, y las faldas de las niñas revoloteaban delante de ellas. A Ántonia pareció gustarle; sujetaba a su hermana pequeña de la mano y parloteaba en aquella lengua que a mí me parecía que se hablaba mucho más deprisa que la mía. Ántonia me miró y en sus ojos, realmente, centelleaban las cosas que no podía decir.

–¿Nombre? ¿Qué nombre? –preguntó, tocándome el hombro. Le dije mi nombre y ella lo repitió e hizo a Yulka que lo repitiera. Señaló el álamo dorado cuya copa teníamos delante, y volvió a decir–: ¿Qué nombre?

Nos sentamos e hicimos un nido en la alta hierba roja. Yulka se enroscó como una cría de conejo y jugueteó con un saltamontes. Ántonia señaló el cielo y me interrogó con la mirada. Le di la palabra, pero no se contentó con eso y señaló mis ojos. Le dije cómo se llamaban y ella repitió la palabra, haciendo que sonara como «hielo»[8]. Señaló el cielo, luego mis ojos, luego otra vez el cielo, con movimientos tan rápidos e impulsivos que me distrajo, y no tuve la menor idea de lo que quería decir. Se arrodilló y se retorció las manos. Se señaló los ojos y negó con la cabeza, luego señaló los míos y el cielo, asintiendo vigorosamente.

–Oh –exclamé–, azul; cielo azul, ojos azules.

Dio una palmada y murmuró:

–Cielo azul, ojos azules –como si le divirtiera.

Mientras estábamos allí acurrucados para protegernos del viento, aprendió una veintena de palabras. Era despierta y anhelaba aprender. Tan hundidos estábamos en la hierba que

---

[8] *Eyes*, «ojos» y *ice*, «hielo», tienen una pronunciación muy similar en inglés.

no veíamos nada más que el cielo azul sobre nuestras cabezas y el árbol dorado frente a nosotros. Era deliciosamente agradable. Después de que Ántonia hubo repetido las nuevas palabras una y otra vez, quiso darme un pequeño anillo de plata cincelada que llevaba en el dedo corazón. Lo rechacé muy seriamente cuando ella insistió, intentando convencerme. No quería su anillo, y me parecía que su deseo de dárselo a un chico al que acababa de conocer era imprudente y excéntrico. No era de extrañar que Krajiek se hubiera aprovechado de aquella gente, si era así como se comportaban.

Mientras discutíamos sobre el anillo, oí una voz lastimera que gritaba:

–¡Ántonia, Ántonia!

Ántonia se puso en pie de un salto, igual que una liebre.

–*Tatinek! Tatinek!* –gritó, y corrimos al encuentro del viejo, que venía hacia nosotros. Ántonia fue la primera en alcanzarlo, lo cogió de la mano y se la besó. Cuando llegué yo, él me puso la mano en el hombro y examinó mi rostro durante unos segundos. Me sentí algo azorado, pues estaba acostumbrado a que los mayores no se fijaran en mí.

Volvimos con el señor Shimerda a la choza, donde me esperaba la abuela. Antes de que me subiera al carro, el señor Shimerda se sacó un libro del bolsillo, lo abrió y me mostró una página con dos alfabetos, uno inglés y el otro bohemio. Puso el libro en manos de mi abuela, la miró con expresión suplicante y dijo, con una seriedad que jamás olvidaré:

–¡En-se-ñar, en-se-ñar mi Ántonia!

IV

La tarde de aquel mismo domingo di mi primer paseo largo en mi poni, bajo la tutela de Otto. Después de aquello, *Dude* y yo íbamos dos veces por semana a la estafeta de correos, a diez kilómetros en dirección Este, y ahorrábamos mucho tiempo a los hombres encargándonos de llevar recados a nuestros vecinos. Cuando teníamos que pedir algo prestado o llevar el aviso de que habría sermón en la escuela hecha de tierra, siempre era yo el mensajero. Antes era Fuchs quien se ocupaba de esas cosas después del trabajo.

Todos los años transcurridos no han borrado mi recuerdo de aquel primer otoño glorioso. El nuevo país se extendía ante mí: no había cercas en aquellos tiempos, y podía elegir cualquier camino entre la hierba de las tierras altas, confiando en que el poni me devolvería a casa. Algunas veces seguía los senderos bordeados de girasoles. Fuchs me dijo que los girasoles habían llegado a aquel territorio de la mano de los mormones; que, en la época de las persecuciones, al abandonar Misuri y adentrarse en las tierras salvajes en busca de un lugar donde pudieran adorar a Dios a su manera, los miembros del primer grupo explorador habían atravesado las llanuras en dirección a Utah esparciendo semillas de girasol a su paso. Al verano siguiente, las largas caravanas de carromatos que llevaban a las mujeres y los niños no habían tenido más que seguir la estela de girasoles. Creo que los botánicos no han confirmado la historia de Fuchs, sino que insisten en que el girasol es autóctono de las llanuras. No obstante, la leyenda ha pervivido en mi memoria, y los senderos bordeados de girasoles siempre me han parecido los senderos que conducen a la libertad.

Me gustaba vagar junto a los maizales de pálido color amarillo, buscando los lugares húmedos que a veces se encuentran en sus lindes, donde las centinodias pronto adquirían un intenso color cobrizo y las delgadas hojas marrones colgaban enroscadas como vainas en torno a los nudos abultados del tallo. Algunas veces me dirigía hacia el Sur para visitar a nuestros vecinos alemanes y admirar su huerto de catalpas, o para ver el gran olmo que se erguía en una profunda grieta del terreno y tenía un nido de halcón entre sus ramas. Los árboles eran tan escasos en la región y era tanto el esfuerzo que debían realizar para crecer, que nos preocupaban y los visitábamos como si fueran personas. Debía de ser la parquedad de los detalles en aquel paisaje pardo rojizo lo que hacía que los detalles fueran preciosos.

Algunas veces cabalgaba hacia el Norte, hacia la gran colina llena de guaridas de perros de las praderas, para contemplar cómo las lechuzas pardas de tierra emprendían el vuelo con el ocaso y bajaban a sus nidos subterráneos con los perros[9]. A Ántonia Shimerda le gustaba venir conmigo, y juntos nos hacíamos mil y una preguntas sobre aquellas aves de costumbres subterráneas. Teníamos que estar en guardia, pues siempre había serpientes de cascabel rondando por allí. Acudían al reclamo de presas fáciles como los perros de las praderas y las lechuzas de tierra, que no tenían modo alguno de defenderse; tomaban posesión de sus cómodos nidos y se comían los huevos y las crías. Las lechuzas nos daban lástima. Nos causaba siempre una profunda tristeza verlas llegar volando al nido con la puesta de sol y desaparecer bajo tierra. Pero, al fin y al cabo, nos parecía que, siendo aladas, unas criaturas como ellas debían de haberse degradado mucho para vivir de esa manera. La colina de los perros de las praderas estaba muy lejos de cualquier estanque o arroyo. Otto Fuchs decía que había visto colinas de madrigueras populosas en el desierto, donde no había agua en la superficie en ochenta kilómetros a la redonda; insistía en que algunos de los túneles debían de bajar hasta el agua, a unos sesenta metros más o menos. Ántonia decía no creérselo; decía que seguramente los perros lamían el rocío de la mañana, como los conejos.

Ántonia tenía opiniones sobre todo, y muy pronto pudo darlas a conocer. Casi todos los días llegaba corriendo por la pradera para que le diera clases de lectura. La señora Shimerda refunfuñaba, pero se daba cuenta de que era importante que un miembro de la familia aprendiera inglés. Cuando terminaba la lección, nos íbamos al sandiar que

9 Téngase en cuenta que, pese al nombre de «perro de las praderas», este animal es en realidad un roedor que vive en madrigueras subterráneas. Su grito habitual es una especie de ladrido al que debe su nombre.

había detrás del huerto. Yo partía las sandías con un viejo machete de cosechar maíz, y arrancábamos el corazón y nos lo comíamos, dejando que el jugo nos resbalara por los dedos. No tocábamos las blancas sandías navideñas, pero las mirábamos con curiosidad. Las recogerían más tarde, cuando empezaran las fuertes heladas, y se almacenarían para comerlas durante el invierno. Después de varias semanas en el mar, los Shimerda se morían de ganas de comer fruta. Las dos niñas vagaban durante kilómetros y kilómetros, bordeando los maizales en busca de tomatillos.

A Ántonia le encantaba ayudar a la abuela en la cocina y aprender a cocinar y a llevar la casa. Se quedaba detrás de ella, contemplando todos sus movimientos. Nosotros estábamos dispuestos a creer que la señora Shimerda era una buena ama de casa en su país, pero no sabía desenvolverse en aquella situación, nueva para ella; ¡desde luego la situación era bastante mala!

Recuerdo cómo nos horrorizamos al ver el pan agrio y de un color ceniciento que daba a comer a su familia. Descubrimos que mezclaba la masa en un viejo picotín de hojalata que antes había usado Krajiek en el establo. Cuando la señora Shimerda sacaba la masa para hornearla, dejaba restos pegados a los lados del picotín, colocaba éste en el estante, tras el fogón, y dejaba que los residuos fermentaran. Cuando volvía a hacer pan, echaba aquella cosa agria en la masa recién hecha para usarla como levadura.

Durante aquellos primeros meses, los Shimerda no fueron jamás a la ciudad. Krajiek los convenció de que en Black Hawk se verían misteriosamente despojados de su dinero. Odiaban a Krajiek, pero se aferraban a él porque era el único ser humano con el que podían hablar, o del que podían obtener información. Krajiek dormía con el padre y los dos chicos en el establo, junto con los bueyes. Le dejaban vivir con ellos en su agujero y le daban de comer por la misma razón que los perros de la pradera y las lechuzas pardas dan cobijo a las serpientes de cascabel: porque no sabían cómo librarse de él.

V

Sabíamos que nuestros vecinos bohemios lo pasaban muy mal, pero las dos niñas tenían un espíritu animoso y no se quejaban nunca. Siempre estaban dispuestas a olvidar los problemas domésticos y a huir conmigo hacia la pradera para ahuyentar conejos o levantar bandadas de codornices.

Recuerdo la emoción de Ántonia cuando entró una tarde en nuestra cocina y anunció:

–Mi papá encontrar amigos en Norte, con hombres rusos. Ayer noche llevó a mí para ver y yo puedo entender mucho que hablaron. Hombres simpáticos, señora Burden. Uno es gordo y reír todo el tiempo. Todos reír. La primera vez que veo reír mi papá en este país. ¡Oh, muy bien!

Le pregunté si se refería a los dos rusos que vivían hacia el Norte, cerca de la colina de los perros de las praderas. Yo mismo había sentido a menudo la tentación de ir a verlos cuando cabalgaba en aquella dirección, pero uno de ellos era un tipo de aspecto feroz, y me daba un poco de miedo. Rusia me parecía el país más remoto del mundo, más lejano aún que China, y casi tanto como el Polo Norte. De toda la gente extraña y desarraigada que había entre los primeros colonos, aquellos dos hombres eran los más extraños y los más distantes. Sus apellidos eran impronunciables, de modo que los llamaban Pavel y Peter. Andaban por ahí haciendo señas a la gente, y carecieron de amigos hasta la llegada de los Shimerda. Krajiek entendía un poco el ruso, pero los había engañado en diversas transacciones, de modo que procuraba evitarlos. De Pavel, el alto, se decía que era anarquista; dado que no tenía modo alguno de dar a conocer sus opiniones, lo más probable era que sus exageradas gesticulaciones y su actitud general, díscola e irritable, hubieran dado pie a tal suposición. En otro tiempo debía de haber sido un hombre muy fuerte, pero por aquel entonces su figura corpulenta de articulaciones grandes y nudosas parecía desgastada, y la piel de sus pronunciados pómulos era muy tirante. Su respiración era ronca y no paraba de toser.

Peter, su compañero, era un tipo muy diferente; de pequeña estatura, piernas arqueadas y gordo como un tonel. Parecía complacido siempre que se encontraba con alguien en el camino, sonreía y saludaba con el sombrero, fuera hombre o mujer. A lo lejos, subido a su carro, parecía más viejo; tenía los cabellos y la barba de un rubio tan pálido que parecían blancos a la luz del sol. Eran tan espesos y rizados como la lana cardada. Su faz sonrosada, con la nariz respingona, entre aquellos vellones, era como un melón entre sus hojas. Solían llamarle «Curly Peter», Peter el Rizos, o «Rooshian Peter», el ruso Peter.

Los dos rusos eran buenos peones de labranza, y en verano trabajaban juntos en las tierras de otros. Oí reír a nuestros vecinos al contar que Peter tenía que volver siempre a casa por la noche para ordeñar su vaca. Otros colonos solteros bebían leche condensada para ahorrarse la molestia. Peter venía a veces al servicio religioso que se celebraba en la escuela. Fue allí donde lo vi por primera vez, sentado en un banco bajo junto a la puerta, con el gorro de felpa entre las manos y los pies desnudos escondidos bajo el asiento, como disculpándose.

Cuando el señor Shimerda trabó amistad con los rusos, empezó a visitarlos casi todas las noches, y a veces se llevaba a Ántonia con él. Ántonia me dijo que eran de una parte de Rusia donde el idioma no era muy diferente del que se hablaba en Bohemia, y que si quería ir a verlos, podría hablar con ellos por mí. Una tarde, antes de que empezaran las fuertes heladas, fuimos a verlos cabalgando juntos en mi poni.

Los rusos tenían una bonita casa de troncos construida sobre una loma cubierta de hierba, y un pozo con cabrestante junto a la puerta. Al ascender la pendiente tuvimos que rodear un extenso sandiar y un huerto en el que se veían calabazas, zapallos y pepinos amarillos. Encontramos a Peter fuera, en la parte de atrás de la cocina, inclinado sobre una tina. Trabajaba con tanto afán que no nos oyó llegar. Todo su cuerpo se movía de arriba abajo mientras frotaba; ofrecía un cómico aspecto, visto desde atrás, con su cabeza greñuda y sus piernas torcidas. Cuando se irguió para saludarnos, las gotas de sudor le caían desde la gruesa nariz hasta la barba rizada. Peter se secó las manos y pareció alegrarse de dejar el fregoteo. Nos llevó a ver sus gallinas y la vaca, que pastaba en la ladera. Le dijo a Ántonia que en su país sólo la gente rica tenía vacas, pero que aquí cualquiera que quisiera cuidarla podía tener una. La leche era buena para Pavel, que enfermaba a menudo, y podía hacer mantequilla con ella batiendo la nata agria con una cuchara de madera. Peter le tenía un gran cariño a su vaca. Le palmeó los flancos y le habló en ruso mientras arrancaba el clavo que sujetaba el ronzal y lo hundía en otro sitio.

Después de mostrarnos su huerto, Peter llevó una carretilla llena de sandías colina arriba hasta la casa. Pavel no estaba allí. Se había ido a algún sitio para ayudar a cavar un pozo. La casa me pareció muy acogedora para dos hombres solteros. Además de la cocina, había una sala de estar, con una amplia cama de matrimonio arrimada a una pared y bien provista, con sábanas azules de guinga y almohadas. También había un pequeño almacén con una ventana, donde guardaban rifles y sillas de montar y herramientas, y abrigos y botas viejos. Aquel día estaba lleno de hortalizas secándose para el invierno; maíz y judías y gruesos pepinos amarillos. No había persianas ni cortinas en la casa, y todas las puertas y ventanas estaban abiertas de par en par, permitiendo el paso a las moscas y a la luz del sol por igual.

Peter puso las sandías en hilera sobre la mesa cubierta por un hule y empuñó un cuchillo de carnicero. Antes de que la hoja las hendiera por completo, se partían solas, de puro maduras, con un delicioso sonido. Nos dio cuchillos, pero no platos, y pronto la mesa estaba bañada en jugo y semillas. Jamás había visto a nadie comer tantas sandías como Peter. Nos aseguró que eran buenas para la salud, mejor que cualquier medicina; en su país, la gente se alimentaba únicamente de sandías en aquella época del año.

Era un hombre muy hospitalario y alegre. Una vez, mientras contemplaba a Ántonia, suspiró y nos dijo que, si se hubiera quedado en Rusia, tal vez tendría entonces una preciosa hija que cocinara y llevara la casa. Nos dijo que había abandonado su país debido a un «gran problema».

Cuando nos levantamos para marcharnos, Peter miró a un lado y a otro con aire perplejo, buscando algo con que entretenernos. Entró a toda prisa en el almacén y volvió con una armónica de vistosos colores, se sentó en un banco y, separando las gordas piernas, empezó a tocar como si fuera una orquesta entera. Las melodías eran muy animadas o muy tristes, y algunas también tenían letra.

Antes de irnos, Peter metió unos pepinos maduros en un saco para la señora Shimerda y nos dio un cubo lleno de leche para que los cocinara con ella. Yo no había oído hablar nunca de que los pepinos se cocinaran, pero Ántonia me aseguró que así estaban muy buenos. Tuvimos que llevar el poni al paso todo el camino hasta casa para que la leche no se derramara.

VI

Una tarde estábamos dando la clase de lectura en el cálido talud cubierto de hierba en el que vivía el tejón. Aquel día el sol derramaba una luz ambarina, pero el aire traía consigo el frescor del invierno cercano. Aquella mañana había visto hielo en el pequeño estanque donde abrevaban los caballos, y cuando Ántonia y yo pasamos por el huerto encontramos los altos espárragos con sus bayas rojas caídos en el suelo, convertidos en una verde pulpa viscosa.

Tony iba descalza y tiritaba bajo el vestido de algodón, y sólo se sintió mejor cuando nos acurrucamos sobre la tierra caliente a pleno sol. Por aquel entonces era ya capaz de hablarme de casi cualquier cosa. Aquella tarde me contaba la gran estimación de que disfrutaba el tejón en su lugar de origen, y que los hombres usaban un perro de una clase muy especial, con las patas muy cortas, para darle caza. Los perros, me dijo, se metían en la madriguera en pos del tejón y lo mataban tras una lucha terrible bajo tierra; desde fuera se los oía ladrar y gañir. Luego el perro reculaba, arrastrándose hasta el exterior, cubierto de mordiscos y arañazos, para ser recompensado y mimado por su amo. Ella sabía de un perro que llevaba una estrella en el collar por cada tejón muerto.

Los conejos se mostraban inusitadamente dinámicos aquella tarde. No hacían más que erguirse por doquier y salían disparados pendiente abajo como si se tratara de un juego. Pero las pequeñas criaturas que zumbaban entre la hierba estaban todas muertas... todas menos una. Mientras estábamos allí tumbados, sobre el cálido talud, un pequeño insecto del tono verde más claro que pueda imaginarse salió de entre las vezas dando saltitos lastimosos e intentó alcanzar un matojo de una gramínea. Falló, cayó hacia atrás y se quedó sentado con la cabeza hundida entre las largas patas, temblándole las antenas, como si esperara la llegada de algo que fuera a acabar con él. Tony lo acunó entre sus manos para darle calor; le habló alegremente y con tono indulgente, en bohemio. Al cabo de un rato, el insecto se puso a cantar para nosotros: un débil chirrido discordante. Ella se lo acercó a la oreja y rió, pero al poco vi que tenía lágrimas en los ojos. Me contó que en su aldea había una vieja mendiga que iba de puerta en puerta vendiendo hierbas y raíces que ella misma recogía en el bosque. Si uno la invitaba a entrar y a sentarse junto al fuego, cantaba viejas canciones a los niños con una voz cascada como aquélla. La vieja Hata, la llamaban, y a los niños los entusiasmaba verla aparecer, y guardaban dulces y pasteles para ella.

Cuando el talud del otro lado del barranco empezó a proyectar una estrecha franja de sombra, comprendimos que debíamos iniciar el camino de vuelta; el frío se echaba encima rápidamente con la puesta de sol, y el vestido de

Ántonia era fino. ¿Qué íbamos a hacer con la frágil y pequeña criatura a la que habíamos atraído de nuevo a la vida con engaño? Ofrecí mis bolsillos, pero Tony meneó la cabeza, se colocó el insecto verde en el pelo con mucho cuidado y se ató su enorme pañuelo a la cabeza, dejándolo suelto sobre los rizos. Le dije que la acompañaría hasta que divisáramos el Squaw, y que luego daría media vuelta y regresaría a casa a toda prisa.

Todas aquellas tardes otoñales eran idénticas, pero nunca dejaban de sorprenderme. Hasta donde alcanzaba la vista, la luz del sol, que era más fuerte e intensa que a cualquier otra hora del día, bañaba los kilómetros de hierba cobriza. Los rubios maizales tenían un tono dorado rojizo, los almiares adquirían un tono rosado y proyectaban largas sombras. La pradera toda era como la zarza que ardió sin consumirse. Aquel momento tenía siempre la exaltación de la victoria, de un final triunfante, como la muerte de un héroe; héroes que morían jóvenes y de manera gloriosa. Era una transfiguración súbita, como si cayera el telón del día.

¡Cuántas tardes recorríamos Ántonia y yo la pradera en medio de tanta magnificencia! Y siempre dos sombras largas y negras nos adelantaban o nos seguían, como manchas oscuras sobre la hierba rojiza.

Habíamos guardado silencio durante largo rato y el borde del sol estaba cada vez más cerca de la línea del horizonte, cuando vimos una figura recortada en el cielo, con una escopeta sobre el hombro. Caminaba lentamente, arrastrando los pies, como si caminara sin rumbo fijo. Echamos a correr para alcanzarlo.

–Mi papá enfermo todo el tiempo –dijo Tony entre jadeos, mientras corríamos–. No tiene bien aspecto, Jim.

Cuando nos acercamos al señor Shimerda, Ántonia gritó y él alzó la cabeza y miró en derredor. Tony llegó corriendo hasta él, le cogió una mano y la apretó contra su mejilla. Era la única de la familia que conseguía arrancar al viejo del letargo en el que parecía vivir. El hombre cogió el saco que llevaba atado al cinto y nos enseñó tres conejos que había matado; miró a Ántonia con un frío atisbo de sonrisa y le dijo algo. Ella se volvió hacia mí.

–¡Mi *tatinek* hace a mí pequeño sombrero con las pieles, pequeño sombrero para invierno! –exclamó alegremente–. Carne para comer, piel para sombrero –enumeró los beneficios ayudándose de los dedos.

Su padre le puso la mano sobre la cabeza, pero ella la cogió por la muñeca y la apartó con cuidado, hablándole deprisa. Oí el nombre de la vieja Hata. Él desató el pañuelo, separó los cabellos de su hija con los dedos y se quedó mirando el insecto verde. Cuando éste empezó a chirriar débilmente, lo escuchó como si produjera un hermoso sonido.

Recogí la escopeta que él había dejado caer; una arma extraña, de su país de origen, corta y pesada, con la cabeza de un ciervo en el percutor. Cuando me vio examinándola, volvió hacia mí su mirada ausente, que siempre me hacía sentir como si estuviera en el fondo de un pozo. Me habló con tono amable y grave, y Ántonia me lo tradujo:

–Mi *tatinek* dice cuando tú eres grande, él dar su escopeta a ti. Muy buena, de Bohemia. Estaba pertenecido a un gran hombre, muy rico, como vosotros no tener aquí; muchos campos, muchos bosques, mucha gran casa. Mi papá tocar para su boda, y él dar mi papá buena escopeta, y mi papá dar a ti.

Me alegré de que aquel proyecto no fuera inmediato. No había visto nunca a personas tan dispuestas como los Shimerda a regalar cuanto tenían. Hasta la madre andaba todo el tiempo ofreciéndome cosas, si bien yo sabía que esperaba regalos importantes a cambio. Nos contemplamos en medio de un amistoso silencio, mientras el débil trovador refugiado entre los cabellos de Ántonia continuaba con su áspero chirrido. La sonrisa del viejo al escucharlo estaba tan llena de tristeza, de compasión por las cosas, que no he podido olvidarla. Cuando el sol se puso, nos llegó el frío de pronto, y el intenso olor de la tierra y la hierba seca. Ántonia y su padre se alejaron cogidos de la mano; yo me abroché la chaqueta y eché una carrera a mi sombra hasta casa.

VII

Pese a lo mucho que me gustaba Ántonia, detestaba el tono de superioridad que adoptaba a veces conmigo. Tenía cuatro años más que yo, cierto, y había visto más mundo; pero yo era un chico y ella una chica, y me desagradaba su actitud protectora. Antes de que acabara el otoño, empezó a tratarme como a un igual y a respetarme en otras cosas, además de las lecciones de lectura. El cambio se produjo a raíz de una aventura que corrimos juntos.

Un día, cuando llegué en el poni a casa de los Shimerda, encontré a Ántonia a punto de marcharse a casa del ruso Peter para pedirle prestada una pala que necesitaba Ambrosch. Me ofrecí a llevarla en el poni, y se encaramó a la silla detrás de mí. La noche anterior se había formado otra fina capa de hielo, y el aire era transparente y embriagador como el vino. En el transcurso de una semana, se habían despojado todos los caminos de sus flores, cientos de miles de girasoles amarillos se habían convertido en abrojos marrones y quebradizos.

Encontramos al ruso Peter recogiendo patatas. Nos alegramos de entrar en la casa y calentarnos junto a los fogones de la cocina, y de ver sus calabazas, zapallos y sandías navideñas amontonados en el almacén para el invierno. Cuando nos alejamos en el poni con la pala, Ántonia sugirió que nos detuviéramos en la colina de los perros de las praderas y que caváramos en uno de los agujeros. Podíamos averiguar si se adentraban en la tierra o si eran horizontales, como las madrigueras de los topos; si estaban conectadas entre sí bajo tierra; si las lechuzas tenían allá abajo sus nidos, forrados de plumas. Tal vez consiguiéramos alguna cría, o huevos de lechuza, o pieles de serpientes.

Las madrigueras se extendían por unas cuatro hectáreas de terreno. Mordisqueada a ras de tierra, la hierba allí era corta y uniforme, de modo que el terreno no era irregular y rojo como todo cuanto lo rodeaba, sino gris y aterciopelado. Los agujeros distaban varios metros unos de otros, y se distribuían con bastante regularidad, casi como si se hubieran trazado calles y avenidas. Uno tenía siempre la impresión de que allí se desarrollaba un tipo de vida muy sociable y ordenado. Até a *Dude* abajo, en un barranco, y nos dedicamos a dar vueltas por entre las madrigueras, buscando un agujero que fuera fácil de cavar. Los perros estaban al aire libre, como era habitual, docenas de ellos, sentados sobre las patas traseras a la puerta de casa. Cuando nos acercamos, nos ladraron y menearon la cola, y se escabulleron en el interior de sus madrigueras. Delante de los agujeros había pequeñas franjas de arena y grava, que supusimos habían escarbado y extraído de una gran profundidad. Aquí y allá, topábamos con un montón de grava mayor, a varios metros de cualquiera de los agujeros. Si habían sido los perros de las praderas los que habían sacado la arena al excavar, ¿cómo la habían transportado hasta tan lejos? Fue en uno de aquellos lechos de grava donde me ocurrió la aventura.

Estábamos examinando un gran agujero con dos entradas. La madriguera se adentraba bajo tierra en una suave pendiente, así que podíamos ver los dos corredores unidos, y el suelo estaba lleno de polvo por el uso, como una pequeña carretera con mucho trasiego. Retrocedía en cuclillas, cuando oí gritar a Ántonia. La tenía enfrente, señalando algo que había a mi espalda y gritando en su idioma. Giré en redondo y allí, en uno de aquellos lechos de grava seca, descubrí la serpiente más grande que había visto en mi vida. Se tostaba al sol, después de una fría noche, y debía de estar durmiendo cuando Ántonia gritó. Al darme yo la vuelta, tenía el cuerpo estirado en suaves ondas, como una letra «W». Empezó a moverse, enroscándose despacio. No era tan sólo una serpiente enorme, pensé, era un monstruo de atracción de feria. Su abominable musculatura, su movimiento fluido y repugnante, me hicieron sentir asco. Era tan gruesa como mi pierna, y daba la impresión que ni aun aplastándola con una rueda de molino perdería su horrible vitalidad. Alzó la espantosa cabeza e hizo sonar el cascabel de la cola. No eché a correr porque no se me ocurrió; no me habría sentido más acorralado aunque hubiera tenido la espalda contra un muro de piedra. Vi que se tensaban sus anillos; iba a saltar, a saltar cuan larga era, recordé. Corrí hacia ella y, apuntando a la cabeza con la pala, le di un buen golpe en el cuello; enseguida la tuve enrollada en torno a los pies. Volví a golpearla, con odio esta vez. Ántonia se acercó corriendo por detrás, descalza como estaba. Aun después de haberle chafado la horrible cabeza a golpes, el cuerpo de la serpiente siguió enroscándose y agitándose, doblándose sobre sí mismo. Me aparté y le di la espalda. Tenía náuseas.

Ántonia vino detrás de mí, gritando:

–¡Oh, Jimmy! ¿No muerde a ti? ¿Seguro? ¿Por qué no corres cuando yo digo?

–¿Por qué te has puesto a parlotear en tu jerga? ¡Podrías haberme dicho que había una serpiente detrás de mí! –dije, muy enfadado.

–Ya sé que soy horrible, Jim, estaba tan asustada... –Me cogió el pañuelo del bolsillo e intentó limpiarme la cara con él, pero yo se lo arranqué de las manos. Supongo que mi aspecto era tan malo como la sensación que tenía–. Nunca imagino que eres tan valiente, Jim –prosiguió ella con tono consolador–. Eres igual que grandes hombres; esperas que levanta cabeza y vas a por ella. ¿No asustado un poco? Ahora llevamos serpiente a casa y enseñamos a todo el mundo. Nadie ha visto en este país serpiente tan grande como tú matas.

Siguió en el mismo tono hasta que empecé a pensar de mí mismo que había estado esperando una oportunidad como aquélla, y que la había recibido con alegría. Volvimos junto a la serpiente con cautela; aún agitaba la cola, mostrando su feo vientre a la luz. Despedía un débil olor fétido, y de la cabeza aplastada manaba un hilillo de un líquido verdoso.

–Mira, Tony, eso es su veneno –dije.

Saqué un buen trozo de cuerda del bolsillo y Ántonia levantó la cabeza de la serpiente con la pala para que la atara. La estiramos y la medimos con mi fusta; medía un metro setenta, más o menos. Tenía doce cascabeles en el crótalo, pero no acababan en punta, así que insistí en que había tenido veinticuatro. Expliqué a Ántonia que eso significaba que la serpiente tenía veinticuatro años, que debía de estar allí cuando llegaron los primeros hombres blancos, desde la época de los búfalos y los indios. Cuando le di la vuelta, empecé a sentirme orgulloso de ella, a respetar en cierta manera su longevidad y su tamaño. Era como el Mal antiquísimo. Desde luego, los animales de su especie han dejado horribles recuerdos atávicos en todos los seres vivos de sangre caliente. Cuando la arrastramos barranco abajo, *Dude* saltó hacia atrás, tensando el ronzal y temblando todo él; no permitió que nos acercáramos.

Decidimos que Ántonia montaría a *Dude* hasta casa y que yo iría a pie. Mientras cabalgaba lentamente, balanceando las piernas desnudas contra los flancos del poni, no dejaba de gritarme que todo el mundo se quedaría asombrado. Yo la seguía con la pala sobre el hombro, llevando mi serpiente a rastras. Su júbilo resultaba contagioso. Aquella vasta tierra no me había parecido nunca tan grande ni tan libre como entonces. Aunque la hierba roja estuviera llena de serpientes de cascabel, yo podía con todas ellas. No obstante, de vez en cuando lanzaba miradas furtivas a mi espalda para comprobar que ninguna pareja vengadora, más vieja y grande que mi presa, se abalanzaba sobre mí por la retaguardia.

El sol se había puesto cuando llegamos a nuestro huerto y descendimos hacia la casa. Otto Fuchs fue la primera persona que vimos a nuestro regreso. Estaba sentado al borde del estanque, fumándose tranquilamente una pipa antes de cenar. Ántonia lo llamó para que acudiera deprisa y echara un vistazo. Otto no dijo nada durante un rato, se limitó a rascarse la cabeza y a darle la vuelta a la serpiente con la punta de la bota.

–¿Dónde has tropezado con esta belleza, Jim?

–Arriba, en las guaridas de los perros de las praderas –respondí lacónicamente.

–¿Las has matado tú? ¿Con qué arma?

–Habíamos estado en casa del ruso Peter para pedirle prestada una pala de parte de Ambrosch.

Otto sacudió la ceniza de la pipa y se acuclilló para contar los cascabeles.

–Ha sido una suerte que tuvieras esa herramienta –dijo, cautelosamente–. ¡Caramba! Ni yo mismo habría querido vérmelas con ella a menos que llevara una estaca conmigo. El bastón para serpientes de tu abuela sólo le habría hecho cosquillas. ¡Pero si podría ponerse de pie y hablar con uno, ya lo creo que sí! ¿Se ha revuelto?

Ántonia intervino entonces.

–¡Se ha revuelto como fiera! Encima de las botas de Jimmy. Yo grito para que él corre, pero él sólo golpea y golpea la serpiente como loco.

Otto me guiñó un ojo. Cuando Ántonia se alejó cabalgando, me dijo:

–Le has dado el primer golpe en la cabeza, ¿verdad? Menos mal.

Colgamos la serpiente del molino de viento, y cuando entré en la cocina encontré a Ántonia en medio de la pieza, contando la historia con abundancia de adornos.

Experiencias posteriores con serpientes de cascabel me enseñaron que las circunstancias de mi primer encuentro habían sido afortunadas. Mi gran serpiente era vieja y había llevado una vida demasiado cómoda; no le quedaban fuerzas para resistirse. Seguramente hacía años que vivía allí, desayunando un rollizo perro de las praderas siempre que le apetecía, en un hogar resguardado, puede que incluso un lecho de plumas de lechuza, y había olvidado que el mundo no reconoce el derecho a la vida de las serpientes de cascabel. Un niño no habría sido rival para una serpiente de su tamaño de haberse producido una lucha. Así que, en realidad, fue un simulacro de aventura; el azar había puesto la presa a mi alcance, como seguramente les había ocurrido a muchos de los que mataban dragones. El ruso Peter me había proporcionado una arma adecuada, la serpiente era vieja y perezosa, y yo tenía a Ántonia a mi lado como testigo y admiradora.

La serpiente colgó de la valla de nuestro corral varios días; algunos de nuestros vecinos vinieron a verla y convinieron en que era la mayor serpiente de cascabel que se había matado en los contornos. Aquello bastó para Ántonia. A partir de entonces me tuvo en mayor estima y nunca más volvió a adoptar un tono desdeñoso conmigo. Había matado a una serpiente gigantesca; me había convertido en todo un hombre.

VIII

A medida que el otoño aumentaba el tono pálido de la hierba y los maizales, las cosas empeoraron para nuestros amigos los rusos. Peter le habló de sus problemas al señor Shimerda: no podía cancelar un pagaré que vencía el uno de noviembre; tenía que pagar una suma exorbitante para renovarlo, y pedir una hipoteca sobre el valor de sus cerdos y caballos, e incluso su vaca lechera. Su acreedor era Wick Cutter, el cruel prestamista de Black Hawk, un hombre de reputación nefanda en toda la región del que tendré que volver a hablar más adelante. Peter no alcanzaba a dar una explicación precisa de sus transacciones con Cutter. Sólo sabía que primero le había pedido prestados doscientos dólares, luego otros cien, luego cincuenta… que cada vez se había añadido una suma al capital inicial, y que la deuda crecía más deprisa que todas las cosechas que sembraba. Finalmente todo había quedado hipotecado.

Poco después de que Peter renovara su pagaré, Pavel agotó todas sus fuerzas levantando maderos para un establo nuevo, y cayó entre las virutas con tal efusión de sangre de los pulmones que sus compañeros dieron por seguro que moriría allí mismo. Lo llevaron a casa y lo metieron en su cama, y allí se quedó, gravemente enfermo. La desgracia parecía haberse posado como un pájaro de mal agüero sobre el tejado de la casa de troncos, y agitaba las alas para ahuyentar a los seres humanos. Los rusos tenían tan mala suerte que la gente los temía y prefería apartarlos de sus pensamientos.

Una tarde, Ántonia y su padre vinieron a casa en busca de mantequilla, y se quedaron hasta que el sol estuvo bajo, como solían hacer siempre. Justo cuando se iban, llegó el ruso Peter en su carro. Pavel estaba muy mal, dijo, y quería hablar con el señor Shimerda y con su hija; venía a buscarlos. Cuando Ántonia y su padre se subieron al carro, rogué a la abuela que me dejara ir con ellos: prescindiría de buena gana de la cena, dormiría en el establo de los Shimerda, y volvería corriendo a casa por la mañana. Sin duda mi plan le pareció una insensatez, pero a menudo se mostraba muy indulgente con los deseos de los demás. Pidió a Peter que esperara un momento, y cuando volvió a salir de la cocina, llevaba una bolsa con bocadillos y bollos para nosotros.

El señor Shimerda y Peter se sentaron en el pescante; Ántonia y yo nos instalamos detrás, sobre la paja, y comimos mientras avanzábamos dando tumbos. Cuando el sol acabó hundiéndose en el horizonte, se levantó un viento frío, que gimió sobre la pradera. Si aquel cambio de tiempo se hubiera producido antes, no habría debido marcharme. Escarbamos entre la paja y nos acurrucamos muy juntos, contemplando cómo se extinguía el intenso resplandor en el Oeste y empezaban a brillar las estrellas en el cielo claro y ventoso. Peter no hacía más que suspirar y gemir. Tony me susurró que el hombre temía que Pavel no se recuperara. Seguimos el resto del camino en silencio. En lo alto, las estrellas resplandecían en toda su magnificencia. Aunque procedíamos de lugares del mundo muy dispares, había en ambos la tenebrosa superstición de que aquellos grupos brillantes tenían influencia sobre lo que ha de ser y lo que no será. Tal vez el ruso Peter, llegado de un país aún más remoto, también había traído consigo la misma creencia.

La pequeña casa de la ladera se confundía hasta tal punto con la noche que no la veíamos al ir acercándonos colina arriba. Nos guió el resplandor de las ventanas y la luz del fogón de la cocina, pues no había ninguna lámpara encendida.

Entramos sin hacer ruido. El hombre que yacía en la amplia cama parecía dormido. Tony y yo nos sentamos en el banco colocado contra la pared y apoyamos los brazos en la mesa. La luz del fuego se reflejaba en los troncos aserrados que sostenían el techo de paja. Pavel hacía un sonido ronco al respirar, y gemía sin descanso. Esperamos. El viento azotaba puertas y ventanas con impaciencia; luego se alejaba silbando por los espacios abiertos. Cada nueva ráfaga que se abatía sobre la casa hacía vibrar los cristales de las ventanas y volvía a perderse a lo lejos como las otras. Me hicieron pensar en ejércitos vencidos batiéndose en retirada; o en fantasmas que intentaban desesperadamente hallar refugio en el interior, y continuaban luego su camino sin dejar de gemir. Al poco, en uno de aquellos intervalos quejicosos entre ráfaga y ráfaga, aparecieron los coyotes con sus aullidos lastimeros –uno, dos, tres, después todos juntos– para anunciarnos la llegada del invierno. Este sonido produjo una reacción en la cama –un largo y fuerte quejido– como si Pavel tuviera una pesadilla o le despertara un antiguo dolor. Peter lo escuchó sin moverse. Estaba sentado en el suelo junto al fogón. Los coyotes soltaron de nuevo sus ladridos... luego el aullido. Pavel pidió algo e intentó incorporarse apoyándose en un codo.

–Le dan miedo los lobos –me susurró Ántonia–. En su país hay muy muchos, y comen hombres y mujeres. –Nos acercamos el uno al otro en el banco.

No podía apartar los ojos del enfermo. La camisa la tenía abierta, y su pecho escuálido, cubierto de rubio pelambre, subía y bajaba de una manera que sobrecogía. Empezó a toser. Peter se puso en pie trabajosamente, cogió la tetera y le preparó una mezcla de agua caliente y whisky. El fuerte olor del alcohol se difundió por la habitación.

Pavel cogió la taza con avidez y bebió, luego hizo que Peter le diera la botella y la deslizó bajo la almohada con una sonrisa desagradable, como si hubiera burlado a alguien. Sus ojos siguieron a Peter por toda la pieza con expresión desdeñosa y cara de pocos amigos. A mí me dio la impresión de que lo despreciaba por ser tan simple y dócil.

Se puso entonces a hablar con el señor Shimerda; su voz apenas era audible. Le contaba una larga historia y, mientras tanto, Ántonia me cogió la mano por debajo de la mesa y me la apretó con fuerza. Se inclinó y aguzó los oídos para escuchar. Se veía a Pavel cada vez más agitado, y no dejaba de señalar a un lado y a otro de la cama, como si hubiera algo allí y quisiera que el señor Shimerda también lo viera.

–Son lobos, Jimmy –susurró Ántonia–. ¡Es horrible lo que dice!

El enfermo bramó y agitó el puño. Parecía maldecir a personas que lo habían agraviado. El señor Shimerda lo sujetó por los hombros, pero a duras penas consiguió que siguiera en la cama. Por fin, un acceso de tos que estuvo a punto de ahogarlo le obligó a callar. Sacó un trapo de debajo de la almohada y se lo llevó a la boca. Rápidamente se cubrió de puntos de un vivo color rojo; pensé que no había visto nunca una sangre tan brillante. Cuando se tumbó y volvió la cara hacia la pared, toda la rabia había abandonado su cuerpo. Aguardó a recobrar el aliento pacientemente, acostado, como un niño con difteria. El padre de Ántonia descubrió una de sus largas y huesudas piernas y la frotó rítmicamente. Desde nuestro banco vimos el cuerpo esquelético. La columna y los omóplatos sobresalían como los huesos bajo el pellejo de un buey muerto y abandonado en el campo. Debía de dolerle aquella columna afilada cuando se tumbaba sobre ella.

Gradualmente, todos nos sentimos aliviados. Fuera lo que fuera, había pasado lo peor. El señor Shimerda nos indicó por señas que Pavel se había dormido. Sin decir una palabra, Peter se levantó y encendió el farol. Iba en busca del tiro de caballos para llevarnos a casa en el carro. El señor Shimerda salió con él. Ántonia y yo seguimos sentados y contemplamos la larga espalda arqueada bajo la sábana azul, sin atrevernos ni a respirar.

Durante el camino de regreso a casa, tumbados sobre la paja, entre los bandazos y el traqueteo del carro, Ántonia me contó todo lo que pudo de la historia. Lo que no me contó entonces, me lo diría más adelante; no hablamos de otra cosa en los días que siguieron.

Cuando Pavel y Peter eran unos muchachos que vivían en Rusia, les pidieron que fueran los padrinos de un amigo que iba a casarse con la beldad de otra aldea. Era pleno invierno y todos los invitados del novio fueron a la boda en trineo. Peter y Pavel hicieron el trayecto en el trineo del novio, y detrás los seguían otros seis que transportaban a todos los amigos y parientes.

Después de la ceremonia en la iglesia, los invitados asistieron a una comida en casa de los padres de la novia. La comida duró toda la tarde; luego se convirtió en cena y se prolongó hasta bien entrada la noche. Se bailó mucho y se bebió en abundancia. A medianoche, los padres de la novia se despidieron de ella y le dieron su bendición. El novio la alzó en brazos y la llevó a su trineo y la tapó con mantas. Se metió a su lado de un salto, y Pavel y Peter (¡nuestros Pavel y Peter!) ocuparon el pescante. Conducía Pavel. Los invitados partieron en medio de cánticos y del tintineo de los cascabeles de los trineos, con el del novio a la cabeza. Todos los conductores estaban más o menos de jarana, y el novio no pensaba más que en la novia.

Los lobos se mostraban muy peligrosos aquel invierno, y todo el mundo lo sabía; sin embargo, cuando oyeron el primer aullido, los conductores no se alarmaron demasiado. Estaban atiborrados de buena comida y bebida. Los primeros aullidos encontraron eco en rápidas y sucesivas repeticiones. Los lobos se estaban agrupando. No había luna, pero la luz de las estrellas se reflejaba sobre la nieve.

Una oscura manada ascendió la colina en pos de la comitiva nupcial. Los lobos corrían como franjas de sombra; no parecían mayores que perros, pero se contaban por centenares.

Algo le ocurrió al trineo que cerraba la marcha: el conductor perdió el control –seguramente estaba muy borracho–, los caballos se salieron del camino, el trineo chocó contra unos árboles y volcó. Sus ocupantes rodaron por la nieve y el más veloz de los lobos se abalanzó sobre ellos. Los chillidos que se oyeron entonces serenaron a todos los demás. Los conductores se pusieron de pie e hicieron restallar el látigo. El novio tenía el mejor tiro de caballos y su trineo era el más ligero; todos los demás llevaban de seis a doce personas.

Otro conductor perdió el control. Los relinchos de los caballos eran aún más terribles que los gritos de hombres y mujeres. Nada parecía intimidar a los lobos. Era difícil saber qué ocurría en la retaguardia; los rezagados lanzaban unos chillidos tan lastimeros como los de quienes ya estaban perdidos. La menuda novia ocultó la cara en el hombro del novio y lloró. Pavel seguía inmóvil, con la mirada puesta en los caballos. El camino se percibía nítido y blanco, y los tres caballos negros del novio eran rápidos como el viento. Tan sólo era preciso mantener la calma y guiarlos con precaución.

Por fin, cuando coronaban una larga cuesta, Peter se levantó con cautela y miró hacia atrás.

–Sólo quedan tres trineos –susurró.

–¿Y los lobos? –preguntó Pavel.

–¡Suficientes! Suficientes para matarnos a todos.

Pavel llegó a la cima de la colina, pero sólo dos trineos lo seguían al descender por el otro lado. En su breve paso por la cima, vieron tras ellos un torbellino negro en la nieve. El novio lanzó un grito. Vio volcar el trineo de su padre, con su madre y sus hermanas en él. Se puso en pie de golpe como si fuera a saltar, pero la muchacha dio un chillido y lo retuvo. Incluso entonces era ya demasiado tarde. Las sombras negras se agolpaban ya sobre el bulto del camino, y un caballo salió desbocado a campo traviesa con los arneses colgando y los lobos en los talones. Sin embargo, el movimiento del novio había dado una idea a Pavel.

Se encontraban ya a unos kilómetros escasos de su aldea. El único trineo que quedaba de los seis no estaba muy lejos de ellos, y el caballo del centro de Pavel empezaba a flaquear. Algo le ocurrió al otro trineo junto a un estanque helado. Peter lo vio con toda nitidez. Los grandes lobos alcanzaron a los caballos, y éstos enloquecieron. Intentaron saltar unos sobre otros, se les enredaron los arneses y acabaron volcando el trineo.

Cuando se extinguieron los gritos que dejaban atrás, Pavel se dio cuenta de que estaban solos en el camino familiar.

–¿Aún están ahí? –preguntó a Peter.

–Sí.

–¿Cuántos son?

–Veinte, treinta… suficientes.

Ahora al caballo del centro prácticamente lo llevaban a rastras entre los otros dos. Pavel entregó las riendas a Peter y pasó con cuidado a la parte de atrás del trineo. Gritó al novio que tenían que aligerar peso… y señaló a la novia. El joven lo maldijo y estrechó a la novia contra sí. Pavel intentó arrancarla de sus brazos. En la lucha, el novio se levantó. Pavel lo derribó del trineo y arrojó a la chica tras él. Dijo que nunca llegó a recordar exactamente cómo lo había hecho, ni lo que sucedió después. Peter, encorvado en el pescante, no vio nada. Lo primero en que se fijaron ambos fue en el sonido nuevo que traspasó el aire puro, más fuerte que nunca: la campana del monasterio de su aldea llamando a oración.

Pavel y Peter entraron en la aldea solos, y solos estuvieron desde aquel día. Los expulsaron de su aldea. La propia madre de Pavel no quiso ni mirarle a la cara. Partieron hacia lugares desconocidos, pero cuando la gente se enteraba de su procedencia, les preguntaban si conocían a los dos hombres que habían dado a comer una novia a los lobos. Allá donde fueran, los seguía su historia. Tardaron cinco años en ahorrar el dinero suficiente para emigrar a América. Trabajaron en Chicago, en Des Moines, en el Fuerte Wayne, pero perseguidos siempre por el infortunio. Cuando la salud de Pavel se agravó, decidieron probar el cultivo de la tierra.

Pavel murió unos días después de descargar su conciencia con el señor Shimerda y fue enterrado en el cementerio noruego. Peter lo vendió todo y abandonó la comarca; se fue de cocinero al campamento de una vía férrea en construcción donde había cuadrillas de obreros rusos.

En la venta de Peter, nosotros le compramos la carretilla y algunos arneses. Durante la subasta, fue de un lado a otro con la cabeza gacha y no alzó la vista en ningún momento. No parecía importarle nada. El prestamista de Black Hawk que tenía las hipotecas sobre el ganado de Peter estaba allí, y compró pagarés a cincuenta centavos por dólar. Todo el mundo afirmó que Peter besó a la vaca antes de que se la llevara su nuevo propietario. Yo no le vi hacerlo, pero una cosa sí sé: cuando los compradores se llevaron todos sus muebles y el fogón de la cocina y los cacharros, cuando su casa quedó vacía, él se sentó en el suelo con la navaja y se comió todas las sandías que había guardado para el invierno. Cuando el señor Shimerda y Krajiek fueron a por él en el carro para llevarlo al tren, lo encontraron con la barba goteando, rodeado de montones de cáscaras de sandía.

La pérdida de sus dos amigos sumió al viejo señor Shimerda en una profunda depresión. Cuando salía de caza solía llegarse hasta la casa de troncos vacía y sentarse allí a meditar. Aquella cabaña fue su ermita hasta que las nieves del invierno lo confinaron en su cueva[10]. Ántonia y yo no nos cansábamos nunca de la historia de la boda. No le contamos el secreto de Pavel a nadie, sino que lo guardamos celosamente, como si los lobos de Ucrania se hubieran agrupado aquella noche lejana en el tiempo y la comitiva nupcial hubiera sido sacrificada para darnos a nosotros un extraño y doloroso placer. Por la noche, antes de dormirme, me imaginaba a menudo en un trineo tirado por tres caballos, recorriendo velozmente un paisaje que se parecía en parte a Nebraska y en parte a Virginia.

---

10 Willa Cather utiliza la palabra cueva en el sentido de despensa, almacén o bodega que se excava en la tierra y está fuera de la casa. La utiliza para designar la primera morada de los Shimerda al llegar a Nebraska.

IX

La primera nevada cayó a principios de diciembre. Recuerdo el aspecto que tenía todo desde la ventana de nuestra sala de estar, mientras me vestía detrás de los fogones aquella mañana: el cielo encapotado parecía una plancha metálica; los rubios maizales se habían descolorido por fin y tenían un tinte espectral; el pequeño estanque estaba helado bajo sus rígidos sauces enanos. Grandes copos blancos creaban remolinos en el aire y desaparecían en la hierba roja.

Más allá del estanque, en la cuesta que ascendía hacia el maizal, se veía la tenue marca de un gran círculo trazado en la hierba, por el que antes solían cabalgar los indios. Jake y Otto estaban convencidos de que, cuando galopaban en torno a aquel anillo, los indios torturaban a prisioneros que estaban atados a un poste del centro; pero el abuelo creía que se limitaban a hacer carreras o a adiestrar caballos. Siempre que uno miraba hacia aquella ladera iluminada por el sol poniente, aparecía el círculo marcado en la hierba, y aquella mañana, cubierta por la primera capa de nieve ligera, se destacó con asombrosa claridad, como pinceladas de blanco de zinc sobre un lienzo. Aquel antiguo dibujo me emocionó más que nunca y me pareció un buen presagio para el invierno.

En cuanto la nieve cuajó, empecé a recorrer los alrededores en un trineo rudimentario que Otto Fuchs hizo para mí con un cajón y unos patines de madera. Fuchs había sido aprendiz de ebanista en su país y era muy diestro con herramientas en las manos. Su trabajo habría sido mucho mejor de no ser porque yo le metí prisas. Mi primera expedición me llevó a la estafeta de correos, y al día siguiente fui a buscar a Yulka y a Ántonia para llevarlas a dar una vuelta en trineo.

Era un día frío y soleado. Apilé paja y pieles de búfalo en el cajón y metí dos ladrillos calientes envueltos en mantas viejas. Cuando llegué a la propiedad de los Shimerda, no subí hasta la casa, sino que me quedé sentado en el trineo, y las llamé a gritos desde el pie de la pendiente. Ántonia y Yulka salieron corriendo con pequeños gorros de piel de conejo que les había hecho su padre. Ambrosch les había hablado de mi trineo e imaginaba para qué había ido a verlas. Se dejaron caer a mi lado en el interior del cajón y nos pusimos en marcha hacia el Norte, siguiendo un camino que casualmente estaba despejado.

El cielo tenía un vivo tono azul y el reflejo del sol en las fulgentes extensiones blancas de la pradera era casi cegador. Como dijo Ántonia, la nieve había cambiado el mundo entero; no dejábamos de buscar en vano los puntos de referencia que nos eran familiares. La profunda quebrada por la que discurría la sinuosa corriente del Squaw era ahora tan sólo una hendidura entre montones de nieve, con una agua muy azul si se miraba hacia el fondo. Las copas de los árboles, que habían sido doradas durante todo el otoño, habían encogido y estaban retorcidas, como si jamás fueran a revivir. Los escasos cedros, que tan deprimentes y sombríos eran antes, destacaban ahora por su intenso tono verde oscuro. El viento tenía el tacto abrasador de la nieve recién caída; me picaban la garganta y la nariz como si alguien hubiera abierto un frasco de amoníaco. El frío era cortante y a la vez delicioso. El aliento de mi caballo se elevaba como el vapor, y siempre que nos deteníamos todo su cuerpo humeaba. Los maizales recuperaron parte de su color bajo la deslumbrante luz; tenían un palidísimo tono dorado bajo el sol y la nieve. Por todas partes la nieve acumulada formaba bancales de escasa profundidad, con marcas en los bordes como de ondas, ondas sinuosas que eran la huella real del azote mordaz del viento.

Las niñas llevaban vestidos de algodón bajo el chal; no dejaban de temblar bajo las pieles de búfalo y se abrazaban la una a la otra para darse calor. Pero estaban tan contentas de alejarse de su horrible cueva y de las reprimendas de su madre que me rogaron que continuara, hasta que llegamos a la casa del ruso Peter. Los vastos y fríos espacios abiertos, después del aturdimiento del calor sofocante del interior les hacían comportarse como criaturas salvajes. Reían y gritaban, y decían que no querían regresar a su casa nunca más. ¿No podíamos quedarnos a vivir en casa del ruso Peter?, preguntó Yulka; ¿no podía yo ir a la ciudad y comprar cosas para la casa?

Durante todo el camino hasta la casa del ruso Peter nos

sentimos exageradamente felices, pero cuando regresamos –debían de ser las cuatro más o menos– el viento del Este empezó a soplar con más fuerza y a ulular; el sol perdió su poder para animarnos y el cielo se volvió gris y sombrío. Me quité la larga bufanda de lana y se la enrollé a Yulka en torno al cuello. Tenía tanto frío que la obligamos a meter la cabeza bajo la piel de búfalo. Ántonia y yo seguimos erguidos, pero yo sostenía las riendas con manos torpes y el viento me cegó durante buena parte del camino. Oscurecía cuando llegamos a su casa, pero rechacé entrar con ellas para calentarme. Sabía que las manos me dolerían horriblemente si me acercaba a algún fuego. Yulka olvidó devolverme la bufanda y tuve el viento en contra durante todo el trayecto de vuelta. Al día siguiente me desperté con anginas, que me obligaron a quedarme en casa durante casi dos semanas.

Durante aquellos días, la cocina fue como un cálido refugio celestial; como una barquichuela en medio de un mar desapacible. Los hombres se pasaban el día entero en los campos quitando la farfolla a las mazorcas de maíz, y cuando volvían al mediodía con grandes gorros que les tapaban las orejas y chanclos de forro rojo en los pies, me los imaginaba como exploradores del Ártico. Por la tarde, cuando la abuela se acomodaba arriba para zurcir, o para hacer guantes con los que desgranar las mazorcas de maíz, yo le leía *Los Robinsones suizos* en voz alta, y tenía la impresión de que la familia suiza no llevaba una vida más aventurera que la nuestra. Estaba convencido de que el mayor enemigo del hombre es el frío. Admiraba el brío jovial con que la abuela se afanaba por proporcionarnos calor, comodidad y buena comida. A menudo, cuando lo preparaba todo para el regreso de los hombres hambrientos, me recordaba que aquello no era como Virginia, y que allí una cocinera disponía, como decía ella, «de bien poco para cocinar». Los domingos nos daba todo el pollo que nos apeteciera; el resto de la semana comíamos jamón o tocino o carne de salchicha. Hacía tartas o pasteles a diario, a menos que, para variar, me preparara mi pudín preferido con pasas y hervido en una bolsa.

Aparte de calentarnos y conservar el calor, la comida y la cena eran las cosas más interesantes en las que podíamos pensar. Nuestras vidas giraban en torno al calor y la comida y al regreso de los hombres al anochecer. Yo me preguntaba, cuando los veía volver cansados de trabajar la tierra, con los pies entumecidos y las manos agrietadas y doloridas, cómo podían hacer todas sus tareas tan a conciencia: alimentar y dar de beber a los caballos y prepararlos para dormir, ordeñar las vacas y cuidar a los cerdos. Cuando terminaba la cena, les costaba un buen rato sacarse el frío de los huesos. Mientras la abuela y yo lavábamos los platos y el abuelo leía el periódico arriba, Jake y Otto se sentaban en el largo banco, tras los fogones, «dando de sí» las botas, o frotándose las manos agrietadas con sebo de cordero.

Todos los sábados por la noche hacíamos palomitas de maíz o caramelos para masticar, y Otto Fuchs solía cantar *For I Am a Cowboy and Know I've Done Wrong*, o *Bury Me Not on the Lone Prairee*[11]. Tenía una estupenda voz de barítono y en

[11] «Pues soy un vaquero y sé que he obrado mal» y «No me enterréis en la pradera solitaria».

los servicios religiosos de la escuela siempre dirigía los cánticos.

Aún me parece estar viendo a aquellos dos hombres sentados en el banco; la cabeza rapada de Otto y los cabellos greñudos de Jake que se alisaba por delante con un peine húmedo. Veo sus hombros cansados, caídos, apoyados en la pared encalada. ¡Qué hombres tan buenos, cuánto sabían, y qué lealtad la suya a tantas cosas!

Fuchs había sido vaquero, conductor de diligencias, barman, minero; había recorrido todo el Oeste, y en todas partes había desempeñado duros trabajos, aunque, como decía la abuela, sin ningún provecho. Jake era más soso que Otto. No sabía leer apenas, ni escribir su nombre siquiera, salvo con dificultad, y tenía un carácter violento que a veces le inducía a comportarse como un loco; lo dejaba completamente descompuesto y llegaba a hacerle enfermar. Pero tenía un corazón tan grande que cualquiera podía aprovecharse de él. Si, como él decía, «perdía el oremus» y profería juramentos delante de la abuela, se pasaba el día avergonzado y contrito. Ambos soportaban jovialmente el frío en invierno y el calor en verano, siempre estaban dispuestos a trabajar más tiempo del debido y a enfrentarse a situaciones imprevistas. Para ellos era una cuestión de orgullo no escatimar esfuerzos. Sin embargo, eran del tipo de hombres que, sin razón aparente, no prosperan, o no hacen otra cosa sino trabajar duramente por uno o dos dólares al día.

En aquellas noches gélidas iluminadas por las estrellas, sentados alrededor del viejo fogón que nos alimentaba y nos calentaba y nos alegraba el espíritu, oíamos aullar a los coyotes junto a los corrales, y su grito invernal y hambriento despertaba en los muchachos el recuerdo de increíbles historias de animales: de lobos grises y osos en las Rocosas, de gatos monteses y panteras en las montañas de Virginia. Algunas veces Fuchs se dejaba convencer y nos contaba cosas sobre los forajidos y malhechores que había conocido. Recuerdo una divertida historia sobre él mismo que hizo reír a la abuela hasta tener que secarse los ojos con el brazo desnudo, porque estaba amasando pan sobre una tabla y tenía las manos enharinadas. El relato era como sigue:

Cuando Otto abandonó Austria para ir a América, uno de sus parientes le pidió que cuidara de una mujer que hacía la travesía en el mismo barco para reunirse con su marido en Chicago. La mujer emprendió el viaje con dos hijos, pero era evidente que la familia podía aumentar por el camino. Según Fuchs «se llevaba bien con los críos» y la madre le era simpática, aunque le gastó una buena jugarreta. ¡En medio del océano tuvo, no uno, sino tres bebés nada menos! Este acontecimiento dio a Fuchs una fama inmerecida, debido a que viajaba con ella. La camarera de tercera clase estaba indignada con él, el médico lo miraba con suspicacia. Los pasajeros de primera clase, que habían hecho una colecta para la mujer, mostraron un embarazoso interés por Otto y le preguntaron a menudo por la mujer a su cargo. Cuando desembarcaron los trillizos en Nueva York, tuvo que, en palabras suyas, «llevar a algunos». El viaje a Chicago fue aún peor que la travesía por mar. En el tren resultaba muy difícil procurar leche a los bebés y tener los biberones limpios. La madre hacía cuanto podía, pero no hay mujer capaz de alimentar a tres bebés por medios naturales. El marido, en Chicago, trabajaba en una fábrica de muebles por un salario modesto, y cuando fue a recibir a su familia a la estación se sintió realmente abrumado al ver lo numerosa que era. También él pareció pensar que Fuchs era, de algún modo, el culpable. «Me alegré de veras –concluyó Otto– al ver que no descargaba su resentimiento sobre la pobre mujer; ¡aunque a mí me miró con rencor, ya lo creo! Bueno, ¿había oído usted hablar de un tipo con tan mala suerte, señora Burden?»

La abuela le dijo que estaba convencida de que el Señor recordaba todas esas cosas buenas, y que le había ayudado a salir de más de un apuro cuando él no era consciente de que le protegía la Providencia.

X

Durante algunas semanas, después de mi paseo en trineo, no supimos nada de los Shimerda. La dolorida garganta me impedía salir de casa y la abuela tenía un resfriado que le hacía más pesadas las tareas domésticas. Cuando llegaba el domingo se alegraba de tener un día de descanso. Una noche, durante la cena, Fuchs nos contó que había visto al señor Shimerda cazando.

–Se ha confeccionado un gorro de piel de conejo, Jim, y un cuello, también de piel de conejo, que se pone por encima de la chaqueta. No tienen más que un abrigo para todos, y se turnan para ponérselo. Parecen terriblemente asustados del frío, y no salen para nada de su agujero, como si fueran tejones.

–Todos menos el idiota –añadió Jake–. Ése no se pone nunca el abrigo. Krajiek dice que es increíblemente fuerte y resistente. Supongo que los conejos habrán empezado a escasear por estos contornos. Ambrosch pasó ayer por delante del maizal donde yo estaba trabajando y me enseñó tres perros de las praderas que había cazado. Me preguntó si eran buenos para comer. Escupí e hice una mueca de asco para meterle miedo, pero él me miró como si fuera más listo que yo y volvió a meterlos en el saco y se fue.

La abuela alzó la vista con expresión alarmada y dijo al abuelo:

–Josiah, no creo que Krajiek deje que esas pobres criaturas coman perros de las praderas, ¿verdad?

–Será mejor que te acerques a ver a nuestros vecinos mañana, Emmaline –replicó él con acento grave.

Fuchs intentó quitarle hierro al asunto y dijo que los perros de las praderas eran animales limpios que podían ser perfectamente comestibles, de no ser por sus parientes. Le pregunté qué quería decir, y él sonrió y dijo que pertenecían a la familia de las ratas.

Cuando bajé a la cocina por la mañana encontré a la abuela y a Jake llenando una cesta.

–Bueno, Jake –decía la abuela–, si encuentras a ese viejo gallo al que se le ha congelado la cresta, retuércele el pescuezo y tráetelo. No se entiende que la señora Shimerda no comprara gallinas a sus vecinos durante el otoño para así tener ahora un buen gallinero. Supongo que estaba aturdida y no sabía por dónde empezar. Yo misma llegué como extranjera a un nuevo país, pero nunca olvidé que tener gallinas es cosa buena, aunque te falten otras cosas.

–Eso mismo digo yo, señora –apuntó Jake–, pero me disgusta pensar que Krajiek se llevará un muslo de ese viejo gallo. –Salió con fuertes pisadas pasando por la larga despensa y cerró la pesada puerta tras él.

Después del desayuno, la abuela, Jake y yo nos abrigamos

bien y subimos al frío pescante del carro. Cuando nos acercábamos a la propiedad de los Shimerda oímos el gélido quejido de la bomba de agua y vimos a Ántonia, con la cabeza envuelta en un pañuelo y el vestido de algodón en revuelo, echándose con todo su peso sobre el mango de la bomba, que subía y bajaba. Ántonia nos oyó llegar, miró por encima del hombro y, cogiendo el cubo de agua, echó a correr hacia el agujero del terraplén.

Jake ayudó a la abuela a bajar del carro, diciendo que llevaría las provisiones a la casa después de haber cubierto a los caballos con mantas. Subimos lentamente el sendero helado hacia la puerta hundida en la ladera. El conducto de la estufa que asomaba entre la nieve y la hierba despedía nubes azules de humo, pero el viento se las llevaba bruscamente.

La señora Shimerda abrió la puerta antes de que llamáramos y agarró la mano de la abuela. No dijo su habitual «¡cómo van!», sino que se echó a llorar, parloteando en su idioma, señalándose los pies, que llevaba envueltos en trapos, y lanzando miradas acusadoras en derredor.

El viejo estaba sentado en un tocón detrás de la estufa, agachado como si quisiera esconderse de nosotros. Yulka estaba en el suelo a sus pies, con su gato en el regazo. Asomó la cabeza y me sonrió, pero miró a su madre y volvió a esconderse. Ántonia fregaba platos y cacerolas en un rincón oscuro. El idiota estaba tumbado en un saco relleno de paja, debajo de la única ventana que había. En cuanto entramos, echó un saco de grano contra la rendija de la parte inferior de la puerta. La atmósfera en aquella cueva era asfixiante, y también estaba muy oscura. Un farol encendido que colgaba sobre la estufa arrojaba un tenue resplandor amarillo.

La señora Shimerda levantó bruscamente la tapa de dos barriles que había tras la puerta y nos hizo mirar el interior. En uno había unas cuantas patatas que se habían helado y estaban medio podridas, en el otro, un montoncito de harina. La abuela musitó unas palabras turbadas, pero la mujer bohemia se rió despectivamente, con una risa que parecía un relincho, y cogiendo del estante un pote de café vacío, lo sacudió ante nuestras narices con una expresión decididamente vengativa.

La abuela siguió hablando con sus corteses modales de Virginia, negándose a admitir tanto aquellas privaciones como su propia negligencia hasta que llegó Jake con la cesta, como respondiendo a los reproches de la señora Shimerda. Entonces la pobre mujer se desmoronó. Se dejó caer junto al hijo idiota, ocultó el rostro en las rodillas y lloró amargamente. En lugar de prestarle atención, la abuela pidió a Ántonia que le ayudara a vaciar la cesta. Tony abandonó su rincón con reticencia. Nunca la había visto tan abatida como entonces.

–Usted no preocupe por mi pobre mamenka, señora Burden. Está tan triste –susurró, mientras se secaba las manos con la falda y cogía las cosas que la abuela le iba entregando.

Al ver la comida, el idiota empezó a emitir débiles gorjeos y a frotarse el estómago. Jake volvió a entrar, esta vez con un saco de patatas. La abuela miró a un lado y a otro con perplejidad.

–¿No tenéis fuera algo parecido a una despensa, aunque

sea una cueva, Ántonia? Éste no es lugar para conservar las verduras. ¿Cómo se os han helado las patatas?

–Cogemos del señor Bushy, de la estafeta de correos... lo que él tira. No tenemos patatas, señora Burden –confesó Tony con voz lastimera.

Cuando Jake salió, Marek se arrastró por el suelo y volvió a tapar la rendija de la puerta. Luego, sigiloso como una sombra, apareció el señor Shimerda desde detrás de la estufa. Se pasó la mano por la lisa cabellera gris, como si intentara despejar la cabeza de brumas. Su aspecto era limpio y pulcro, como de costumbre, con su pañuelo verde y su alfiler de coral. Cogió a la abuela por el brazo y la condujo al otro lado de la estufa, al otro extremo de la pieza. En la pared del fondo había otra cueva pequeña; un agujero redondo, no mucho mayor que un barril de aceite, excavado en la tierra negra. Cuando me subí a uno de los taburetes para atisbar el interior vi unas mantas y un montón de paja. El viejo alzó el farol.

–Yulka –dijo, en tono bajo y desesperado–. ¡Yulka, mi Ántonia!

La abuela se hizo atrás.

–¿Quiere decir que duermen ahí... sus hijas? –Él inclinó la cabeza.

Tony se metió por debajo del brazo de su padre.

–Es muy frío el suelo, y esto es caliente como el agujero de tejón. Me gusta para dormir aquí –insistió con vehemencia–. Mi mamenka tiene cama buena, con almohadas de nuestros gansos en Bohemia. ¿Ves, Jim? –Señaló el estrecho catre que Krajiek había excavado en la pared para sí mismo antes de que llegaran los Shimerda.

La abuela suspiró.

–¡Desde luego, querida, dónde si no ibas a dormir! No dudo de que ahí se debe estar caliente. Con el tiempo tendréis una casa mejor, Ántonia, y entonces olvidaréis estos tiempos difíciles.

El señor Shimerda hizo sentar a la abuela en la única silla existente e indicó a su mujer un taburete que había al lado. De pie ante ellas, con la mano sobre el hombro de Ántonia, habló en voz baja, y su hija fue traduciendo. Quería hacernos saber que no eran mendigos en su país; él se ganaba bien la vida y eran una familia respetada. Había abandonado Bohemia con unos ahorros de más de mil dólares, después de pagar el precio de los pasajes. Sin saber muy bien cómo, había perdido dinero con el cambio de moneda en Nueva York, y el precio de los billetes de tren hasta Nebraska había sido más elevado de lo que esperaban. Después de pagar a Krajiek por la tierra y de comprar sus caballos y bueyes y unas viejas herramientas agrícolas, les había sobrado muy poco dinero. Deseaba que la abuela supiera que, sin embargo, aún disponía de una pequeña cantidad. Si sobrevivían hasta la llegada de la primavera, comprarían una vaca y gallinas, y plantarían un huerto, y entonces todo iría bien. Ambrosch y Ántonia tenían ya edad suficiente para trabajar la tierra, y estaban dispuestos a hacerlo. Pero la nieve y el frío glacial los habían descorazonado a todos.

Ántonia explicó que su padre tenía intención de construir una casa nueva en primavera; él y Ambrosch habían partido ya los troncos para hacerla, pero estaban enterrados todos bajo la nieve, a lo largo del arroyo, donde los habían talado.

Mientras la abuela les ofrecía aliento y consejo, me senté en el suelo con Yulka y le dejé que me enseñara su gatito. Marek se deslizó cautelosamente hacia nosotros y empezó a exhibir sus dedos palmeados. Comprendí que quería hacer los extraños ruidos de siempre –ladrar como un perro o relinchar como un caballo–, pero no se atrevía en presencia de sus mayores. Marek procuraba siempre resultar agradable, el pobre, como si se le hubiera metido en la cabeza que debía compensar sus defectos.

La señora Shimerda se tranquilizó y se volvió más razonable antes de que terminara nuestra visita y, mientras Ántonia traducía, empezó a añadir alguna que otra palabra por su cuenta. La mujer tenía el oído fino y entendía muchas frases en inglés. Cuando nos levantamos para irnos, abrió su baúl de madera y sacó una bolsa hecha de cutí, más o menos de la longitud de un saco de harina y la mitad de su anchura, que estaba llena de algo. Al verla, el idiota se relamió. Cuando la señora Shimerda abrió la bolsa y removió el contenido con la mano, éste despidió un olor salino, terroso y acre, que se superpuso incluso a los demás olores que había en aquella cueva. La señora Shimerda echó el equivalente a una taza en un pedazo de tela de saco, lo ató y se lo ofreció a la abuela con ceremonia.

–Para cocina –explicó–. Poco ahora; mucho cuando cocina –dijo, extendiendo las manos como para indicar que aquellos gramos se multiplicarían–. Muy bueno. No tener en este país. Todas cosas para comer mejor en mi país.

–Puede que así sea, señora Shimerda –repuso la abuela con tono seco–. Por mi parte, sólo puedo decir que prefiero mi pan al suyo.

Ántonia quiso explicarlo:

–Esto es muy bueno, señora Burden. –Juntó las manos como si no pudiera expresar su excelencia con palabras–. Se hace mucho al cocinar, como dice mi mamá. Cocinar con conejo, cocinar con pollo, en la salsa... ¡oh, muy bueno!

Durante el viaje de regreso a casa, la abuela y Jake no dejaron de hablar de lo fácilmente que los buenos cristianos olvidan que son los guardianes de sus hermanos.

–La verdad, Jake, es que algunos de nuestros hermanos y hermanas nos lo ponen difícil. ¿Por dónde empezar con esta gente? Carecen de todo, y en especial de sentido común. Supongo que eso no puede dárselo nadie. Aquí nuestro Jimmy es prácticamente tan capaz de llevar una casa como ellos. ¿Crees que ese Ambrosch tiene el empuje necesario?

–Es un buen trabajador, señora, y no le falta entendimiento, pero es mezquino. Alguna gente es lo bastante mezquina para desenvolverse en el mundo, y luego hay otros que lo son demasiado.

Aquella noche, mientras la abuela preparaba la cena, abrimos el paquete que le había dado la señora Shimerda. Estaba lleno de unos diminutos trozos marrones que parecían proceder de alguna raíz. Eran ligeros como plumas, y destacaba en ellos un penetrante olor a tierra. No fuimos capaces de determinar si eran de naturaleza vegetal o animal.

–Puede que sea cecina de alguna extraña bestia, Jim. No es pescado salado ni nada que haya crecido de un tallo o una enredadera. Me da miedo. De todas formas, por nada del mundo me comería algo que haya estado guardado durante meses entre ropas viejas y almohadas de plumas de ganso.

Arrojó el paquete al fogón, pero yo mordí la esquina de uno de los trocitos que tenía en la mano y lo mastiqué con cautela. Jamás olvidaré aquel extraño gusto, aunque tuvieron que pasar muchos años para enterarme de que aquellos trocitos marrones que habían viajado con los Shimerda desde tan lejos, guardados como un tesoro, eran setas secas. Seguramente las habían recogido en algún tupido bosque de Bohemia...

XI

Durante la semana anterior a la Navidad, Jake fue la persona más importante de la casa, pues se encargaría él de ir a la ciudad para hacer nuestras compras navideñas. Pero el veintiuno de diciembre empezó a nevar. La nevada fue tan espesa que desde las ventanas de la sala de estar no se veía más allá del molino de viento; su armazón se veía borroso y gris, incorpóreo como una sombra. La nieve no dejó de caer en todo el día y en toda la noche siguiente. El frío no era extremado, pero la tormenta persistía con una calma insufrible. Los hombres no podían alejarse más allá de los establos y el corral. Se pasaban la mayor parte del día en la casa, como si fuera domingo; engrasando las botas, arreglándose los tirantes y trenzando látigos.

La mañana del veintidós, durante el desayuno, el abuelo anunció que sería imposible ir a Black Hawk para hacer las compras navideñas. Jake estaba convencido de que podía conseguirlo yendo a caballo y volviendo con nuestras cosas en las alforjas; pero el abuelo le dijo que los caminos se habrían borrado y que un recién llegado se perdería más de diez veces por aquellos contornos. En cualquier caso, jamás permitiría que se sometiera a semejante esfuerzo a uno de sus caballos.

Decidimos celebrar una Navidad campesina, sin ayuda de la ciudad. Yo habría querido comprar unos libros ilustrados para Yulka y Ántonia; incluso Yulka sabía ya leer un poco. La abuela me llevó al helado almacén, donde tenía unos rollos de una tela de algodón a cuadros y de otra para hacer sábanas. Cortó unos cuadrados de tela de algodón y los cosimos en forma de libro. Los encuadernamos con cartones, que cubrí con un vistoso algodón estampado que representaba escenas circenses. Me pasé dos días sentado a la mesa del comedor, pegando ilustraciones con las que llenar el libro para Yulka. Teníamos montones de aquellas estupendas revistas familiares antiguas, que publicaban litografías a color de cuadros famosos, y recibí permiso para utilizar unas cuantas. Para el frontispicio elegí «Napoleón anunciando el divorcio a Josefina». En las páginas blancas agrupé las tarjetas de escuelas dominicales y las de anuncios que había traído conmigo de mi antigua casa. Fuchs sacó los viejos moldes para velas y fabricó unas cuantas con sebo. La abuela consiguió encontrar sus moldes de fantasía e hizo pan de jengibre con forma de hombres y de gallos, que decoramos con azúcar quemado y gotas de canela roja.

La víspera de Navidad, Jake metió las cosas que queríamos enviar a los Shimerda en sus alforjas y partió montado a lomos del rucio, el caballo castrado del abuelo. Cuando montó a la puerta de casa vi que llevaba una hacha colgada del cinto, y lanzó a la abuela una expresiva mirada por la que comprendí que pensaba darme una sorpresa.

Aquella tarde aguardé con impaciencia mirando por la ventana de la sala de estar durante mucho rato. Por fin vi una mancha oscura que avanzaba por la colina del Oeste, a lo largo del maizal semienterrado en la nieve, donde el cielo empezaba a adquirir un rubor cobrizo, reflejo del sol que no acababa de abrirse paso. Me puse el gorro y salí corriendo al encuentro de Jake. Cuando llegué a la charca vi que llevaba un cedro pequeño cruzado sobre la perilla. En Virginia era él quien ayudaba a mi padre a talar el árbol de Navidad para mí, y no había olvidado cuánto me gustaba.

Cuando acabamos de colocar el pequeño árbol, frío y oloroso, en un rincón de la sala de estar, era ya la Nochebuena. Después de cenar nos reunimos todos allí, e incluso el abuelo, que leía el periódico junto a la mesa, alzaba la vista de vez en cuando con interés amistoso. El cedro medía un metro cincuenta más o menos y tenía la forma perfecta. Lo adornamos con animales de pan de jengibre, tiras de palomitas de maíz y cabos de velas que Fuchs había colocado en soportes de cartón. Sin embargo, las maravillas auténticas surgieron del lugar más inverosímil del mundo: el baúl de vaquero de Otto. Yo no había visto en aquel baúl otra cosa que no fueran botas viejas, espuelas y pistolas, y una mezcla fascinante de correas de cuero amarillo, cartuchos y cera de zapatero. De debajo del forro sacó entonces una colección de figuras de papel de vivos colores; estaban los tres reyes, magníficamente ataviados, y la mula y el buey, y los pastores; estaba el bebé en la cuna, y un grupo de ángeles que cantaban; había camellos y leopardos, sujetos por los esclavos negros de los tres reyes. Nuestro árbol se convirtió en el árbol parlante de un cuento de hadas; entre sus ramas anidaban como pájaros cuentos y leyendas sin fin. La abuela dijo que le recordaba el árbol del bien y del mal. Debajo pusimos algodón en rama para imitar un campo nevado, y el espejo de bolsillo de Jake sirvió de lago helado.

Me parece estar viéndolos, tal cual eran, sentados alrededor de la mesa a la luz de la lámpara: Jake, con sus facciones primitivas, tan toscamente moldeadas que tenía el rostro como inacabado; Otto, con su oreja cortada y la profunda cicatriz que curvaba su labio superior de manera tan feroz bajo los bigotes retorcidos. Tal como los recuerdo, qué rostros tan vulnerables tenían; su misma tosquedad y ferocidad los volvía indefensos. Aquellos muchachos carecían de los modales tras los cuales ocultarse y mantener a la gente a distancia. Sólo tenían sus fuertes puños para enfrentarse con la vida a golpes. Otto era ya uno de aquellos hombres endurecidos que andaban de un lado para otro trabajando, que no se casaban nunca ni tenían hijos. Sin embargo, ¡le gustaban tanto los niños!

XII

La mañana de Navidad, cuando bajé a la cocina, los hombres acababan de entrar después de hacer sus tareas matinales; los caballos y los cerdos siempre desayunaban antes que nosotros. Jake y Otto me gritaron «¡Feliz Navidad!», y se guiñaron el ojo el uno al otro cuando vieron la plancha para hacer gofres sobre el fogón. El abuelo bajó con camisa blanca y su chaqueta de los domingos. Las plegarias de la mañana duraron más de lo habitual. Leyó capítulos de San Mateo sobre el nacimiento de Cristo, y mientras le escuchábamos, nos parecía que todo aquello había sucedido hacía poco y allí mismo. En su oración, el abuelo dio gracias al Señor por la primera Navidad, y por todo lo que ésta había significado para el mundo desde entonces. Dio gracias por nuestros alimentos y comodidades, y rogó por los pobres y los menesterosos de las grandes ciudades, donde la lucha por la vida era más encarnizada que entre nosotros. A menudo las oraciones del abuelo eran muy interesantes. Tenía el don de expresarse de una manera sencilla y conmovedora. Sus palabras tenían una fuerza peculiar, precisamente porque hablaba muy poco; no se habían vuelto aburridas por el uso recurrente. Sus plegarias reflejaban lo que pensaba en aquel momento, y fue sobre todo por medio de ellas como llegué a conocer sus sentimientos y su visión de las cosas.

Cuando nos sentamos a comer gofres y salchichas, Jake nos contó lo mucho que habían complacido nuestros regalos a la familia Shimerda; incluso Ambrosch se había mostrado amigable y le había acompañado al arroyo para talar el árbol de Navidad. El día tenía un tenue color gris, con pesadas nubes que recorrían el cielo y borrascas de nieve ocasionales. Siempre había algún trabajillo que hacer en el establo los días de fiesta, y los hombres estuvieron ocupados hasta la tarde. Luego Jake y yo jugamos al dominó, mientras Otto escribía una larga carta a su madre. Según dijo, siempre le escribía el día de Navidad, dondequiera que se hallara y por mucho tiempo que hubiera transcurrido desde su última carta. Se pasó toda la tarde en el comedor. Escribía un rato, luego permanecía inmóvil con el puño apretado sobre la mesa, siguiendo el dibujo del mantel de hule con la mirada. Eran tan pocas las veces en que hablaba y escribía en su propia lengua que le costaba expresarse. El esfuerzo de recordar lo tenía completamente absorto.

Hacia las cuatro llegó una visita: el señor Shimerda, con su gorro y su cuello de piel de conejo y unos guantes nuevos que le había tejido su mujer. Venía para agradecernos los regalos y para darle las gracias a la abuela por todas sus bondades hacia su familia. Jake y Otto subieron de la cocina para reunirse con nosotros y nos sentamos alrededor de la estufa, deleitándonos con la tarde invernal y gris que cada vez era más oscura y con la atmósfera de comodidad y seguridad de la casa de mi abuelo. Esta sensación pareció adueñarse por completo del señor Shimerda. Supongo que, en medio del atestado desorden de su cueva, el viejo había llegado a creer que la paz y el orden se habían desvanecido de la tierra o que existían tan sólo en el mundo que había dejado atrás, muy lejos de allí. Estuvo sentado, quieto y pasivo, con la cabeza apoyada en el respaldo de la mecedora de madera, las manos relajadas sobre sus brazos. En su cara había una expresión de cansancio y de placer como la de una persona enferma que encuentra alivio a su dolor. La abuela insistió en ofrecerle un vaso de brandy de manzana hecho en Virginia por la larga caminata que había hecho con aquel frío, y cuando se le encendieron levemente las mejillas, sus facciones se volvieron como de nácar, tal era su transparencia. Casi no habló, y sonrió muy pocas veces, pero mientras descansaba allí, todos percibimos en él una satisfacción completa.

Al hacerse de noche, pregunté si podía iluminar el árbol de Navidad antes de que se encendiera la lámpara. Las amarillas llamas cónicas que surgieron de los cabos de velas realzaron todas las figuras coloreadas de Austria con el fondo de verde ramaje, llenándolas de significado. El señor Shimerda se puso en pie, se santiguó y se arrodilló en silencio ante el árbol con la cabeza caída sobre el pecho. Su largo cuerpo formaba una letra «S». Vi que la abuela miraba al abuelo con aprensión. El abuelo era bastante intransigente en cuestiones religiosas, y a veces hería los sentimientos de los demás al dar su opinión. Nada de extraño había tenido el árbol hasta entonces, pero aquello de que hubiera alguien arrodillado ante él; las imágenes, las velas... El abuelo se limitó a tocarse la frente con la punta de los dedos y a inclinar su venerable cabeza, con lo que la atmósfera se volvió más protestante.

Convencimos a nuestro huésped de que se quedara a cenar. No se hizo de rogar. Cuando nos sentamos a la mesa, se me ocurrió que le gustaba mirarnos, y que nuestros rostros eran para él como libros abiertos. Al posarse en mí sus ojos penetrantes, me sentí como si adivinara mi futuro, como si contemplara el camino por el que yo tendría que viajar.

A las nueve el señor Shimerda encendió uno de nuestros faroles y se puso el abrigo y el cuello de pieles. Con el farol y el gorro de pieles bajo el brazo, nos estrechó la mano en el pequeño vestíbulo. Cuando cogió la mano de la abuela, inclinó la cabeza como hacía siempre y dijo lentamente:

–¡Buena mu-jer! –Hizo el signo de la cruz sobre mi cabeza, se puso el gorro y partió en medio de la oscuridad.

Volviendo a la sala de estar, el abuelo me lanzó una mirada inquisitiva.

–Todas las plegarias de las buenas personas son buenas –dijo sencillamente.

XIII

La semana siguiente a la Navidad trajo consigo un deshielo, y el día de Año Nuevo todo a nuestro alrededor se había convertido en un barrizal de nieve gris, y por el barranco que iba del molino al granero corría agua negra. La blanda tierra negra empezó a asomar a trozos a lo largo de las cunetas. Yo reemprendí todas mis obligaciones, acarreando mazorcas y leña y agua para la casa, y las tardes las pasaba en el granero, observando cómo Jake desgranaba las mazorcas con una herramienta manual.

Una mañana, durante aquel intervalo de bonanza, Ántonia y su madre llegaron montadas en uno de sus viejos caballos lanudos para hacernos una visita. Era la primera vez que la señora Shimerda venía a nuestra casa, y corrió de un lado para otro examinando nuestras alfombras, cortinas y muebles, sin dejar de hacerle comentarios a su hija en un tono quejumbroso de envidia. En la cocina, cogió una marmita de hierro que había sobre los fogones y dijo:

–Usted muchas, Shimerda nada. –La abuela le dio la marmita y a mí me pareció que había sido demasiado blanda.

Después de comer, mientras ayudaba a fregar los platos, la señora Shimerda sacudió la cabeza y dijo:

–Usted muchas cosas para cocina. Si yo tengo cosas como usted, cocina mucho mejor.

Era una vieja engreída y jactanciosa, y ni siquiera el infortunio había conseguido bajarle los humos. Me molestó tanto que incluso me mostré frío con Ántonia, y la escuché sin la menor simpatía cuando me contó que su padre no se encontraba bien.

–Mi papá triste por el viejo país. No tiene buen aspecto. Nunca hace ya música. En casa tocaba violín todo el tiempo; para bodas y para baile. Aquí nunca. Cuando yo le pido tocar, dice no con la cabeza. Algunos días coge violín de estuche y hace así con los dedos en las cuerdas, pero nunca hace música. No le gusta este país.

–La gente a la que no le gusta este país debería quedarse en el suyo –dije yo con severidad–. Nosotros no les hemos pedido que vengan.

–¡Él no quiere venir, nunca! –me espetó–. Mi mamenka hace venir a él. Ella dice todo el tiempo: «América gran país; mucho dinero, mucha tierra para mis hijos, mucho marido para mis hijas». Mi papá, él llora porque deja viejos amigos que hacen música con él. Él quiere mucho a hombre que toca el cuerno largo, como esto –me indicó por señas un trombón de varas–. Ellos van juntos a la escuela y son amigos desde niños. Pero mi mamá, ella quiere Ambrosch rico, con mucho ganado.

–Tu mamá –repuse yo airadamente– quiere las cosas de los demás.

–Tu abuelo es rico –replicó ella con vehemencia–. ¿Por

qué no ayuda mi papá? Ambrosch rico también más tarde, y él devuelve. Es un chico muy listo. Por Ambrosch viene mamá aquí.

En la familia Shimerda se consideraba a Ambrosch la persona más importante. Su madre y Ántonia le daban la razón en todo, aunque con frecuencia fuera hosco con ellas y tratara con desprecio a su padre. Ambrosch y su madre obraban siempre a su antojo. A pesar de que Ántonia quería a su padre más que a ninguna otra persona, a su hermano mayor lo reverenciaba.

Después de contemplar a Ántonia y a su madre hasta que desaparecieron al otro lado de la colina a lomos de su jamelgo, llevándose consigo nuestra marmita de hierro, me volví hacia la abuela, que se había puesto a zurcir, y expresé el deseo de que aquella vieja fisgona no viniera a vernos nunca más.

La abuela rió entre dientes y metió la brillante aguja por el agujero de un calcetín de Otto.

–No es vieja, Jim, aunque es normal que a ti te lo parezca. No, tampoco yo lamentaría que no volviera. Pero, verás, uno nunca sabe qué efecto tendrá la pobreza sobre el carácter de las personas. Una mujer se vuelve codiciosa cuando ve a sus hijos pasar necesidad. Ahora, léeme un capítulo de «El príncipe de la casa de David». Olvidemos a los bohemios.

Disfrutamos de tres semanas de aquel tiempo despejado y apacible. En el corral, el ganado comía maíz casi con la misma rapidez con que los hombres lo desgranaban, y confiábamos en que estaría listo para una feria próxima. Una mañana, los dos grandes toros, *Gladstone* y *Brigham*

Young, creyeron que había llegado la primavera y empezaron a desafiarse y a embestirse el uno al otro a través de la alambrada que los separaba. Pronto se enfurecieron. Mugían y escarbaban la tierra blanda con las pezuñas, poniendo los ojos en blanco y sacudiendo la cabeza. Los dos se retiraron a un rincón alejado de su corral y luego se lanzaron el uno contra el otro al galope. Oímos el ruido sordo que hacían sus enormes cabezas al topar y sus mugidos hicieron temblar los cacharros sobre los estantes de la cocina. De no ser porque les habían afeitado los cuernos, se habrían hecho pedazos mutuamente. Muy pronto, los gruesos novillos los imitaron y empezaron a embestirse y a lanzarse cornadas. Era evidente que debía ponerse fin a todo aquello. Salimos todos y contemplamos con admiración a Fuchs, que entró a caballo en el corral con una horca y la usó para pinchar a los toros una y otra vez hasta que por fin consiguió separarlos.

La gran tormenta del invierno empezó el día de mi undécimo cumpleaños, el veinte de enero. Cuando bajé a desayunar aquella mañana, Jake y Otto entraron en casa blancos como muñecos de nieve, golpeándose las manos y dando patadas en el suelo. Al verme, soltaron grandes risotadas y dijeron:

–Esta vez sí que tienes un regalo de cumpleaños, Jim. Una tormenta de nieve para ti solo.

La ventisca se prolongó durante todo el día. Ahora la nieve no caía, sencillamente manaba del cielo, como si allá arriba estuvieran vaciando miles de lechos de plumas. Aquella tarde la cocina se convirtió en un taller de carpintería; los hombres trajeron sus herramientas e hicieron dos grandes palas de madera con largos mangos. Ni la abuela ni yo podíamos salir con aquella ventisca, así que fue Jake quien dio de comer a las gallinas y nos trajo una magra ración de huevos.

Al día siguiente nuestros hombres tuvieron que espalar hasta el mediodía para llegar al establo… ¡y la nieve seguía cayendo! No habían tenido una ventisca igual en los diez años que mi abuelo llevaba viviendo en Nebraska. Durante la comida, el abuelo dijo que no intentaríamos llegar al ganado; estaban lo bastante gordos para pasar un día o dos sin maíz; pero al día siguiente tendríamos que alimentarlos y quitar el hielo del abrevadero para que pudieran beber. Los corrales ni siquiera se veían, pero sabíamos que los novillos estaban allí, acurrucados muy juntos en la parte norte, bajo el terraplén. Seguramente nuestros feroces toros estaban más que aplacados, calentándose el lomo unos a otros.

–¡Esto les quitará el mal genio! –exclamó Fuchs alegremente.

A las gallinas no las habíamos oído en toda la mañana. Después de comer, Jake y Otto, con la ropa ya seca, se desperezaron estirando los rígidos brazos y volvieron a sumergirse entre los montones de nieve. Hicieron un túnel hasta el gallinero, con paredes tan sólidas que la abuela y yo pudimos ir y volver por él. Encontramos a las gallinas dormidas; quizá creían que aquella noche no tendría fin. Sólo un viejo gallo andaba rondando por allí, picoteando el pedazo de hielo en que se había convertido el agua de su recipiente de hojalata. Cuando las iluminamos con el farol, las gallinas empezaron a cacarear como locas y a revolotear torpemente, arrojando una lluvia de plumas. Las gallinas pintadas de Guinea, que siempre soportaban peor la cautividad, salieron corriendo y chillando hacia el túnel e intentaron atravesar los muros de nieve con sus feas caras pintadas. A las cinco habíamos realizado todas las tareas pendientes, ¡justo cuando llegaba el momento de volverlas a empezar! Fue un día extraño y singular.

XIV

La mañana del veintidós me desperté sobresaltado. Antes de abrir los ojos me pareció adivinar que había ocurrido algo fuera de lo normal. Oí voces agitadas en la cocina; por lo aguda que era la de la abuela, comprendí que debía de estar casi fuera de sí. Acogí la posibilidad de una nueva crisis con deleite. ¿Qué podía ser?, me pregunté mientras me apresuraba a vestirme. Tal vez se había quemado el granero; tal vez el ganado había muerto congelado; tal vez algún vecino se había perdido en medio de la ventisca.

Abajo, en la cocina, el abuelo estaba delante del fogón con las manos cruzadas a la espalda. Jake y Otto se habían quitado las botas y se frotaban los pies embutidos en calcetines de lana. Sus ropas y sus botas desprendían vapor y ambos parecían exhaustos. En el banco de detrás de los fogones había un hombre tumbado y cubierto por una manta. La abuela me indicó por señas que me fuera al comedor. Obedecí a regañadientes. Observé sus idas y venidas, llevando platos. Apretaba mucho los labios y no dejaba de susurrar para sí:

–¡Oh, Salvador nuestro! ¡Señor, hágase Tu voluntad!

Al cabo de un rato vino el abuelo a decirme:

–Jimmy, hoy no rezaremos porque tenemos muchas cosas que hacer. El señor Shimerda ha muerto y ha sido una tragedia para su familia. Ambrosch se presentó ayer en plena noche, y Jake y Otto se fueron con él. Los muchachos han pasado una noche terrible y no debes importunarlos con preguntas. Ese que duerme en el banco es Ambrosch. Venid a desayunar, muchachos.

Después de haber apurado la primera taza de café, Jake y Otto empezaron a hablar con gran agitación, haciendo caso omiso de las miradas de advertencia del abuelo. Yo refrené la lengua, pero agucé el oído.

–No, señor –dijo Fuchs en respuesta a una pregunta del abuelo–, nadie oyó el disparo de la escopeta. Ambrosch estaba con la yunta de bueyes intentando abrir un camino en la nieve, y la mujer y las niñas estaban encerradas en la cueva. Al entrar Ambrosch, estaba oscuro y no vio nada, pero los bueyes tuvieron un comportamiento algo extraño. Uno de ellos se dio la vuelta y se fue, salió de estampida por la puerta. La cuerda con la que Ambrosch sujetaba al buey le ha desollado las manos. Ha ido a buscar un farol, ha vuelto y ha encontrado al viejo tal como lo hemos visto luego nosotros.

–Pobre hombre, pobre hombre –gimió la abuela–. Quisiera creer que no lo ha hecho. Siempre fue un hombre considerado que no deseaba causar la menor molestia. ¡Cómo ha podido perder el seso de esa manera y traernos esta desgracia!

–No creo que perdiera la cabeza en ningún momento,

señora Burden –afirmó Fuchs–. Lo ha hecho todo del modo más natural. Ya sabe usted que siempre había sido muy quisquilloso, y así siguió hasta el último momento. Se afeitó después de comer y se lavó todo el cuerpo cuando las chicas terminaron con los platos. Ántonia le calentó el agua. Luego se puso una camisa y unos calcetines limpios, y después de vestirse las besó a ella y a la pequeña y cogió la escopeta y dijo que salía a cazar conejos. Debió de irse derecho al establo y hacerlo entonces. Se tumbó en el camastro ese que tienen allí, junto a los compartimentos de los bueyes, donde siempre dormía. Cuando lo encontramos, estaba muy presentable, excepto... –Fuchs arrugó la frente y vaciló– excepto en lo que no podía prever de ninguna de las maneras. Su chaqueta colgaba de un gancho y las botas estaban debajo de la cama. Se había quitado ese pañuelo de seda que siempre llevaba al cuello, lo había doblado con pulcritud y había clavado el alfiler en él. Se había dado la vuelta al cuello de la camisa y se había arremangado.

–¡No sé cómo pudo hacerlo! –no dejaba de repetir la abuela. Otto interpretó mal sus palabras.

–Bueno, señora, pues fue muy sencillo; apretó el gatillo con el dedo gordo del pie. Se tumbó de lado y se puso el cañón en la boca, luego estiró un pie y buscó a tientas el gatillo. ¡Vaya si lo encontró!

–Tal vez –dijo Jake con expresión lúgubre–. Hay algo muy extraño en todo esto.

–¿A qué te refieres, Jake? –preguntó la abuela con vivo interés.

–Bueno, señora, encontré el hacha de Krajiek bajo el pesebre, así que voy y la cojo, y me acerco con ella al cadáver, y le juro que encajaba perfectamente en el boquete que tenía el viejo en la cara. Luego Krajiek andaba a hurtadillas por allí, pálido y mudo, y cuando me vio examinando el hacha, empezó a gimotear: «¡Dios mío, hombre, no haga eso!». «Creo que voy a investigar este asunto», voy y le digo. Entonces se puso a chillar como una rata y a correr de un lado para otro, retorciéndose las manos. «¡Me colgarán!», va y me dice. «¡Dios mío, seguro que me colgarán!»

Fuchs intervino con tono impaciente.

–Krajiek se ha vuelto idiota, Jake, y tú también. El viejo no hubiera hecho todos esos preparativos para que Krajiek lo matara, ¿no crees? No tiene sentido. Tenía la escopeta al lado cuando lo encontró Ambrosch.

–Pero Krajiek pudo ponerla ahí, ¿no? –preguntó Jake.

–Óyeme bien, Jake Marpole –intervino la abuela, muy alterada–, no intentes añadir el asesinato al suicidio. Ya tenemos bastante con una cosa. Otto te lee demasiadas historias de esas de detectives.

–Será fácil de averiguar, Emmaline –dijo el abuelo con calma–. Si se pegó un tiro tal como creen, el boquete se habrá abierto de dentro afuera.

–Así es, señor Burden –confirmó Otto–. Vi mechones de pelo y trozos pegados a las vigas y a la paja en el techo. Se voló la cabeza de un disparo de escopeta, no cabe duda.

La abuela le dijo al abuelo que pensaba ir a casa de los Shimerda con él.

–No podrás hacer nada allí –dijo él con tono dubitativo–. El cadáver no puede tocarse hasta que traigamos al juez de instrucción de Black Hawk y, con este tiempo, puede ser cosa de varios días.

–Bueno, puedo llevarles víveres, de todas formas, y consolar un poco a esas pobres niñas. La mayor era su predilecta, y la que más le ayudaba. Bien podría haber pensado en ella. La ha dejado sola en un mundo cruel. –Miró con desconfianza a Ambrosch, que ahora estaba desayunando en la mesa de la cocina.

A pesar de que se había pasado prácticamente toda la noche en vela y a la intemperie, Fuchs recorrería el largo trayecto a caballo hasta Black Hawk para ir en busca del sacerdote y del juez de instrucción. En el caballo castrado gris, el mejor de nuestros caballos, intentaría orientarse sin caminos que le sirvieran de guía.

–No se preocupe por mí, señora Burden –dijo alegremente, mientras se ponía un segundo par de calcetines–. Tengo buen olfato para orientarme y nunca he necesitado dormir mucho. Es el caballo lo que me inquieta. Intentaré no cansarlo, pero será agotador, ¡eso se lo puedo asegurar!

–Éste no es momento para tener excesivos miramientos con los animales, Otto; preocúpate más bien por ti mismo. Haz un alto en casa de la viuda Steavens para comer. Es una buena mujer y te tratará bien.

Después de la partida de Fuchs, me quedé a solas con Ambrosch. Vi un aspecto de su carácter que desconocía. Era muy devoto, ciegamente devoto incluso. No pronunció una sola palabra en toda la mañana, sino que se sentó con el rosario en las manos y rezó, ora en silencio, ora en voz alta. No apartó la vista de las cuentas ni un solo momento, ni alzó las manos, salvo para santiguarse. Varias veces el pobre se quedó dormido allí sentado, se despertaba dando un respingo y reanudaba sus rezos.

No habría carro alguno que pudiera llegar a la morada de los Shimerda hasta que se abriera un camino, y para eso haría falta todo un día de trabajo. El abuelo salió del establo con uno de nuestros grandes caballos negros, y Jake ayudó a la abuela a subirse a la grupa. La abuela llevaba su capucha negra e iba envuelta en varios mantones. El abuelo se metió la tupida barba blanca bajo el abrigo. Tenían un aire muy bíblico cuando se pusieron en marcha, me pareció a mí. Jake y Ambrosch los siguieron en el otro caballo negro y en mi poni, cargados con hatillos de ropa que habíamos recogido para la señora Shimerda. Los vi alejarse por el estanque y perderse colina arriba, pasando por el maizal cubierto de nieve. Entonces me di cuenta por primera vez de que me había quedado solo en la casa.

Sentí que mi poder y mi autoridad habían aumentado considerablemente, y sentí un gran deseo de desenvolverme como una persona responsable. Acarreé mazorcas de maíz y leña de la despensa a la cocina y llené ambos fogones. Recordé que con las prisas y la agitación de la mañana nadie había pensado en las gallinas, y que no se habían recogido los huevos. Recorrí el túnel para darle el maíz a las gallinas, vaciar el bebedero de hielo y llenarlo de agua. Después de darle la leche al gato, no se me ocurrió nada más que hacer, y me senté para calentarme. Reinaba una tranquilidad deliciosa y el tictac del reloj era una compañía sumamente agradable. Cogí el *Robinson Crusoe* e intenté leer, pero su vida en la isla me pareció aburrida en comparación con la nuestra. Al final, al echar una mirada a nuestra confortable sala de estar, se me ocurrió la idea repentina de que, si el alma del señor Shimerda seguía en este mundo, estaría allí, en nuestra casa, que le había gustado más que ninguna otra de la vecindad. Recordé su rostro satisfecho cuando estuvo con nosotros el día de Navidad. Si hubiera podido vivir en nuestra casa, aquella cosa terrible no habría sucedido jamás.

Yo sabía que era la nostalgia de su país lo que había matado al señor Shimerda, y me pregunté si su espíritu liberado del cuerpo no habría acabado por encontrar el camino de vuelta. Pensé en lo lejos que estaba Chicago, y luego Virginia, y Baltimore... y luego el gran océano proceloso. No, no iniciaría inmediatamente aquel largo viaje. Sin duda su espíritu exhausto, cansado del frío y del hacinamiento y de la lucha con la nieve incesante, reposaba ahora en aquella apacible casa.

No estaba asustado, pero no hice el menor ruido. No deseaba perturbarlo. Bajé silenciosamente a la cocina, que, enclavada bajo tierra de manera tan abrigada y acogedora, me había parecido siempre el corazón y centro de la casa. Allí, en el banco tras el fogón, no hice más que pensar y pensar en el señor Shimerda. Oía el viento que silbaba sobre cientos de kilómetros de nieve en el exterior. Era como si hubiera hecho pasar al viejo, liberándolo de los rigores del invierno, y estuviera sentado allí con él. Evoqué todas las cosas que me había ido contando Ántonia sobre la vida de su padre antes de emigrar; que tocaba el violín en bodas y bailes. Pensé en los amigos de los que había lamentado separarse, en el trombón, en el inmenso bosque lleno de animales de caza –que pertenecía, según Ántonia, a los «nobles»– de donde su madre y ella robaban leña las noches de luna. En aquel bosque vivía un venado blanco, y al que lo matara, lo colgarían, me dijo Ántonia. Las escenas que imaginaba eran tan vívidas que bien pudieran haber sido los recuerdos del señor Shimerda, no desvanecidos aún del aire en el que habían sido su obsesión.

Había empezado a oscurecer cuando regresaron todos a casa; la abuela estaba tan cansada que se metió en la cama. Jake y yo cenamos, y mientras lavábamos los platos me habló en fuertes susurros de la situación en casa de los Shimerda. Nadie podía tocar el cuerpo hasta que llegara el juez de instrucción. Al parecer ocurriría algo terrible si alguien se atrevía a tocarlo. El difunto estaba completamente congelado, «tan tieso como un pavo desplumado que se cuelga al aire libre para que se congele», dijo Jake. Los caballos y los bueyes no quisieron acercarse al establo hasta que estuvo tan congelado que ya no se percibía el olor a sangre. Entonces los habían metido en el establo con el muerto porque no tenían otro lugar donde guardarlos. Sobre la cabeza del señor Shimerda había un farol encendido permanentemente. Ántonia, Ambrosch y la madre se turnaban para bajar a rezar junto a él. El idiota los acompañaba, porque no notaba el frío. Yo estaba convencido de que tenía tanto frío como cualquier otra persona, pero le gustaba que le creyeran insensible. ¡El pobre Marek ambicionaba siempre distinguirse de los demás!

Según me contó Jake, Ambrosch demostraba más sentimientos de los que él le hubiera creído capaz de sentir; pero lo que más le preocupaba era conseguir un sacerdote y el destino del alma de su padre, porque creía que se encontraba en un lugar donde sufría tormento, y que se quedaría allí hasta que su familia y el sacerdote hubieran rezado mucho por él.

–Si no lo he entendido mal –concluyó Jake–, pasarán años antes de que saquen su alma del Purgatorio mediante rezos, y ahora mismo está sufriendo tormento.

–Yo no me lo creo –repliqué con firmeza–. Estoy casi seguro de que no es cierto.

Naturalmente, no le dije que creía que había estado en aquella misma cocina toda la tarde, antes de regresar a su país. No obstante, una vez acostado, me vino de nuevo aquella idea del castigo y el Purgatorio, dejándome apabullado. Recordé el relato de Dives[12] en el tormento, y me estremecí. Pero el señor Shimerda no había sido rico ni egoísta: había sido únicamente un hombre tan desgraciado como para no querer seguir viviendo.

---

[12] Personaje que aparece en la Biblia, en Lucas 16. En algunas versiones es, sencillamente, un hombre rico, en otras se considera un nombre propio.

XV

Otto Fuchs volvió de Black Hawk a mediodía del día siguiente. Nos informó de que el juez de instrucción llegaría a casa de los Shimerda en el transcurso de la tarde, pero el sacerdote misionero se encontraba en el otro extremo de su parroquia, a ciento sesenta kilómetros de distancia, y no circulaban los trenes. Fuchs había dormido unas horas en la caballeriza de la ciudad, pero temía que el esfuerzo había sido excesivo para el caballo castrado gris. Ciertamente, nunca volvió a ser el mismo de antes. Aquel largo trayecto en medio de una nieve espesa agotó toda su resistencia.

Fuchs trajo consigo a un forastero, un joven de Bohemia que se había instalado cerca de Black Hawk, y que vino en su único caballo para ayudar a sus compatriotas en el infortunio. Fue la primera vez que vi a Anton Jelinek. Era un hombre joven y robusto que tenía entonces poco más de veinte años, bien parecido, afectuoso y lleno de vida, y apareció ante nosotros como un milagro en medio de aquel horrible suceso. Recuerdo con exactitud que entró en nuestra cocina pisando fuerte con sus botas de fieltro y su larga pelliza de piel de lobo, brillantes los ojos y encendidas las mejillas por el frío. Al ver a la abuela, se quitó el gorro de piel y la saludó con una voz grave y vibrante que parecía más vieja que él.

–Quiero darle las gracias, señora Burden, porque es usted tan buena con los pobres extranjeros de mi país.

No titubeaba al hablar como un mozo de labranza, sino que lo miraba a uno a los ojos con avidez. Su actitud era cordial y espontánea. Dijo que habría ido antes a ver a los Shimerda de no ser porque se había empleado para desgranar maíz durante todo el otoño y porque, desde que había empezado el invierno, iba a la escuela que había junto al molino a aprender inglés, como los niños. Me contó que tenía una «señorita maestra» muy simpática y que le gustaba ir a la escuela.

Durante la comida el abuelo habló con Jelinek más de lo que era su costumbre con forasteros.

–¿Se disgustarán mucho al saber que no hemos podido conseguir un sacerdote? –preguntó.

Jelinek se puso serio.

–Sí, señor, eso es muy malo para ellos. Su padre ha cometido un gran pecado –miró al abuelo a los ojos–. Nuestro Señor lo ha dicho.

Al abuelo pareció gustarle su franqueza.

–También nosotros lo creemos, Jelinek. Pero creemos que el alma del señor Shimerda llegará igualmente hasta su Creador sin necesidad de un sacerdote. Nosotros creemos que Cristo es nuestro único intercesor.

El joven meneó la cabeza.

–Ya sé cómo piensan. Mi maestra de la escuela me lo ha

explicado. Pero yo he visto muchas cosas. Creo en las plegarias por los muertos. He visto demasiadas cosas.

Le preguntamos qué quería decir. Él paseó su mirada por la mesa.

–¿Quieren que se lo cuente? Cuando yo era un niño como éste, empecé a ayudar al sacerdote en el altar. Hice mi primera comunión muy joven; lo que enseña la Iglesia me parecía muy claro y sencillo. Llegó entonces la guerra, cuando los prusianos lucharon contra nosotros. Teníamos muchos soldados en un campamento cerca de mi aldea, y en ese campamento se declaró el cólera, y los hombres morían como moscas. Nuestro sacerdote se pasaba el día allí dando el viático a los moribundos, y yo iba con él para llevar los recipientes con el Santísimo Sacramento. Todos los que se acercaban a aquel campamento se contagiaban, menos el sacerdote y yo. Nosotros no nos pusimos enfermos, no teníamos miedo, porque llevábamos la sangre y el cuerpo de Cristo, y eso nos protegía. –Hizo una pausa y miró al abuelo–. Eso lo sé, señor Burden, porque me ocurrió a mí. También los soldados lo sabían. Cuando caminábamos por la carretera, el viejo sacerdote y yo nos cruzábamos a cada momento con soldados a pie y oficiales a caballo. Al darse cuenta de lo que llevaba yo bajo el paño, todos aquellos oficiales detenían los caballos y se arrodillaban en tierra hasta que pasábamos. Así que siento mucho que mi compatriota haya muerto sin recibir el Sacramento, y que haya muerto de mala manera para su alma, y siento lástima por su familia.

Le habíamos escuchado atentamente. Era imposible no admirar su fe franca y varonil.

–Siempre es una satisfacción conocer a un joven que piensa seriamente en estas cosas –dijo el abuelo–, y no seré yo quien diga que Dios no os protegía cuando estabais entre los soldados.

Después de comer se decidió que el joven Jelinek engancharía nuestros dos robustos caballos negros de labor al rastrillo y abriría un camino hasta la casa de los Shimerda para que pudiera pasar un carro cuando fuera necesario. A Fuchs, que era el único carpintero de los alrededores, se le encargó que hiciera el ataúd.

Jelinek se puso su larga pelliza de piel de lobo, y cuando expresamos nuestra admiración, nos contó que había matado y despellejado unos coyotes y que el otro joven soltero con el que vivía, Jan Bouska, que había sido peletero en Viena, le había hecho la pelliza. Desde el molino de viento observé cómo Jelinek salía del establo con los caballos negros y se abría camino pendiente arriba hacia el maizal. Algunas veces lo ocultaban completamente las nubes de nieve que levantaba a su alrededor; luego los caballos y él emergían negros y relucientes.

Fue preciso llevar nuestro pesado banco de carpintero del establo a la cocina. Fuchs eligió unos tablones de la pila que el abuelo había traído de la ciudad en otoño para hacer un suelo nuevo al granero. Cuando por fin reunió madera y herramientas, se cerraron de nuevo las puertas y cesaron las gélidas corrientes de aire, el abuelo montó y se fue a ver al juez de instrucción a casa de los Shimerda, mientras Fuchs se quitaba la chaqueta y se disponía a trabajar. Yo me senté sobre el banco de trabajo y lo contemplé. Al principio no tocó las herramientas, sino que estuvo dibujando en un trozo de papel durante largo rato, y midió los tablones e hizo unas marcas en ellos. Mientras hacía esto, silbaba por lo bajo o se tiraba suavemente de la oreja mutilada. La abuela andaba por la cocina con sigilo para no molestarlo. Por fin, Otto plegó la cinta métrica y volvió el rostro alegre hacia nosotros.

–La parte más difícil del trabajo ya está hecha –anunció–. Es la parte de la cabeza la que más me cuesta, sobre todo cuando llevo tiempo sin practicar. La última vez que hice uno de éstos, señora Burden –prosiguió, mientras elegía y probaba los escoplos–, fue para un tipo de la mina Black Tiger[13], más allá de Silverton, en Colorado. La boca de la mina se abría justo en la pared de un precipicio y nos metían en una vagoneta y nos lanzaban por unos raíles hasta el túnel. La vagoneta atravesaba un cañón de paredes verticales y noventa metros de profundidad, y lleno de agua en una tercera parte. Dos suecos se cayeron de aquella vagoneta una vez, y cayeron al agua de pie. Por increíble que parezca, al día siguiente estaban trabajando. A un sueco no hay quien lo mate. Pero, estando yo allí, un italiano menudo probó la gran zambullida y a él le fue peor. Estábamos bloqueados por la nieve, como ahora, y dio la casualidad de que yo era el único hombre en todo el campamento capaz de hacerle un ataúd. Es muy útil saber esas cosas cuando uno anda siempre de un lado para otro como hacía yo.

–Nosotros no habríamos sabido cómo hacerlo, de no estar tú aquí, Otto –dijo la abuela.

---

13 «Tigre Negro.»

–Sí, señora –admitió Fuchs con modesto orgullo–. Muy pocas personas saben hacer una buena caja hermética que repela el agua. Algunas veces me pregunto si habrá alguien que lo haga cuando me toque a mí. De todas formas, no tengo manías.

Durante toda la tarde, al entrar en la casa, se oía siempre el resuello sibilante de la sierra o el agradable ronroneo del cepillo de carpintero. Eran unos sonidos alegres, que parecían prometer cosas nuevas para los vivos: era una lástima que aquellos tablones de pino recién cepillados tuvieran que enterrarse tan pronto. Costaba trabajar la madera porque estaba llena de escarcha, y los tablones despedían un dulce olor a bosque de pinos, mientras el montón de virutas amarillas iba creciendo. Viéndole la satisfacción y la destreza con que se había puesto a la tarea, me pregunté por qué Fuchs no se habría dedicado a la carpintería. Manejaba las herramientas como si le gustara sentir el contacto, y cuando cepillaba la madera, sus manos recorrían los tablones con un vaivén apasionado y benéfico, como si los estuviera bendiciendo. De vez en cuando se ponía a cantar himnos alemanes, como si aquella ocupación trajera a su memoria viejos tiempos.

A las cuatro el señor Bushy, el jefe de correos, se detuvo en nuestra granja para calentarse, acompañado de otro vecino que vivía al este de nuestras tierras. Iban de camino a casa de los Shimerda. La noticia de lo ocurrido allí se había extendido, no sé cómo, a lo largo y ancho de la comarca bloqueada por la nieve. La abuela ofreció a los visitantes pastelillos de azúcar y café caliente. Antes de que se fueran, el hermano de la viuda Steavens, que vivía junto al camino de Black Hawk, se detuvo ante nuestra puerta, y tras él llegó el padre de la familia alemana, nuestros vecinos más próximos hacia el Sur. Desmontaron y se reunieron con nosotros en el comedor. Todos estaban deseosos por conocer los detalles del suicidio, y los preocupaba grandemente dónde iban a enterrar al señor Shimerda. El cementerio católico más próximo estaba en Black Hawk, y podrían pasar semanas antes de que a un carro le fuera posible llegar hasta allí. Además, el señor Bushy y la abuela estaban convencidos de que un hombre que había atentado contra su propia vida no podría ser enterrado en un cementerio católico. Había otro camposanto junto a la iglesia noruega, al oeste del Squaw; tal vez los noruegos aceptarían al señor Shimerda.

Cuando nuestros visitantes se alejaron a caballo en fila india, desapareciendo por la loma, regresamos a la cocina. La abuela empezó a hacer el glaseado para un pastel de chocolate y Otto volvió a llenar la casa con el sonido apasionado y expectante del cepillo. Algo agradable hubo en aquella situación, y fue que todo el mundo habló más de lo acostumbrado. Jamás había oído al jefe de correos decir otra cosa que «Hoy sólo hay periódicos» o «Tengo un saco lleno de correo para ti», hasta aquella tarde. La abuela siempre hablaba, la buena mujer: consigo misma o con el Señor, si no había nadie más que la escuchara. Pero el abuelo era taciturno por naturaleza, y a menudo Jake y Otto estaban tan cansados después de cenar que me sentía como si me rodeara un muro de silencio. Aquel día todos parecían deseosos de hablar. Por la tarde, Fuchs no paró de contarme historias: sobre la mina Black Tiger, sobre muertes violentas y entierros sin ceremonia, y sobre los extraños caprichos de algunos moribundos. No se llegaba a conocer de verdad a un hombre, según él, hasta que se le veía morir. La mayoría se mostraban animosos y morían sin rencor.

El jefe de correos se detuvo de nuevo a su regreso, para decirnos que el abuelo traería al juez de instrucción a pasar la noche en casa. Nos contó que los dignatarios de la iglesia noruega habían celebrado una reunión y habían decidido que el cementerio noruego no podía ofrecer su hospitalidad al señor Shimerda. La abuela se indignó.

–Si esos extranjeros son tan cerrados, señor Bushy, tendremos que hacer un cementerio americano de miras más amplias. Le pediré a Josiah que empiece a hacerlo en primavera. Si algo me sucede, no quiero que los noruegos hagan averiguaciones sobre mí para decidir si soy lo bastante buena para reposar entre sus muertos.

El abuelo regresó al poco rato en compañía de Anton Jelinek y de aquella persona tan importante, el juez de instrucción. Éste era un viejo afable y nervioso, un veterano de la guerra civil, con una manga que colgaba vacía. Aquel caso parecía tenerlo sumamente perplejo, y afirmó que, de no ser por el abuelo, habría ordenado que arrestaran a Krajiek.

–Su actitud y eso de que su hacha encaje perfectamente en la herida bastarían para condenar a cualquier hombre.

Aunque era evidente que el señor Shimerda se había suicidado, Jake y el juez de instrucción opinaban que debía hacerse algo con Krajiek, porque se comportaba como si fuera culpable de algo. Desde luego estaba aterrorizado, y quizá sentía incluso cierto remordimiento por su indiferencia hacia la aflicción y la soledad del viejo.

Durante la cena, los hombres engulleron como vikingos, y el pastel de chocolate, que yo había confiado en que duraría, si bien mediado, hasta el día siguiente, desapareció en la primera repetición. Charlaron animadamente sobre el lugar donde podían enterrar al señor Shimerda; por lo que deduje, los vecinos estaban alterados y escandalizados por algo. Resultó que la señora Shimerda y Ambrosch querían que se enterrara al viejo en el extremo sudoeste de sus propias tierras, que lo sepultaran, de hecho, bajo la estaca que señalaba aquel punto. El abuelo había explicado a Ambrosch que algún día, cuando se vallaran las propiedades y las carreteras discurrieran por las líneas divisorias, aquel punto se convertiría en un cruce de caminos. Pero Ambrosch se había limitado a contestar:

–No importa.

El abuelo preguntó a Jelinek si en su país natal existía alguna superstición que obligara a enterrar a un suicida en un cruce de caminos.

Jelinek dijo que no lo sabía; luego le pareció que recordaba haber oído decir que en otros tiempos existía esa costumbre en Bohemia.

–La señora Shimerda está decidida –añadió–. Intento disuadirla, le digo que todos los vecinos pensarán mal de ella; pero ella dice que así debe ser. «Allí lo enterraré, aunque tenga que cavar la tumba yo misma», dice. He tenido que prometerle que ayudaré a Ambrosch a hacer la tumba mañana.

El abuelo se acarició la barba con aire severo.

–Desde luego es ella la que debe decidir en este asunto. Pero si cree que vivirá para ver a las gentes del país cabalgando sobre la cabeza del pobre hombre, está muy equivocada.

XVI

El señor Shimerda estuvo de cuerpo presente en el establo durante cuatro días, y al quinto lo enterraron. Jelinek se pasó todo el viernes cavando la tumba con Ambrosch, partiendo la tierra helada con viejas hachas. El sábado desayunamos antes del amanecer y nos subimos al carro con el ataúd. Jake y Jelinek se adelantaron a caballo para liberar el cadáver del charco de sangre helada que lo mantenía sujeto al suelo.

Cuando la abuela y yo entramos en casa de los Shimerda, encontramos solas a la madre y las hijas; Ambrosch y Marek estaban en el establo. La señora Shimerda estaba sentada junto a la estufa, encorvada. Ántonia fregaba los platos. Al verme, salió corriendo de su oscuro rincón y me echó los brazos al cuello.

–¡Oh, Jimmy! –dijo entre sollozos–. ¡Qué pensarás de mi querido papá! –Me pareció percibir los latidos de su corazón destrozado cuando se aferró a mí.

La señora Shimerda, sentada en el tocón junto a la estufa, miraba una y otra vez por encima del hombro hacia la puerta, mientras iban llegando vecinos. Todos venían a caballo excepto el jefe de correos, que había traído a su familia en un carro por el único camino que estaba despejado. La viuda Steavens cabalgó desde su granja, que estaba a doce kilómetros siguiendo la carretera de Black Hawk. El frío indujo a las mujeres a meterse en la covacha, que pronto estuvo abarrotada. Empezó a caer aguanieve y, temerosos de que se desencadenara una nueva tormenta de nieve, estaban todos impacientes por terminar con el funeral.

El abuelo y Jelinek vinieron a decirle a la señora Shimerda que había llegado el momento. Después de abrigar a su madre con las ropas que les habían llevado los vecinos, Ántonia se puso una vieja capa de nuestra casa y el gorro de piel de conejo que le había hecho su padre. Cuatro hombres transportaron el ataúd del señor Shimerda colina arriba; Krajiek marchaba detrás con aire avergonzado. El ataúd era demasiado ancho para pasar por la puerta, así que lo dejaron delante, en el suelo. Salí de la cueva y eché una mirada al señor Shimerda. Estaba tumbado de costado con las rodillas dobladas. El cuerpo iba envuelto en un mantón negro y la cabeza vendada con muselina blanca, como una momia; una de sus largas y hermosas manos era visible sobre el paño negro; eso era lo único que se veía de él.

La señora Shimerda salió, colocó un libro de oraciones abierto sobre el cadáver e hizo la señal de la cruz con los dedos sobre la cabeza vendada. Ambrosch se arrodilló e hizo el mismo gesto, y después de él, Ántonia y Marek. Yulka se quedó atrás. Su madre la empujó hacia adelante, repitiéndole algo una y otra vez. Yulka se arrodilló, cerró los ojos y alargó un poco la mano, pero la retiró y se echó a llorar a lágrima viva. Tenía miedo de tocar el vendaje. La señora Shimerda la cogió por los hombros y la empujó hacia el ataúd, pero la abuela intervino.

–No, señora Shimerda –dijo con firmeza–, no me quedaré viendo cómo se asusta a la niña de este modo. Es demasiado pequeña para comprender lo que le pide usted. Déjela tranquila.

A una mirada del abuelo, Fuchs y Jelinek colocaron la tapa del ataúd y la clavaron. Yo temía mirar a Ántonia. Rodeó a Yulka con los brazos y apretó a la niña contra sí.

Metieron el ataúd en el carro. Nos alejamos en él poco a poco, con la fina y gélida nieve golpeándonos el rostro como ráfagas de arena. Cuando llegamos a la tumba, ésta aparecía como un punto diminuto en la inmensidad cubierta de nieve. Los hombres acarrearon el ataúd hasta el borde del agujero y lo bajaron con cuerdas. Los demás contemplábamos la escena. La nieve, fina como polvo, cubría sin deshacerse los gorros y las espaldas de los hombres y los mantones de las mujeres. Jelinek se dirigió en un tono persuasivo a la señora Shimerda y luego se volvió hacia la abuela.

–Dice, señor Burden, que estará muy contenta si usted reza algo por él en inglés, para que los vecinos lo entiendan.

La abuela miró con inquietud al abuelo. Éste se quitó el sombrero, y los otros hombres lo secundaron. Su oración me pareció extraordinaria. Aún la recuerdo. Empezaba así: «Oh, Dios grande y justo, ningún hombre entre nosotros sabe lo que sabe el que duerme, ni nos corresponde a nosotros juzgar lo que hay entre él y Tú». Rezó para que, si alguno de los presentes había faltado a su obligación con el forastero llegado de tierras lejanas, Dios le perdonara y ablandara su corazón. Evocó las promesas a la viuda y los huérfanos, y pidió a Dios que allanara el camino para aquella viuda y sus hijos, y que «predispusiera el corazón de los hombres a tratarla con justicia». Terminó diciendo que dejábamos al señor Shimerda en «Tus manos justicieras, que son también misericordiosas».

Durante todo el tiempo que estuvo rezando, la abuela lo observó por entre los dedos enguantados en negro, y cuando él dijo «Amén», me pareció que estaba satisfecha. Se volvió hacia Otto y susurró:

–¿No podría cantar un himno, Fuchs? Así parecerá todo menos pagano.

Fuchs miró en torno a sí para ver si los demás aprobaban la sugerencia y luego empezó a cantar *Jesús, Amado de mi alma*; todos los demás, hombres y mujeres, cantaron con él. Desde entonces, siempre que he vuelto a oír ese himno me ha hecho recordar aquella inmensidad blanca y el pequeño grupo de gente, y el aire azulado, lleno de nieve fina que se arremolinaba como largos velos flotantes:

> «Mientras discurren las aguas más cercanas,
> Mientras la tempestad sigue en su apogeo.»

....

Años después, lejos los tiempos de los pastos abiertos y arada la tierra bajo la hierba roja hasta hacerla desaparecer casi de la pradera, cuando todos los campos tenían su cerca y las carreteras no discurrían ya por mil y un vericuetos, sino que seguían las líneas divisorias reconocidas oficialmente, la tumba del señor Shimerda seguía allí, rodeada por una alambrada y con una cruz de madera sin pintar. Tal como había predicho el abuelo, la señora Shimerda no vio jamás las carreteras pasando sobre la cabeza de su marido. Justamente en aquel punto, la carretera del norte se curvaba un poco hacia el Este y la carretera del Oeste se desviaba un poco hacia el Sur; de ese modo, la tumba, con su hierba alta y roja que no se había segado jamás, era como un islote, y a la luz del crepúsculo, bajo la luna nueva o la clara estrella vespertina, las carreteras polvorientas semejaban ríos plateados cuyas aguas fluían cerca de ella. No podía pasar por aquel sitio sin emocionarme, y de toda la comarca era el lugar más querido por mí. Me gustaba la oscura superstición, la intención propiciatoria, que había colocado la tumba allí, y aún me gustaba más el espíritu que no había cumplido la sentencia: el error de la medición de los trazados, la clemencia de las carreteras de blanda tierra por las que rodaban los carros de vuelta a casa con la puesta de sol. Estoy convencido de que jamás hubo un viajero cansado que pasara por delante de la cruz de madera sin desearle lo mejor al yaciente.

XVII

Cuando llegó la primavera, después de aquel crudo invierno, uno no tenía nunca bastante del aire transparente. Cada mañana me despertaba con la conciencia renovada de que el invierno se había acabado. No se observaban ninguno de los indicios de la primavera que yo estaba acostumbrado a ver en Virginia, no había renuevos en los bosques ni jardines en flor. Sólo había... la primavera en sí misma, su palpitar, la inquietud liviana, su esencia vital en todas partes: en el cielo, en las nubes veloces, en el pálido sol, y en el viento cálido y ligero, que ascendía de repente y bajaba de pronto, impulsivo y juguetón como un enorme cachorro que viniera a tocarte con la pata y se tumbara luego para que lo acariciaras. Si me hubieran arrojado a aquella pradera roja con los ojos vendados, habría sabido que era primavera.

El olor de hierba quemada lo invadía todo. Nuestros vecinos quemaban sus pastos antes de que empezara a brotar la hierba nueva, para que así no se mezclara con la hierba muerta del año anterior. Aquellas hogueras rápidas y fulgurantes que recorrían el paisaje parecían formar parte del mismo despertar que se palpaba en el aire.

Los Shimerda vivían ya en su casa nueva de troncos. Los vecinos los habían ayudado a construirla en marzo. Se alzaba justo enfrente de su vieja covacha, que usaban como despensa. La familia se había equipado bien para iniciar su lucha con la tierra. Tenían cuatro cómodas habitaciones donde vivir, un molino de viento nuevo –comprado a crédito–, un gallinero y aves de corral. La señora Shimerda había pagado diez dólares al abuelo por una vaca lechera, y tenía que darle quince más tan pronto como recogieran su primera cosecha.

Una tarde de abril, soleada y ventosa, en que llegué a casa de los Shimerda a lomos de mi poni, Yulka salió corriendo a recibirme. Ahora era a ella a quien daba clases de lectura; Ántonia estaba ocupada en otras cosas. Até el poni y entré en la cocina, donde la señora Shimerda estaba haciendo pan y mascando semillas de amapola mientras trabajaba. Hablaba ya un inglés rudimentario que le permitía hacerme un montón de preguntas sobre la labor de nuestros hombres en el campo. Parecía creer que mis mayores retenían información útil y que podría sonsacarme secretos valiosos. En aquella ocasión me preguntó con gran astucia si el abuelo pensaba empezar la siembra del maíz. Le contesté, y añadí que pensaba que tendríamos una primavera seca y que el maíz no tendría que esperar por culpa de la lluvia, como había ocurrido el año anterior.

Ella me lanzó una mirada de astucia.

–Él no, Jesús –espetó–; no sabe sobre lluvia y sol.

No respondí; ¿de qué serviría? Mientras estaba sentado,

esperando a que Ambrosch y Ántonia volvieran de los campos, observé a la señora Shimerda en la cocina. Sacó del horno un bizcocho con fruta seca que quería conservar caliente para la cena y lo envolvió en un edredón de plumas. Yo la he visto envolviendo incluso un ganso asado en aquel edredón para conservar el calor. Cuando los vecinos estuvieron allí construyendo la casa nueva, la vieron hacerlo, y se esparció la comidilla de que los Shimerda guardaban los alimentos en lechos de plumas.

Cuando el sol se encontraba ya bajo en el horizonte, apareció Ántonia, subiendo por el gran barranco del sur con su tiro de caballos. ¡Cómo había crecido en ocho meses! Había llegado siendo una niña y se había convertido en una joven alta y fuerte, aunque acabara de cumplir los quince años. Salí corriendo a su encuentro cuando ella llevaba los caballos al molino de viento para abrevarlos. Llevaba las botas que su padre se había quitado con tanto esmero antes de pegarse un tiro, y también su viejo gorro de piel. El vestido de algodón se le había quedado pequeño y le llegaba apenas a las pantorrillas, por encima del borde de las botas. Iba arremangada todo el día y tenía los brazos y el cuello morenos y curtidos como los de un marinero. El cuello se asentaba con solidez sobre los hombros como se erguía el tronco de un árbol sobre la hierba. En todos los países se ven esos cuellos de caballo de carga entre las campesinas.

Me saludó alegremente y enseguida empezó a contarme todo lo que había arado ese día. Me dijo que Ambrosch estaba en el sector norte, roturando la tierra cubierta de hierba con la yunta de bueyes.

–Jim, pregunta a Jake cuánto ha arado hoy. No quiero que Jake haga más que yo en un día. Quiero tener muy mucho maíz en otoño.

Mientras los caballos bebían y se empujaban unos a otros con el hocico y luego volvían a sorber el agua, Ántonia se sentó sobre el escalón del molino y apoyó la cabeza en la mano.

–¿Has visto el gran fuego en la pradera anoche? Espero que tu abuelo no haya perdido ningún almiar.

–No, ninguno. He venido a preguntarte una cosa, Tony. Mi abuela quiere saber si puedes ir al curso que empieza la semana que viene en la escuela. Dice que la maestra es buena y que aprenderías mucho.

Ántonia se levantó, alzando y dejando caer los hombros como si se le hubieran quedado rígidos.

–No tengo tiempo para aprender. Ahora puedo trabajar como los hombres. Mi madre no puede decir más cómo Ambrosch hace todo y nadie le ayuda. Puedo trabajar tanto como él. La escuela está bien para niños pequeños. Yo ayudo para hacer esta tierra buena granja.

Hizo chasquear la lengua para llamar a los caballos y se encaminó al establo. Yo caminé a su lado, muy enfadado. ¿Acabaría siendo una fanfarrona, como su madre?, me preguntaba. Antes de llegar al establo noté cierta tensión en su silencio y, al alzar la vista, vi que estaba llorando. Apartó el rostro y la vista hacia la franja roja del ocaso que se extendía sobre la oscura pradera.

Trepé hasta el pajar y arrojé el heno desde arriba, mientras ella quitaba los arreos a los caballos. Volvimos caminando lentamente hacia la casa. Ambrosch había llegado del sector norte y estaba junto al tanque, abrevando los bueyes. Ántonia me cogió de la mano.

–Algún día tú me contarás todas esas cosas bonitas que aprendes en la escuela, ¿verdad, Jimmy? –preguntó con una súbita emoción en la voz–. Mi padre fue mucho a la escuela. Sabía muchas cosas; cómo hacer paños finos como no tenéis aquí. Tocaba la trompa y el violín, y leía tantos libros que los sacerdotes de Bohemia venían a hablar con él. No olvidarás a mi padre, ¿verdad, Jim?

–No –respondí–, jamás lo olvidaré.

La señora Shimerda me invitó a cenar. Después de que Ambrosch y Ántonia se hubieran lavado el polvo de las manos y el rostro en la palangana que había junto a la puerta de la cocina, nos sentamos todos a la mesa cubierta por un hule. Con un cucharón, la señora Shimerda sirvió harina de maíz cocida de una marmita de hierro y le echó leche por encima. Después comimos pan recién hecho y melaza de sorgo, y café con el bizcocho que se había mantenido caliente entre plumas. Ántonia y Ambrosch charlaban en bohemio, discutiendo sobre cuál de los dos había arado más aquel día. La señora Shimerda los azuzaba, riendo entre dientes mientras engullía comida.

Al cabo de un rato, Ambrosch dijo en inglés, con expresión malhumorada:

–Mañana coges tú los bueyes y pruebas a roturar la tierra. Entonces no serás tan lista.

Su hermana se echó a reír.

–No seas loco. Sé que es muy duro roturar tierra. Yo ordeñaré la vaca por ti mañana, si quieres.

La señora Shimerda se volvió hacia mí rápidamente.

–Esa vaca no da tanta leche como lo que tu abuelo dice. Si hablar de quince dólares, le devuelvo vaca.

–No ha dicho nada de los quince dólares –exclamé, indignado–. Él no critica nunca a nadie.

–Él dice que yo rompo la sierra cuando construimos, y yo nunca rompí –gruñó Ambrosch.

Yo sabía que había roto la sierra, y que luego la había escondido y había mentido. Empecé a desear no haberme quedado. Todo me resultaba desagradable. Ántonia hacía tanto ruido al comer como un hombre, y bostezaba a menudo en la mesa, y no dejaba de estirar los brazos por encima de la cabeza, como si le dolieran. La abuela había dicho: «El duro trabajo del campo estropeará a esa chica. Perderá sus buenos modales y se volverá grosera». Ya lo era.

Después de la cena, regresé a casa bajo el triste y mortecino crepúsculo primaveral. Había visto muy poco a Ántonia desde el invierno. Trabajaba en el campo desde la salida hasta la puesta del sol. Si me acercaba hasta donde estaba ella arando, se detenía al final de una pasada para charlar un momento, luego aferraba los estevones del arado, hacía chasquear la lengua para azuzar a los caballos y seguía por el surco, haciéndome sentir como si ella fuera ya una adulta y no tuviera tiempo para mí. Los domingos ayudaba a su madre en la huerta o dedicaba todo el día a coser. Al abuelo le agradaba lo que hacía Ántonia. Cuando nos quejábamos de ella, se limitaba a sonreír y decía: «Ayudará a un hombre a abrirse camino en el mundo».

Por aquel tiempo, Tony no hablaba más que del precio de las cosas o de cuánto peso podía levantar y de lo resistente que era. Estaba demasiado orgullosa de su fuerza.

Yo sabía, además, que Ambrosch le encargaba algunas tareas que una chica no debería hacer, y que todos los mozos de labranza de la comarca hacían bromas obscenas al respecto. Siempre que la veía llegar por un surco, arreando a las bestias, tostada por el sol, sudorosa, con el cuello del vestido abierto y la garganta y el pecho cubiertos de polvo, pensaba en el tono con que el pobre señor Shimerda, que tan pocas cosas podía decir, decía tantas, sin embargo, cuando exclamaba: «¡Mi Ántonia!».

XVIII

Cuando empecé a ir a la escuela rural, vi cada vez menos a los bohemios. Éramos dieciséis alumnos en la escuela, y todos íbamos hasta allí a caballo y llevábamos el almuerzo. Ninguno de mis compañeros era muy interesante, pero me parecía que, en cierto sentido, haciéndome amigo de ellos, me vengaba de Ántonia por su indiferencia. Desde la muerte del padre, Ambrosch era más que nunca el cabeza de familia y parecía dirigir tanto los sentimientos como la fortuna de su madre y sus hermanas. Ántonia me citaba a menudo sus opiniones, y me daba a entender que lo admiraba, mientras que a mí me consideraba tan sólo un chiquillo. Antes de que acabara la primavera, se produjo una fuerte desavenencia entre los Shimerda y nosotros. Sucedió del modo siguiente.

Un domingo me fui cabalgando hasta su casa con Jake para recuperar una collera de caballo que había prestado a Ambrosch y éste no le había devuelto. Era una hermosa mañana con el cielo azul. Las flores de las vezas formaban nubes rosas y púrpuras a lo largo del camino, y las alondras, posadas en los tallos secos de los girasoles del año anterior, cantaban al sol con la cabeza echada hacia atrás y el pecho amarillo y tembloroso. El viento soplaba a nuestro alrededor en ráfagas cálidas y dulces. Cabalgábamos despacio, con una agradable sensación de indolencia dominical.

Encontramos a los Shimerda trabajando como si fuera un día de cada día. Marek estaba limpiando el establo y Ántonia y su madre estaban en el huerto, al otro lado de la charca, en lo alto del barranco. Ambrosch, en la torre del molino de viento, engrasando la rueda. Bajó con un aire no demasiado cordial. Cuando Jake le pidió la collera, soltó un gruñido y se rascó la cabeza. La collera pertenecía al abuelo, claro está, y Jake, sintiéndose responsable, se enfureció.

–Mira, no me digas que no la tienes, Ambrosch, porque sé que sí, y si no vas a buscarla tú, iré yo.

Ambrosch se encogió de hombros y bajó la colina despreocupadamente en dirección al establo. Era fácil adivinar que tenía uno de sus días malos. Regresó al poco rato con una collera en muy mal estado: pisoteada y mordisqueada por las ratas hasta hacer asomar el pelo del relleno.

–¿Esto es lo que quieres? –preguntó con tono hosco.

Jake saltó al suelo. Vi su cara enrojecer bajo la barba de varios días.

–Ésta no es la pieza del arnés que te presté, Ambrosch, o si lo es, está en un estado lamentable. No voy a llevársela al señor Burden en ese estado.

Ambrosch dejó caer la collera a tierra.

–Muy bien –dijo fríamente, recogió la lata de aceite y se dispuso a subirse al molino. Jake lo cogió por el cinturón de los pantalones y tiró de él. Apenas había tocado con los pies en el suelo, cuando Ambrosch se abalanzó sobre Jake y le lanzó una violenta patada al estómago. Por suerte Jake estaba colocado de tal modo que pudo esquivarla. Aquél no era el tipo de cosas que hacían los chicos del campo cuando se peleaban jugando, y Jake se puso furioso. Descargó un golpe en la cabeza de Ambrosch; sonó como el chasquido de una hacha al hendir una calabaza. Ambrosch cayó al suelo sin sentido.

Oímos chillidos y, al alzar los ojos, vi a Ántonia y a su madre que venían a la carrera. No tomaron el camino que rodeaba la charca, sino que vadearon el agua fangosa, sin levantarse siquiera las faldas. Vinieron hacia nosotros chillando y agitando las manos en el aire. Mientras tanto, Ambrosch había recobrado el conocimiento y escupía la sangre que le brotaba de la nariz. Jake se subió al caballo de un salto.

–Salgamos de aquí, Jim –dijo.

La señora Shimerda echó las manos hacia atrás y cerró los puños como si fuera a arrojar rayos.

–¡Ley, ley! –gritó a nuestras espaldas–. ¡Ley por derribar mi Ambrosch!

–Ya nunca más me gustáis, Jake y Jim Burden –gritó Ántonia, jadeando–. ¡No más amigos!

Jake se detuvo y volvió su montura un instante.

–Bueno, sois unos condenados desagradecidos todos vosotros –les gritó–. Seguro que los Burden se las arreglarán perfectamente sin vosotros. ¡De todas formas, no les habéis dado más que problemas!

Nos alejamos, hirviendo de indignación hasta el punto de perder la hermosa mañana todo su encanto. Yo no sabía qué decir, y el pobre Jake estaba tan blanco como el papel y temblaba de pies a cabeza. Le ponía enfermo enfurecerse de aquel modo.

–No son iguales que nosotros, Jimmy –repetía una y otra vez con tono ofendido–. Esos extranjeros no son iguales que nosotros. No se puede confiar en que jueguen limpio. Es un sucio truco darle una patada a alguien. Ya has visto cómo las mujeres se volvían contra ti... ¡y después de todo lo que tuvimos que pasar por su culpa el invierno pasado! No son de fiar. No quiero que te hagas amigo de ninguno de ellos.

–Nunca más seré su amigo, Jake –afirmé con vehemencia–. Creo que en el fondo son todos como Krajiek y Ambrosch.

El abuelo escuchó nuestro relato con los ojos brillantes. Aconsejó a Jake que se fuera a la ciudad al día siguiente, a ver al juez de paz, que le contara que había derribado al joven Shimerda y que pagara la multa. Así se anticiparía a la señora Shimerda, si ésta decidía armar alboroto –su hijo era aún menor de edad–. Jake dijo que cogería el carro y aprovecharía el viaje para llevar al mercado el cerdo que había estado cebando. El lunes, más o menos una hora después de que Jake se hubiera marchado, vimos pasar a la señora Shimerda y a Ambrosch en el carro, muy altaneros, sin mirar a derecha ni a izquierda. Cuando se perdieron de vista por el camino de Black Hawk, el abuelo rió entre dientes, diciendo que era lo que esperaba.

Jake pagó la multa con un billete de diez dólares que el abuelo le había dado para tal fin. Pero cuando los Shimerda descubrieron que Jake había vendido su cerdo en la ciudad aquel mismo día, Ambrosch imaginó en su astuta cabeza que Jake había tenido que vender el cerdo para pagar la multa. Por lo visto esta teoría proporcionó una gran satisfacción a los Shimerda. Durante las semanas que siguieron, siempre que Jake y yo nos cruzábamos con Ántonia cuando iba a la oficina de correos o pasaba con su tiro de caballos de labor, daba una palmada y nos gritaba con voz maliciosa y fanfarrona:

–¡Jake-y, Jake-y, vende el cerdo y paga el golpe!

Otto fingió no sorprenderse por el comportamiento de Ántonia. Se limitó a enarcar las cejas y dijo:

–No hay nada que me extrañe de un checo; soy austríaco.

El abuelo no tomó nunca partido en lo que Jake llamó nuestra rencilla con los Shimerda. Ambrosch y Ántonia lo saludaban siempre con respeto y él se interesaba por sus asuntos y les daba consejos, como de costumbre. El abuelo pronosticaba un futuro esperanzador para la familia. Ambrosch era un individuo avispado; pronto se dio cuenta de que sus bueyes eran demasiado pesados para cualquier labor que no fuera la de roturar y consiguió vendérselos a un alemán recién llegado. Con el dinero compró otro tiro de caballos, que el abuelo escogió por él. Marek era fuerte, y Ambrosch le hacía trabajar de firme, pero recuerdo que no logró jamás que aprendiera a cultivar maíz. La única idea que llegó a asimilar el espeso cerebro del pobre Marek fue que todo trabajo esforzado era encomiable. Siempre hacía tanta fuerza sobre los estevones del arado y hundía las cuchillas en el suelo a tanta profundidad, que los caballos quedaban exhaustos enseguida.

En junio, Ambrosch se fue a trabajar una semana a las

tierras del señor Bushy y se llevó a Marek con él a jornal completo. La señora Shimerda se ocupó entonces de conducir el segundo arado; ella y Ántonia trabajaban en el campo todo el día y dejaban los quehaceres domésticos para la noche. Mientras las dos mujeres se ocupaban de la propiedad ellas solas, a uno de los caballos nuevos le dio un cólico; se llevaron un susto de muerte.

Ántonia había bajado una noche al establo para comprobar que todo estaba en orden antes de acostarse, y notó que uno de los caballos ruanos tenía el vientre hinchado y la cabeza le bamboleaba. Montó el otro caballo, sin ensillarlo siquiera, y aporreó nuestra puerta justo cuando estábamos a punto de irnos a la cama. El abuelo fue quien respondió a su llamada. No envió a uno de sus hombres, sino que la acompañó él mismo a caballo, llevándose consigo una jeringa y un trozo de una alfombra vieja que guardaba para aplicar compresas calientes a nuestros caballos cuando enfermaban. Encontró a la señora Shimerda sentada junto al caballo con un farol, gimiendo y retorciéndose las manos. Apenas unos instantes fueron necesarios para liberar los gases que tenía acumulados la pobre bestia, y las dos mujeres oyeron la ráfaga de aire y vieron que el vientre del ruano disminuía visiblemente en volumen.

–Si pierdo este caballo, señor Burden –exclamó Ántonia–. ¡Nunca me quedo hasta que vuelve Ambrosch! Voy a ahogarme en la charca antes del amanecer.

Cuando Ambrosch volvió de trabajar para el señor Bushy, supimos que había entregado el salario de Marek al sacerdote de Black Hawk para misas por el alma de su padre. La abuela pensaba que Ántonia necesitaba más unos zapatos de lo que el señor Shimerda necesitaba los rezos, pero el abuelo se mostró más tolerante.

–Si, escaso de dinero como está, puede prescindir de seis dólares, es que realmente cree lo que manifiesta creer.

Fue el abuelo quien logró la reconciliación con los Shimerda. Una mañana nos dijo que la cosecha de cereales se presentaba tan bien que pensaba empezar a recolectar el trigo el uno de julio. Necesitaría más hombres, y si a todo el mundo le parecía bien, contrataría a Ambrosch para cosechar y trillar, ya que los Shimerda no habían sembrado otros cereales que no fueran maíz.

–Creo, Emmaline –terminó diciendo–, que pediré a Ántonia que venga a ayudarte en la cocina. Le alegrará ganar algún dinero, y será una buena excusa para aclarar malentendidos. Será mejor que me acerque esta misma mañana para dejarlo todo arreglado. ¿Quieres venir conmigo, Jim? –Su tono me indicó que ya lo había decidido por mí.

Partimos después del desayuno. Cuando la señora Shimerda nos vio llegar, corrió cuesta abajo hacia el barranco que había tras el establo, como si no quisiera verse las caras con nosotros. El abuelo sonrió para sí mientras ataba su caballo, y fuimos en pos de la mujer.

Detrás del establo fuimos a dar con una curiosa visión. Era evidente que la vaca estaba pastando por el barranco, que al llegar nosotros la señora Shimerda había corrido hacia el animal, había arrancado el clavo que sujetaba el cabestro e intentaba esconder la vaca en una vieja cueva del terraplén. Dado que el agujero era angosto y oscuro, la vaca se obstinaba en no entrar, y la mujer le daba cachetes en los cuartos traseros y la empujaba, tratando de meterla en el hueco del barranco a fuerza de golpes.

El abuelo la saludó cortésmente, sin hacer caso de aquella singular ocupación.

–Buenos días, señora Shimerda. ¿Podría decirme dónde está Ambrosch? ¿En qué campo?

–Con el maíz. –Señaló hacia el Norte, delante aún de la vaca, como si esperara ocultarla.

–Su maíz será un buen pienso para este invierno –dijo el abuelo con tono alentador–. ¿Y dónde está Ántonia?

–Junto con su hermano. –La señora Shimerda no dejaba de mover nerviosamente los pies descalzos en el polvo.

–Muy bien. Iré hasta allí. Quiero que vengan a ayudarme en la cosecha de la avena y del trigo el mes que viene. Les pagaré un sueldo. Buenos días. Por cierto, señora Shimerda –añadió al tiempo que enfilaba de nuevo el sendero cuesta arriba–, en lo tocante a la vaca, creo que sería mejor que diéramos la cuenta por saldada. –La señora Shimerda dio un respingo y aferró el ronzal con más fuerza. Al ver que no le comprendía, el abuelo volvió a acercarse–. No es necesario que me pague nada más; no más dinero. La vaca es suya.

–¿No más pagar, quedo con vaca? –preguntó ella con expresión de desconcierto, mirándonos a contraluz con los ojos entornados.

–Exactamente. No pague más, quédese la vaca. –Asintió con la cabeza.

La señora Shimerda dejó caer el ronzal, corrió detrás de nosotros y, arrodillándose junto al abuelo, le cogió la mano y se la besó. No creo que el abuelo se hubiera turbado tanto en toda su vida. También a mí me sorprendió un poco. En cierto modo, aquel gesto pareció llevarnos muy cerca del viejo mundo.

Montamos y nos alejamos riendo, y el abuelo dijo:

–Estoy seguro de que pensaba que habíamos venido a llevarnos la vaca, Jim. ¡Me pregunto si no habría soltado algún arañazo de habernos atrevido a tocar el ronzal!

Nuestros vecinos parecieron alegrarse de hacer las paces con nosotros. El domingo siguiente, la señora Shimerda vino a casa y trajo a Jake un par de calcetines que le había tejido. Se los ofreció con un aire de gran magnanimidad, diciendo:

–¿Ahora no viene más para pegar a mi Ambrosch?

Jake rió tímidamente.

–No quiero tener líos con Ambrosch. Si él no se mete conmigo, yo no me meteré con él.

–Si él golpea, no tenemos cerdo para pagar la multa –insinuó ella.

Jake no mostró el menor desconcierto.

–Usted gana, señora –dijo alegremente–. Decir la última palabra es el privilegio de las mujeres.

XIX

Julio llegó acompañado de ese calor opresivo y luminoso que hace de las llanuras de Kansas y de Nebraska la mejor tierra para cultivar maíz del mundo. Daba la sensación de que se podía oír el maíz crecer por la noche; bajo las estrellas, se captaba un débil crujido en los maizales cubiertos de rocío, que despedían un fuerte olor donde se erguían los tallos jugosos y verdes con forma de plumero. Aunque la gran llanura que va del río Misuri a las Montañas Rocosas hubiera estado toda ella cubierta por el cristal de un invernadero y el calor se hubiese regulado mediante un termostato, en nada habría mejorado la situación de las flores amarillas que maduraban y fertilizaban sus estilos sedosos día tras día. Los maizales estaban muy separados unos de otros en aquellos tiempos, con varios kilómetros de pastos abiertos de por medio. Se necesitaba un ojo sagaz y reflexivo como el de mi abuelo para prever que se extenderían y multiplicarían hasta convertirse, no ya en los maizales de los Shimerda o del señor Bushy, sino en los maizales del mundo entero; que su producción sería uno de los grandes hitos económicos, como la cosecha de trigo de Rusia, que sustentan todas las actividades humanas, así en la paz como en la guerra.

El sol abrasador de aquellas pocas semanas, con lluvias nocturnas de carácter esporádico, garantizaba la cosecha de maíz. Una vez formadas las lechosas espigas, poco teníamos que temer del tiempo seco. Los hombres trabajaban con tanto empeño en los trigales que no notaban el calor –aunque yo andaba todo el día ocupado en llevarles agua–, y la abuela y Ántonia tenían tantas cosas que hacer en la cocina que no habrían sabido decir qué día era más caluroso. Cada mañana, cuando la hierba estaba todavía cubierta de rocío, Ántonia subía conmigo a la huerta a recoger verduras para la comida. La abuela la hacía llevar un sombrero de paja, pero en cuanto llegábamos a la huerta lo arrojaba sobre la hierba y dejaba que sus cabellos flotaran con la brisa. Recuerdo que, cuando nos inclinábamos a recoger los guisantes, las gotas de sudor se le acumulaban bajo la nariz como un pequeño bigote.

–¡Ah, me gusta más trabajar al aire libre que en una casa! –solía canturrear, regocijada–. No importa que tu abuela diga que me hace como un hombre. Me gusta ser como un hombre. –Echaba entonces la cabeza hacia atrás y me pedía que le palpara los músculos del moreno brazo.

Nos alegraba su presencia en la casa. Era tan vivaz y receptiva que uno no hacía caso de sus fuertes y ágiles pisadas, ni del ruido que solía hacer con los cacharros. La abuela estuvo muy animada durante las semanas que Ántonia trabajó para nosotros.

Tuvimos bochorno todas las noches durante aquella

cosecha. Los cosechadores dormían en el pajar porque era más fresco que la casa. Yo dormía en mi cama junto a la ventana abierta, contemplando los lejanos relámpagos que iluminaban tenuemente el horizonte o la figura espectral del molino, recortada en el firmamento de intenso tono azul.

Una noche hubo una hermosa tormenta eléctrica, aunque no llovió lo suficiente para dañar el grano segado. Los hombres bajaron al granero inmediatamente después de la cena y, una vez fregados los platos, Ántonia y yo trepamos al tejado inclinado del gallinero para observar las nubes. Los fuertes truenos tenían una resonancia metálica, como la vibración de una lámina de hierro, y los relámpagos cruzaban el cielo de parte a parte en grandes zigzags, iluminándolo todo unos instantes y haciéndolo parecer más cercano. La mitad del cielo estaba cubierta a intervalos por negros nubarrones, pero todo el poniente era luminoso y estaba despejado: a la luz fugaz de los rayos, parecía un océano de oscuro color azul que reflejaba la luz de la luna; y la parte veteada por las nubes semejaba un pavimento de mármol, como el espléndido paseo marítimo de una ciudad costera, condenado a la destrucción. Grandes gotarrones de lluvia cálida cayeron sobre nuestras caras vueltas hacia lo alto. Una nube negra, tan pequeña como un bote, se alejó sola hacia el espacio despejado y siguió avanzando hacia el Oeste. Oíamos por doquier el sordo repiqueteo de las gotas de lluvia en la tierra blanda. La abuela apareció en el umbral de la puerta para decirnos que era tarde y que acabaríamos empapados si seguíamos allí.

–Enseguida vamos –le gritó Ántonia–. Me gusta tu abuela,

y todo lo vuestro –suspiró–. Ojalá mi papá estuviera vivo para ver este verano. Ojalá el invierno no volviera otra vez.

–Aún nos queda mucho verano –le aseguré–. ¿Por qué no estás siempre como ahora, Tony?

–¿Cómo estoy ahora?

–Bueno, pues así; siendo tú misma. ¿Por qué intentas siempre ser como Ambrosch?

Enlazó las manos bajo la nuca y se tumbó de espaldas, contemplando el cielo.

–Si yo viviera en esta casa, como tú, sería diferente. Para ti todo será fácil. Pero será muy difícil para nosotros.

Segundo libro

Las criadas

I

Mi abuelo decidió trasladarse a Black Hawk cuando hacía tres años que yo vivía con ellos. La abuela y él se estaban haciendo viejos para el duro trabajo de una granja y, dado que yo tenía ya trece años, pensaron que debía empezar a estudiar. Así pues, arrendamos nuestra casa a «esa buena mujer, la viuda Steavens», y a su hermano soltero, y compramos la casa del predicador White, situada en el extremo norte de Black Hawk. Era la primera casa que se veía al llegar desde la granja, punto de referencia que indicaba a los granjeros que su largo camino hasta la ciudad había terminado.

Pensábamos mudarnos a Black Hawk en marzo, y tan pronto como el abuelo fijó la fecha, comunicó sus intenciones a Jake y a Otto. Otto declaró que no era probable que encontrara otro lugar que le conviniera, que se había cansado de trabajar la tierra y que seguramente volvería a lo que él llamaba el «salvaje Oeste». Atraído por los relatos aventureros de Otto, Jake Marpole decidió irse con él. Hicimos todo lo posible por disuadirlo. Estaba en clara desventaja a causa de su analfabetismo y su carácter confiado, y sería una presa fácil para cualquier embaucador. La abuela le rogó que se quedara entre personas buenas y cristianas que lo conocían, pero no hubo forma de hacerle entrar en razón. Quería ser buscador de oro. Creía que había una mina de plata esperándole en Colorado.

Jake y Otto nos fueron útiles hasta el último momento. Se encargaron de trasladarlo todo a la ciudad, pusieron las alfombras en nuestra nueva casa, hicieron estantes y alacenas para la cocina de la abuela, y parecieron reacios a abandonarnos. Pero al final se marcharon sin previo aviso. Aquellos dos hombres habían sido leales a nuestra familia en las condiciones más adversas, nos habían dado cosas que no pueden comprarse en ningún mercado del mundo. Conmigo se habían portado como hermanos mayores; habían cuidado la lengua y los modales en beneficio mío, y me habían ofrecido su amistad. Pero una mañana, vestidos con sus trajes de domingo y sus bolsas de viaje de hule en la mano, se subieron al tren que iba al Oeste… y no volví a verlos jamás. Meses más tarde nos llegó una postal de Otto, diciendo que Jake había enfermado de fiebre de las montañas, pero que después se habían puesto a trabajar los dos en la mina Yankee Girl[14], y que les iba bien. Les escribí a esa dirección, pero me devolvieron la carta con el sello de «No reclamada». Después de aquello, no volvimos a tener noticias suyas.

Black Hawk, el nuevo mundo en el que vivíamos, era una pequeña ciudad de la pradera, limpia y de trazado regular, con vallas blancas y bonitos jardines alrededor de las viviendas, calles amplias y polvorientas, y aceras de madera flan-

[14] «Chica Yanqui.»

queadas por arbolitos de buena planta. En la ciudad había dos hileras de «almacenes», que eran edificios nuevos de ladrillo, una escuela también de ladrillo, el juzgado y cuatro iglesias blancas. Desde nuestra casa, situada en el lugar más alto, se veía toda la ciudad, y desde las ventanas superiores se divisaba la línea sinuosa de las orillas escarpadas del río, a tres kilómetros en dirección Sur. El río sería mi compensación por la libertad perdida que antes disfrutaba en el campo.

Llegamos a Black Hawk en marzo, y a finales de abril nos sentíamos ya como perfectos ciudadanos. El abuelo era diácono de la nueva Iglesia Baptista, la abuela estaba ocupada con las comidas de la iglesia y las sociedades misioneras, y yo era otro muy distinto, o creía que lo era. Hallándome de repente entre chicos de mi propia edad, descubrí que me quedaban muchas cosas por aprender. Antes de terminar el trimestre de primavera del colegio, sabía ya pelear, jugar a «canicas», tomarle el pelo a las chicas y utilizar palabras prohibidas tan bien como cualquier otro chico de mi clase. Me libré de convertirme en un completo salvaje únicamente por el hecho de que la señora Harling, nuestra vecina más próxima, vigilaba mi comportamiento, y si éste traspasaba ciertos límites, no me permitía entrar en su jardín ni jugar con sus alegres hijos.

Veíamos más a nuestros vecinos de la pradera que cuando vivíamos en la granja. Nuestra casa era el lugar perfecto para hacer un alto en el camino. Teníamos un establo enorme en el que los granjeros podían guardar los caballos, y sus mujeres los acompañaban más a menudo ahora que podían quedarse con nosotros a comer, descansar y arreglarse el sombrero antes de ir a comprar. Cuanto más se parecía nuestro hogar a un hotel rural, más me gustaba a mí. Me alegraba, cuando volvía a mediodía de la escuela, ver un carro en la parte de atrás, y siempre estaba dispuesto a bajar a la ciudad para comprar filetes o pan del panadero para alguna visita inesperada. Durante toda aquella primavera y aquel verano, los primeros en la ciudad, mantuve la esperanza de que Ambrosch trajera a Ántonia y a Yulka a ver nuestra nueva casa. Quería enseñarles nuestros lujosos muebles tapizados en rojo y los querubines tocando la trompeta que el empapelador alemán había colocado en el techo de la sala de estar.

Sin embargo, cuando Ambrosch venía a la ciudad, venía solo, y aunque dejaba los caballos en nuestro establo, no se quedaba nunca a comer, ni nos contaba nada de su madre y sus hermanas. Si salíamos corriendo y le hacíamos preguntas cuando pasaba por delante, se limitaba a encoger los hombros y a decir:

–Están bien, supongo.

La señora Steavens, que vivía en nuestra granja, se encariñó tanto con Ántonia como antes nosotros, y siempre nos traía noticias suyas. Según nos contó, durante la siega del trigo, Ambrosch había hecho trabajar a su hermana como a un hombre, y Ántonia había recorrido las granjas para hacer gavillas o ayudar a los trilladores. Caía bien a los granjeros, que la trataban con amabilidad; afirmaban que la preferían a Ambrosch. Con la llegada del otoño, tenía que ir a desgranar maíz para los vecinos hasta la Navidad, como había hecho el año anterior. Pero la abuela la libró de aquellas ocupaciones, consiguiéndole un empleo en casa de nuestros vecinos, los Harling.

II

Según decía la abuela a menudo, ya que tenía que vivir en la ciudad, al menos daba gracias a Dios por vivir cerca de los Harling. También ellos habían sido agricultores, como nosotros, y su casa era como una pequeña granja, con un establo enorme y un jardín, y un huerto y pastos, e incluso un molino de viento. Los Harling eran noruegos, y la señora Harling había vivido en Christiania hasta los diez años de edad. Su marido había nacido en Minnesota. Era comerciante en granos y tratante de ganado, y se le tenía por el hombre más emprendedor de toda la región. Dirigía un negocio de elevadores de grano para las ciudades pequeñas que se encontraban a lo largo de la vía férrea hacia el oeste de Black Hawk, y pasaba mucho tiempo fuera de casa. En su ausencia, su mujer era el cabeza de familia.

La señora Harling era de baja estatura, robusta y de apariencia sólida, como su casa. Despedía energía por cada poro de su piel, energía que se hacía notar en el instante mismo en que entraba en una habitación. Su cara era sonrosada y recia, con ojos brillantes que centelleaban y el mentón pequeño y obstinado. Tenía el genio vivo y la risa fácil, tenía una alma jovial. Qué bien recuerdo su risa; tenía el mismo súbito discernimiento que brillaba en sus ojos, era un estallido de humor, breve e inteligente. Su paso vivo hacía vibrar el suelo de su propia casa, y vencía la pereza y la indiferencia allá donde fuera. Le resultaba imposible ser negativa o superficial en lo que hacía. Su entusiasmo, sus simpatías y antipatías virulentas, se manifestaban en todas sus actividades cotidianas. El día de la colada era interesante, jamás aburrido, en casa de los Harling. La confección de conservas era un prolongado festejo y la limpieza de la casa era igual que una revolución. Cuando la señora Harling trabajó el huerto aquella primavera, percibimos la conmoción que producía con su enérgica actividad a través del seto de sauces que separaba nuestra propiedad de la suya.

Tres de sus hijos tenían más o menos mis años. Charley, el único varón –habían perdido a otro hijo mayor–, tenía dieciséis; Julia, conocida por su afición a la música, cumplía los catorce años al mismo tiempo que yo; y Sally, la marimacho de cabellos cortos, era un año menor. Sally era casi tan fuerte como yo, y asombrosamente diestra en todos los deportes de chicos. Era una criatura salvaje con el pelo amarillo, quemado por el sol y cortado a la altura de las orejas, y tenía la cara morena, pues no llevaba jamás sombrero. Era capaz de recorrer la ciudad en un único patín de ruedas, a menudo hacía trampas jugando a las canicas, pero era tan rápida que nadie la pillaba.

La hija mayor, Frances, era una persona muy importante en nuestro mundo. Era la mano derecha de su padre, y prácticamente llevaba sola la oficina de Black Hawk durante sus frecuentes ausencias. Debido a su talento para los negocios, fuera de lo corriente, su padre era severo y exigente con ella. Cobraba un buen salario, pero tenía pocas fiestas y siempre estaba atada por sus responsabilidades. Incluso los domingos iba a la oficina para abrir el correo y leer las cotizaciones. Con Charley, que no estaba interesado en los negocios, sino que se preparaba para ingresar en Annapolis[15], el señor Harling era muy indulgente; le compraba rifles y herramientas y baterías eléctricas, y no le preguntaba nunca qué hacía con todo aquello.

Frances era morena, como su padre, y casi igual de alta. En invierno llevaba una chaqueta y un gorro de piel de foca. El señor Harling y ella volvían juntos a casa por la tarde, charlando sobre vagones de grano y ganado, como dos hombres. Algunas veces Frances venía a ver al abuelo después de cenar, y sus visitas lo halagaban. En más de una ocasión aunaron sus esfuerzos y aguzaron el ingenio para salvar a algún desdichado granjero de las garras de Wick Cutter, el prestamista de Black Hawk. El abuelo decía que Frances Harling era tan sagaz en cuestiones de créditos como cualquier banquero de los alrededores. Los dos o tres hombres que habían intentado engañarla en una transacción comercial se hicieron célebres por su derrota. Frances conocía a todos los granjeros en varios kilómetros a la redonda: cuántas tierras tenían en cultivo, cuánto ganado alimentaban, qué deudas tenían. Su interés por aquella gente iba más allá de lo puramente comercial. Los llevaba a

[15] Famosa academia militar situada en la ciudad del mismo nombre, capital del estado de Maryland.

todos en la cabeza como si fueran personajes de un libro o una obra de teatro.

Cuando Frances recorría la región por negocios, se desviaba varios kilómetros de su camino para visitar a alguna persona mayor, o para ver a las mujeres que raras veces acudían a la ciudad. Comprendía con rapidez a las abuelas que no hablaban inglés, y las más reticentes y suspicaces le contaban sus historias sin darse cuenta. Frances asistía a los funerales y bodas de las granjas, hiciera el tiempo que hiciera. Todas las hijas de los granjeros podían contar con un regalo de Frances Harling el día de su boda.

En agosto, la cocinera danesa de los Harling tuvo que abandonarlos. La abuela les rogó que probaran a Ántonia, y obligó a Ambrosch a escucharla en la siguiente ocasión en que éste fue a la ciudad. Le hizo ver que toda relación con Christian Harling reforzaría su posición y resultaría beneficiosa para él. Un domingo, la señora Harling emprendió el largo trayecto hasta la casa de los Shimerda, acompañada por Frances. Afirmó que quería ver «de dónde salía la chica» y llegar a un entendimiento con su madre. Yo estaba en el jardín cuando volvieron a casa, justo antes del ocaso. Se rieron y me saludaron con la mano al pasar, y observé que estaban de muy buen humor. Después de cenar, cuando el abuelo salió en dirección a la iglesia, la abuela y yo atajamos por el seto de sauces para ir a casa de los Harling y preguntar por la visita a los Shimerda.

Encontramos a la señora Harling con Charley y Sally en el porche de delante, descansando del largo viaje en carro. Julia estaba tumbada en la hamaca –era aficionada al reposo– y Frances estaba sentada al piano, tocando a oscuras y hablando con su madre a través de la ventana abierta.

La señora Harling se echó a reír cuando nos vio llegar.

–Imagino que habrá dejado los platos sin recoger esta noche, señora Burden –dijo. Frances cerró el piano y salió para unirse a nosotros.

Ántonia les había gustado desde el momento en que la vieron; les pareció que sabían exactamente qué tipo de chica era. En cuanto a la señora Shimerda, la encontraban muy divertida. La señora Harling soltaba una risita siempre que hablaba de ella.

–Creo que me desenvuelvo mejor con esa clase de pájaros que usted, señora Burden. ¡Menuda pareja, ese Ambrosch y su madre!

Habían mantenido una larga discusión con Ambrosch sobre el complemento para ropa y el dinero de bolsillo de Ántonia. Él quería que cada mes le entregaran hasta el último centavo del salario de su hermana, para darle luego las ropas que considerara necesarias. Cuando la señora Harling le dijo con firmeza que retendría cincuenta dólares al año para disfrute personal de Ántonia, Ambrosch exclamó que querían llevarse a su hermana a la ciudad y emperifollarla y hacer de ella una tonta. La señora Harling nos hizo una vívida descripción del comportamiento de Ambrosch durante toda la entrevista; explicó que no paraba de levantarse y de ponerse la gorra, como si diera por zanjado el asunto, y que su madre le tiraba del faldón de la chaqueta y le apuntaba lo que debía decir en bohemio. La señora Harling acordó finalmente pagar tres dólares a la semana por los servicios de Ántonia –un buen salario en aquel tiempo–

y proporcionarle el calzado. Se había producido una acalorada disputa con respecto a los zapatos, tras la cual la señora Shimerda había dicho finalmente, con tono persuasivo, que enviaría tres gansos cebados al año a la señora Harling para «arreglar cuentas». Ambrosch llevaría a su hermana a la ciudad el sábado siguiente.

–Es muy posible que al principio la encuentre torpe y ruda –dijo la abuela con inquietud–, pero a menos que la dura vida que ha llevado la haya estropeado ya, tiene un carácter muy servicial.

La señora Harling soltó una de sus carcajadas breves y decididas.

–¡Oh, eso no me preocupa, señora Burden! Creo que podré sacar lo mejor que hay en ella. Tiene diecisiete años apenas, no es demasiado vieja para aprender. ¡Y es guapa, además! –añadió calurosamente. Frances se volvió hacia la abuela.

–¡Ah, sí, señora Burden, no nos lo había dicho! Estaba trabajando en el huerto cuando llegamos, descalza y harapienta. Pero tiene unos espléndidos brazos morenos, igual que las piernas, y un maravilloso color en las mejillas, como esas grandes ciruelas de color rojo oscuro.

Nos agradaron estas alabanzas. La abuela habló con profunda emoción.

–Cuando llegó aquí con su familia, Frances, y tenía a aquel gentil hombre que era su padre para vigilarla, era la niña más bonita que se pueda imaginar. Pero ¡Dios Santo, menuda vida ha llevado en los campos con esos brutos segadores! Las cosas habrían sido muy distintas para la pobre Ántonia si su padre hubiera vivido.

Los Harling nos pidieron que les habláramos de la muerte del señor Shimerda y de la gran tormenta de nieve. Cuando vimos al abuelo llegando a casa desde la iglesia, les habíamos contado ya prácticamente todo lo que sabíamos de los Shimerda.

–La chica será feliz aquí y olvidará esas cosas –dijo la señora Harling con tono confiado, cuando nos levantamos para irnos.

III

El sábado, Ambrosch detuvo el carro delante de la puerta de atrás. Ántonia se apeó y entró corriendo en nuestra cocina como siempre había tenido por costumbre. Llevaba zapatos y medias, y llegaba excitada y sin resuello. Me agarró por los hombros y me zarandeó juguetonamente.

–¿No te has olvidado de mí, Jim?

La abuela la besó.

–¡Dios te bendiga, hija! Ahora que estás aquí, has de intentar portarte bien y dejarnos en buen lugar.

Ántonia paseó su ávida mirada por la casa, admirándolo todo.

–Quizá sea la clase de chica que le gusta, ahora que he venido a la ciudad –sugirió con tono esperanzado.

¡Qué agradable era tener de nuevo a Ántonia cerca de nosotros, verla cada día y casi todas las noches! Su mayor defecto, en opinión de la señora Harling, era que interrumpía su trabajo a menudo para jugar con los niños. Hacía carreras por el huerto con nosotros, o tomaba partido en nuestras peleas sobre la paja del granero, o hacía de viejo oso que baja de la montaña para llevarse a Nina. Tony aprendió inglés tan deprisa que, cuando empezaron de nuevo las clases en la escuela, lo hablaba tan bien como cualquiera de nosotros.

Yo tenía celos de la admiración que Tony sentía hacia Charley Harling. Parecía creer que era una especie de príncipe, porque era siempre el primero de su clase y sabía arreglar las cañerías o el timbre de la puerta y también desmontar un reloj. Nada de lo que Charley pudiera desear era demasiado trabajoso para ella. Le encantaba prepararle comida cuando salía de caza, remendar su guante de béisbol y coserle los botones de su chaqueta de caza, hacerle el pastel de frutos secos que más le gustaba y dar de comer a su perro setter cuando él se iba de viaje con su padre. Ántonia se había hecho unas pantuflas para trabajar con ropa de chaquetas viejas del señor Harling, y con ellas andaba detrás de Charley con paso muelle, jadeando casi en su deseo de complacerle.

Creo que, después de Charley, era a Nina a la que más quería. Nina tenía sólo seis años y era bastante más compleja que los demás niños. Era muy caprichosa, tenía toda suerte de preferencias no expresadas y se ofendía con facilidad. Sus aterciopelados ojos castaños se llenaban de lágrimas ante la más mínima decepción o contrariedad; alzaba el mentón y se alejaba en silencio. Por mucho que corriéramos tras ella e intentáramos aplacarla, no servía de nada. Ella seguía caminando, imperturbable. A mí me parecía que no había ojos en el mundo que pudieran agrandarse tanto ni derramar tantas lágrimas como los de Nina. Indefectiblemente, la señora Harling y Ántonia se ponían de su parte. Jamás nos daban la oportunidad de explicarnos. La acusación era simple: «Habéis hecho llorar a Nina. Ahora, Jimmy se va a su casa y Sally tiene que dedicarse a la aritmética». También a mí me gustaba Nina, que era tan extraña y sorprendente y tenía unos ojos preciosos, pero a menudo me entraban ganas de zarandearla.

Disfrutábamos de veladas muy alegres en casa de los Harling cuando el padre estaba de viaje. Si él estaba en casa, los niños tenían que irse a la cama temprano o venían a mi casa a jugar. El señor Harling exigía no sólo una casa tranquila, sino la atención exclusiva de su esposa. Se la llevaba a su dormitorio del extremo oeste de la casa, que tenía forma de ele, y se pasaba la velada hablándole de los negocios. Aunque entonces no nos dábamos cuenta, la señora Harling era nuestro público cuando jugábamos, y siempre recurríamos a ella en busca de sugerencias. Nada resultaba más halagador que su risa fácil.

El señor Harling tenía una mesa en su dormitorio y un sillón junto a la ventana, en el que no se sentaba nadie más. Las noches que pasaba en casa, veía yo su sombra en la persiana, y me parecía una sombra arrogante. La señora Harling no prestaba atención a ninguna otra persona cuando estaba él. Antes de que su marido se acostara, le preparaba siempre un refrigerio de salmón ahumado o anchoas y cerveza. El señor Harling tenía siempre una lámpara de alcohol en su habitación y una cafetera, y su mujer le hacía café a cualquier hora de la noche que a él se le antojara.

La mayoría de los padres de Black Hawk no tenían hábitos privados fuera del ámbito doméstico; pagaban las facturas, llevaban a pasear al bebé en cochecito después del trabajo, regaban el césped y llevaban a la familia de paseo los domingos. En consecuencia, el señor Harling me parecía autocrático y autoritario. Andaba, hablaba, se ponía los guantes y estrechaba la mano como un hombre que se siente poderoso. No era alto, pero la altivez con que llevaba la cabeza hacía de él una figura imperiosa, y sus ojos expresaban osadía y desafío. Yo imaginaba que los «nobles» de los que siempre estaba hablando Ántonia seguramente se parecían mucho a Christian Harling, llevaban abrigos con esclavina como el suyo y un diamante igual de resplandeciente en el dedo meñique.

Excepto cuando el padre estaba presente, la casa de los Harling no conocía la tranquilidad. La señora Harling y Nina y Ántonia hacían tanto ruido como un tropel de niños, y siempre solía haber alguien al piano. Julia era la única a la que se obligaba a practicar regularmente, pero todos lo tocaban. Cuando Frances volvía a casa al mediodía, tocaba hasta que se servía la comida. Cuando Sally volvía de la escuela, se sentaba sin quitarse la chaqueta ni el sombrero y aporreaba en el teclado las melodías de las plantaciones que las bandas de músicos[16] traían a la ciudad. Incluso Nina tocaba la marcha nupcial sueca.

La señora Harling había estudiado piano con una buena maestra y se las apañaba para practicar un poco todos los días. Pronto aprendí que, si me enviaban con algún encargo a su casa y la encontraba tocando, debía sentarme y aguardar en silencio hasta que ella me prestara atención.

---

[16] A principios del siglo XIX surgieron en EE. UU. bandas de músicos y comediantes con un repertorio hecho de música negra, chistes e imitaciones; solían ser blancos con la cara tiznada de negro.

Me parece estar viéndola: su figura baja y robusta aposentada firmemente en el taburete, sus gordezuelas manos moviéndose con habilidad y presteza sobre el teclado, sus ojos fijos en la música en inteligente concentración.

IV

> «No quiero para nada tu trigo con gorgojo, y tampoco quiero tu cebada. Pero cogeré un poco de buena harina blanca, para hacerle un pastel a Charley.»

Le hacíamos burla a Ántonia, cantándole rimas mientras batía la masa para uno de los pasteles favoritos de Charley en un gran recipiente.

Era una fresca tarde de otoño, justamente lo bastante fresca para alegrarse de dejar el corre que te pillo en el jardín y refugiarse en la cocina. Habíamos empezado a hacer bolas con palomitas de maíz y almíbar cuando oímos que alguien llamaba a la puerta de atrás. Tony dejó la cuchara para ir a abrir.

En el umbral apareció una chica rolliza de piel blanca. Era bonita y recatada, y ofrecía una garbosa imagen con su vestido de cachemira azul y su sombrerito del mismo color, con un chal a cuadros escoceses echado con esmero sobre los hombros y un incómodo bolso en la mano.

–Hola, Tony. ¿No me conoces? –preguntó con una voz suave y queda, mirándonos con aire de superioridad.

Ántonia retrocedió, soltando un gemido ahogado.

–¡Pero si es Lena! ¡Pues claro que no te he reconocido, tan bien vestida!

Lena Lingard se echó a reír, como si aquello la complaciera. Tampoco yo la había reconocido en un primer momento. Jamás hasta entonces la había visto con un sombrero en la cabeza... ni con zapatos y medias en los pies. Y allí estaba, peinada y vestida como una chica de ciudad, sonriéndonos con gran desenvoltura.

–Hola, Jim –dijo con tono indiferente cuando entró y paseó la mirada por la cocina–. Yo también he venido a la ciudad a trabajar, Tony.

–¿Ah, sí? ¡Vaya, sí que es curioso! –A Ántonia se la veía incómoda, como si no supiera qué hacer con su visitante.

Se abrió la puerta que daba al comedor, donde la señora Harling hacía ganchillo y Frances estaba leyendo. Frances pidió a Lena que entrara.

–Eres Lena Lingard, ¿verdad? Una vez fui a ver a tu madre, pero tú estabas fuera ese día, arriando ganado. Mamá, es la hija mayor de Chris Lingard.

La señora Harling dejó el ganchillo y examinó a la visitante con ojos sagaces y penetrantes. Lena no perdió su aplomo. Se sentó en la silla que le señaló Frances, dejando con cuidado el bolso y los guantes grises de algodón sobre el regazo. Nosotros entramos en el comedor con las palomitas de maíz, pero Ántonia se quedó en la cocina; dijo que tenía que meter el pastel en el horno.

–Así que has venido a la ciudad –dijo la señora Harling con la mirada fija aún en Lena–. ¿Para quién trabajas?

–Para la señora Thomas, la modista. Me enseñará a coser.

Dice que tengo un don natural. No pienso volver a la granja. El trabajo no se acaba nunca en una granja, y siempre hay problemas. Seré modista.

–Bueno, se necesitan modistas. Es un buen oficio. Pero yo de ti no hablaría mal de la granja –dijo la señora Harling con no poca severidad–. ¿Cómo está tu madre?

–Oh, madre no está nunca bien; tiene demasiadas cosas que hacer. También ella se iría de la granja, si pudiera. Deseaba que yo viniera. Cuando aprenda a coser, ganaré dinero para ayudarla.

–Que no se te olvide –dijo la señora Harling con escepticismo, al tiempo que reanudaba la labor, metiendo y sacando el ganchillo con ágiles dedos.

–No, señora, no lo olvidaré –dijo Lena dócilmente. Cogió unas cuantas palomitas de maíz de las que le ofrecíamos con insistencia y las comió discretamente, procurando no mancharse los dedos.

Frances acercó su silla a la visitante.

–Pensaba que ibas a casarte, Lena –dijo en tono de chanza–. ¿No decían que Nick Svendsen te hacía la corte?

Lena alzó la vista con su sonrisa curiosamente inocente.

–Es cierto que salió conmigo bastante tiempo. Pero su padre puso el grito en el cielo y dijo que no le daría tierras a Nick si se casaba conmigo, así que va a casarse con Annie Iverson. No me gustaría estar en su lugar; Nick está terriblemente enfadado y se desquitará con ella. No ha vuelto a dirigir la palabra a su padre desde que se prometió.

Frances se echó a reír.

–¿Y a ti qué te parece?

–Yo no quiero casarme con Nick, ni con ningún otro

hombre –musitó Lena–. He visto muchos matrimonios y no me interesa esa vida. Quiero poder ayudar a mi madre y mis hermanos, y no tener que pedir permiso a nadie.

–Eso está bien –dijo Frances–. ¿Y la señora Thomas cree que aprenderás a coser?

–Sí, señorita. Siempre me ha gustado coser, pero nunca tuve mucho que hacer. La señora Thomas hace cosas preciosas para todas las señoras de la ciudad. ¿Sabían que la señora Gardener ha encargado un vestido de terciopelo púrpura? El terciopelo es de Omaha. ¡Dios mío, qué bonito es! –Lena suspiró débilmente y se acarició los pliegues del vestido de cachemira–. Tony sabe que a mí nunca me gustó el trabajo al aire libre –agregó.

La señora Harling le lanzó una mirada.

–Creo que aprenderás a coser, Lena, si no pierdes la cabeza y no te pasas la vida de baile en baile, descuidando el trabajo, como hacen algunas chicas del campo.

–Sí, señora. Tiny Soderball también va a venir. Trabajará en el Boys' Home Hotel. Verá a muchos forasteros –añadió Lena con cierta melancolía.

–Seguramente demasiados –dijo la señora Harling–. No creo que un hotel sea un buen lugar para una chica, aunque supongo que la señora Gardener sabe vigilar a sus camareras.

Los ojos sinceros de Lena, que parecían siempre un poco somnolientos bajo las largas pestañas, no dejaban de recorrer las alegres habitaciones con ingenua admiración. Instantes después se ponía los guantes de algodón.

–Creo que debo irme –dijo, titubeando.

Frances le dijo que volviera siempre que se sintiera sola o

necesitara algún consejo. Lena repuso que no creía que fuera a sentirse sola en Black Hawk.

En la puerta de la cocina se detuvo un momento y rogó a Ántonia que fuera a verla a menudo.

–Tengo habitación propia en casa de la señora Thomas, con alfombra.

Tony arrastró los pies enfundados en las zapatillas de paño en un gesto de nerviosismo.

–Iré alguna vez, pero a la señora Harling no le gusta que ande por ahí –dijo con evasivas.

–Puedes hacer lo que te plazca cuando sales, ¿no? –preguntó Lena en un susurro cauteloso–. ¿No te entusiasma la ciudad, Tony? No me importa lo que digan los demás, ¡no pienso volver a la granja! –Miró por encima del hombro hacia el comedor, donde estaba sentada la señora Harling.

Cuando Lena se hubo marchado, Frances preguntó a Ántonia por qué no había sido más cordial con ella.

–No sabía si a tu madre le iba a gustar que haya venido –contestó una Ántonia atribulada–. No tenía buena fama, allá en el campo.

–Sí, lo sé. Pero madre no se lo echará en cara si aquí se comporta como es debido. Es mejor que no les hables de eso a los niños. Supongo que Jim habrá oído también todos esos chismes.

Al asentir yo, Frances me tiró del pelo y me dijo que sabía demasiado para mi edad. Éramos buenos amigos, Frances y yo.

Corrí a casa para decirle a la abuela que Lena Lingard había venido a la ciudad. Nos alegramos todos, pues en la granja llevaba una vida de duro trabajo.

Lena vivía en el asentamiento noruego, al oeste del Squaw, y apacentaba el ganado de su padre en los pastos que separaban su casa del hogar de los Shimerda. Siempre que pasábamos en aquella dirección, la veíamos entre el ganado, descalza y con la cabeza descubierta, escasamente vestida con unos harapos, tejiendo siempre mientras vigilaba el ganado. Antes de conocer a Lena, la consideraba una criatura salvaje que vivía siempre en la pradera, porque jamás la había visto bajo techado. Quemados por el sol, sus cabellos amarillos se habían convertido en una mata rojiza; pero, de manera harto curiosa, y pese a la exposición constante a los rayos del sol, brazos y piernas conservaban una milagrosa blancura, lo que en cierto modo la hacía parecer más desnuda que otras chicas que llevaban poca ropa. La primera vez que me detuve a hablar con ella, me asombró su voz suave y sus modales afables y naturales. Las chicas que vivían en el campo solían volverse rudas y masculinas cuando se dedicaban a apacentar el ganado. Pero Lena nos pidió a Jake y a mí que bajáramos del caballo y nos quedáramos un rato con ella, y se comportó exactamente como si estuviera en una casa, acostumbrada a recibir visitas. No le turbaban sus ropas harapientas, y nos trató como si fuéramos viejos conocidos. Ya entonces me fijé en el insólito color de sus ojos –de un intenso color violeta– y en su expresión dulce y confiada.

Chris Lingard no era un granjero afortunado y tenía una familia numerosa. Lena estaba siempre tejiendo calcetines para sus hermanos pequeños, e incluso las mujeres noruegas, que desaprobaban su conducta, tenían que admitir que era una buena hija para su madre. Como decía Tony, no tenía buena fama. Se la acusaba de haber hecho perder a Ole Benson el poco seso que tenía... y a una edad en la que aún debería haber llevado delantales de niña.

Ole vivía en una choza llena de goteras en los límites del asentamiento. Era gordo, holgazán y falto de iniciativa, y la mala suerte se había convertido en un hábito para él. Después de sufrir todo tipo de desgracias, su mujer, «la loca Mary», había intentado prender fuego al granero de un vecino, y la habían enviado a un manicomio de Lincoln. La tuvieron allí unos cuantos meses, luego escapó y volvió a casa andando, más de trescientos kilómetros, viajando de noche y ocultándose en graneros y pajares durante el día. Cuando llegó al asentamiento noruego, sus pobres pies estaban duros como pezuñas. Prometió ser buena y se le permitió quedarse en su casa, aunque todos se dieron cuenta de que seguía tan loca como siempre, y ella se dedicó de nuevo a correr descalza por la nieve, explicando sus problemas domésticos a los vecinos.

Poco después de que Mary volviera del manicomio, oí cómo un joven danés, que nos ayudaba a trillar, decía a Jake y a Otto que la hija mayor de Chris Lingard había hecho perder la cabeza a Ole Benson, hasta volverlo tan loco como su mujer. Aquel verano, Ole se desanimaba con frecuencia mientras estaba cultivando el maíz en el campo, ataba el tiro de caballos y se iba allá donde Lena Lingard estuviera apacentando el ganado. Una vez junto a ella, se sentaba en la pendiente del barranco y la ayudaba a vigilarlo. Era la comidilla del asentamiento. La mujer del predicador noruego fue a ver a Lena y le dijo que no debía permitirlo; rogó a Lena que fuera a la iglesia los domingos. Lena respondió que no tenía vestido alguno que no estuviera tan andrajoso como el que llevaba puesto. Entonces la mujer del pastor revolvió sus viejos baúles y encontró algunas prendas que había llevado antes de casarse.

El domingo siguiente, Lena apareció en la iglesia, un poco tarde, con los cabellos primorosamente recogidos en un moño, como una mujer, calzados los pies y con medias, y con el vestido nuevo, que se había arreglado de la forma que más la favorecía. Los feligreses la miraron con ojos asombrados. Hasta aquella mañana nadie –que no fuera Ole– se había dado cuenta de lo guapa que era, ni de que se estaba convirtiendo en adulta. Las ondulantes curvas de su figura habían quedado ocultas bajo los harapos informes que llevaba en el campo. Después de que se cantara el último himno y de que el pastor despidiera a sus fieles, Ole salió subrepticiamente de la iglesia y, acercándose a la barra donde estaban atados los caballos, ayudó a Lena a montar el suyo. Eso, por sí solo, era escandaloso; se suponía que un hombre casado no hacía tales cosas. Pero no fue nada comparado con la escena que siguió. La loca Mary salió disparada del grupo de mujeres que salía por la puerta de la iglesia y corrió por la carretera, persiguiendo a Lena y gritándole amenazas horribles.

–¡Vigila, Lena Lingard, vigila! Un día llegaré con un cuchillo de cortar maíz y te recortaré esa figura. ¡Entonces no irás pavoneándote por ahí, mirando a los hombres…!

Las mujeres noruegas no sabían dónde mirar. Eran amas de casa formales en su mayoría, con un estricto sentido del decoro. Pero Lena Lingard se limitó a soltar su risa perezosa y afable, y siguió cabalgando, mirando por encima del hombro a la furiosa mujer de Ole.

Sin embargo, llegó el día en que Lena dejó de reír. En más de una ocasión, la loca Mary la persiguió por la pradera, dando vueltas y más vueltas al maizal de los Shimerda. Lena no se lo contó nunca a su padre; tal vez le daba vergüenza; tal vez tenía más miedo a su ira que al cuchillo. Yo estaba en casa de los Shimerda una tarde cuando apareció Lena entre la hierba roja, corriendo todo lo que daban de sí sus blancas piernas. Entró en la casa directamente y se ocultó en el lecho de plumas de Ántonia. Mary no estaba lejos: se acercó a la puerta, nos hizo palpar la hoja del cuchillo para que viéramos lo afilada que estaba y nos mostró del modo más gráfico lo que pensaba hacerle a Lena. Asomada a la ventana, la señora Shimerda disfrutó vivamente con aquella situación y se lamentó cuando Ántonia consiguió alejar a Mary, aplacándola con tantos tomates como le cupieron en el delantal. Lena salió de la habitación de Tony, que estaba detrás de la cocina, muy acalorada por las plumas de la cama, pero tranquila. Nos pidió a Ántonia y a mí que la acompañáramos y la ayudáramos a reunir el ganado; se había dispersado y tal vez se estuviera dando un atracón en el maizal de algún vecino.

–A lo mejor pierdes un novillo y aprendes a no poner ojos a los hombres casados –le dijo la señora Shimerda con tono autoritario.

Lena esbozó tan sólo su típica sonrisa perezosa.

–Yo no le he puesto ojos. No puedo evitar que me ronde, y no puedo ordenarle que se vaya. La pradera no es mía.

V

Cuando Lena se instaló en Black Hawk, empecé a encontrármela a menudo en la ciudad, donde ella adaptaba sedas o compraba «hallazgos» para la señora Thomas. Si por casualidad volvía a casa paseando con ella, me hablaba de los vestidos que ayudaba a confeccionar, o de lo que veía y oía cuando estaba con Tiny Soderball en el hotel, los sábados por la noche.

El Boys' Home era el mejor hotel, sucursal del Burlington, y todos los viajantes de comercio del territorio procuraban pasar el domingo en Black Hawk. Se reunían en el salón después de cenar los sábados por la noche. Anson Kirkpatrick, el empleado de Marshall Field, tocaba el piano y cantaba las canciones románticas más novedosas. Después de ayudar a la cocinera a fregar los platos, Tiny se sentaba con Lena al otro lado de la doble puerta que comunicaba el salón con el comedor para escuchar la música y soltar unas risitas con las bromas y las historias de los viajantes. Lena expresaba a menudo el deseo de que me convirtiera en uno de ellos cuando fuera mayor. Los viajantes llevaban una vida alegre, sin nada más que hacer que pasarse el día de un tren a otro e ir al teatro cuando visitaban alguna gran ciudad. Detrás del hotel había un viejo edificio de almacenes, donde los vendedores abrían sus baúles y esparcían sus artículos sobre los mostradores. Los comerciantes de Black Hawk iban a echar un vistazo y hacían pedidos, y a la señora Thomas se le permitía ver el género para «coger ideas», aunque su comercio era «al por menor». Eran hombres generosos, aquellos viajantes; a Tiny Soderball le daban pañuelos, guantes, cintas, medias de rayas y frascos de perfume y jabón perfumado en tal cantidad que de todo daba una parte a Lena.

Una tarde, en la semana previa a la Navidad, me encontré delante de una tienda con Lena y su hermano pequeño, Chris, un chico curioso, de cabeza cuadrada; estaban mirando las muñecas de cera, los cubos y las arcas de Noé dispuestos en el escaparate helado. El chico había ido a la ciudad con un vecino para hacer sus compras de Navidad, pues aquel año disponía de dinero propio para gastar. Apenas había cumplido los doce años, pero aquel invierno había conseguido el trabajo de barrer la iglesia noruega y encender el fuego todos los domingos por la mañana. ¡Menudo frío debía de pasar haciendo ese trabajo!

Entramos en la tienda de artículos de confección Duckford's, y allí Chris desenvolvió todos sus regalos y me los enseñó: algo para cada uno de sus seis hermanos pequeños, incluso un cerdito de goma para el bebé. Lena le había dado uno de los frascos de perfume de Tiny Soderball para su madre y Chris tenía la idea de añadir unos pañuelos al regalo. Tenían que ser baratos, porque ya no le quedaba mucho dinero. Encontramos una mesa llena de pañuelos expuestos en Duckford's. Chris quería de esos que llevan iniciales en una esquina, porque nunca había visto ninguno. Los examinó con expresión seria, mientras Lena miraba por encima de su hombro, diciéndole que las letras rojas no se desteñirían tanto como las otras. Chris parecía tan perplejo que llegué a pensar que no tenía dinero suficiente. Al cabo de un rato dijo con gravedad.

–Hermana, ya sabes que madre se llama Berthe. No sé si debo comprar el de la B de Berthe o el de la M de madre.

Lena le dio unos golpecitos en la hirsuta cabeza.

–Yo compraría el de la B, Chrissy. A ella le gustará que recuerdes su nombre. Nadie la llama así hace tiempo.

Esto pareció satisfacerle. Su rostro se iluminó de inmediato, y cogió tres pañuelos con la inicial roja y otros tres con la inicial azul. Cuando entró el vecino para anunciar que era hora de partir, Lena enrolló la bufanda en torno al cuello de su hermano y le subió el cuello de la chaqueta –no tenía abrigo–, y lo vimos subir al carro e iniciar su largo y frío trayecto. Mientras caminábamos juntos por la calle ventosa, Lena se enjugó los ojos con el dorso de su guante de lana.

–Los echo mucho de menos, de todas formas –murmuró, como respondiendo a algún reproche que acabara de recordar.

VI

El invierno se abate de un modo salvaje sobre una pequeña ciudad de la pradera. El viento que sopla de los campos desnuda todas las pantallas de hojas que ocultan un jardín de otro durante el verano y las casas parecen acercarse. Los tejados, que parecían tan lejanos al otro lado de las verdes copas de los árboles, se ven ahora con toda nitidez y son mucho más feos que cuando enredaderas y arbustos suavizan sus ángulos.

Por la mañana, de camino a la escuela, luchando contra el viento, no veía nada más que la carretera delante de mí; pero a última hora de la tarde, cuando volvía a casa, la ciudad me parecía triste y desolada. La pálida y fría luz del ocaso invernal no embellecía: era como la luz de la verdad misma. Cuando las nubes grises eran muy bajas en el Oeste y el sol rojo se ponía tras ellas, dejando un tinte rosado sobre los tejados nevados y los azules ventisqueros, volvía a levantarse el viento con una especie de canción acerba, como si dijera: «Esto es la realidad, tanto si te gusta como si no. Todas aquellas frivolidades del verano, la luz y la sombra, la máscara viva de verdor, estremecida, que todo lo cubre, eran mentiras, y esto es lo que había debajo. Esto es la verdad». Era como si nos castigaran por amar la belleza del verano.

Si me entretenía jugando a la salida de la escuela o iba a la estafeta a por el correo y me quedaba a escuchar chismes junto a la expendeduría de tabaco, llegaba a casa de noche. El sol se había ocultado; las calles heladas se extendían largas y azules ante mí; las luces brillaban tenuemente en las ventanas de las cocinas y al pasar llegaba hasta mí el olor de los guisos que se preparaban para la cena. Había pocas personas en la calle y todas caminaban deprisa, pensando en un buen fuego. Las resplandecientes estufas de las casas eran como imanes. Cuando uno se cruzaba con un viejo, no le veía del rostro más que la nariz roja asomando entre una barba helada y un gran gorro de pieles. Los hombres jóvenes caminaban con las manos en los bolsillos, y a veces probaban a patinar por la acera helada. Los niños, con sus capuchas y bufandas de vivos colores, no caminaban, sino que corrían desde el momento en que salían por la puerta de su casa, golpeándose los costados con las manos enguantadas. Cuando llegaba a la iglesia metodista, estaba más o menos a medio camino de casa. Recuerdo lo alegre que me ponía cuando por casualidad había una luz encendida en la iglesia y el cristal pintado de la ventana arrojaba su resplandor sobre nosotros cuando pasábamos por la fría calle. En el lóbrego invierno, se apoderaba de la gente un hambre de color, como la avidez de los lapones por las grasas y el azúcar. Sin saber por qué, nos parábamos frente a la iglesia cuando tenían las lámparas encendidas para el ensayo del coro o una reunión evangélica, temblando y charlando hasta que teníamos los pies como carámbanos. Los rojos, verdes y azules rudimentarios de aquel cristal coloreado nos retenían allí.

En las noches invernales, las ventanas iluminadas de los Harling me atraían tanto como el cristal coloreado. Dentro de aquella casa cálida y espaciosa también había color. Después de cenar, solía coger el gorro, meter las manos en los bolsillos y atravesar el seto de sauces como perseguido por las brujas. Por supuesto, si el señor Harling estaba en casa, si su sombra se perfilaba en la persiana de la habitación que daba al Oeste, no llegaba a entrar, sino que daba media vuelta y volvía a casa por el camino más largo, por la calle, preguntándome qué libro leería, sentado junto a mis abuelos.

Tales decepciones no hacían sino añadir un incentivo mayor a las noches en que representábamos charadas o celebrábamos un baile de disfraces en la salita de atrás y Sally se vestía siempre de chico. Frances nos enseñó a bailar aquel invierno, y desde la primera lección vaticinó que Ántonia sería la que mejor bailara de todos nosotros. Los sábados por la noche, la señora Harling interpretaba al piano viejas óperas –*Martha, Norma, Rigoletto*– y nos contaba la historia mientras tocaba. Todos los sábados por la noche eran una fiesta. El salón, la salita y el comedor eran estancias cálidas e iluminadas, con cómodas sillas y sofás y cuadros alegres en las paredes. Uno se sentía siempre como en casa. Ántonia se sentaba con nosotros para coser; empezaba ya a hacerse bonitos vestidos para sí misma. Tras las largas noches invernales en la pradera, con los silencios hoscos de Ambrosch y las quejas de su madre, la casa de los Harling era «como el Paraíso», según ella misma decía. Nunca estaba demasiado cansada para hacernos caramelos o galletas de chocolate. Si Sally le susurraba al oído o Charley le guiñaba el ojo un par de veces, Tony se iba corriendo a la cocina y encendía el fuego en los mismos fogones donde había preparado ya las tres comidas del día.

Mientras esperábamos sentados en la cocina a que se hornearan las galletas o se enfriara el caramelo, Nina convencía a Ántonia con zalamerías para que le contara historias: sobre la ternera que se rompió una pata, o cómo Yulka salvó a sus pequeños pavos de ahogarse en el arroyo, o sobre las Navidades y las bodas en Bohemia. Nina interpretaba la historia del nacimiento con gran fantasía, y pese a nuestras burlas, abrigaba la convicción de que Jesús había nacido en Bohemia poco antes de que los Shimerda hubieran abandonado el país. A todos nos gustaban las historias de Tony. Su voz tenía una cualidad peculiar que cautivaba; era grave, un poco ronca, y uno notaba siempre la respiración que la hacía vibrar. Todo cuanto explicaba parecía salirle directamente del corazón.

Una noche, mientras escogíamos nueces para hacer caramelo, Tony nos contó una nueva historia.

–Señora Harling, ¿ha oído usted hablar de lo que ocurrió en el asentamiento noruego el verano pasado, mientras yo estaba allí durante la trilla? Estábamos en las tierras de los Iverson, y yo conducía uno de los carros de grano.

La señora Harling salió y se sentó con nosotros.

–¿Echabas tú misma el trigo al granero, Tony? –preguntó. Sabía que era un trabajo realmente pesado.

–Sí, señora. Manejaba la pala tan deprisa como Andern, el chico gordo que conducía el otro carro. Un día hizo un calor espantoso. Cuando volvimos al campo después de comer, nos tomamos las cosas con cierta calma. Los hombres engancharon los caballos y pusieron en marcha la máquina, y Ole Iverson estaba arriba, cortando tiras para las gavillas. Yo me había sentado, buscando la sombra de un almiar. Mi carro no sería el primero en salir y aquel día, no sé por qué, el calor me resultaba insoportable. El sol era tan intenso que parecía a punto de abrasar la tierra. Al cabo de un rato, vi llegar a un hombre caminando por los rastrojos, y cuando se acercó vi que era un vagabundo. Los dedos le asomaban por la punta de los zapatos, hacía mucho tiempo que no se afeitaba, y tenía los ojos muy rojos y brillantes, como si estuviera enfermo. Vino directo hacia mí y empezó a hablarme como si me conociera. Dijo: «El agua ha bajado tanto en los estanques de esta región que un hombre no podría ahogarse en ellos aunque quisiera».

»Yo le dije que nadie quería ahogarse, pero que si no llovía pronto tendríamos que usar la bomba para sacar el agua que necesitaba el ganado.

»–¡Ganado! –dijo él–. ¡No os preocupa más que el ganado! ¿No tenéis cerveza por aquí?

»Le contesté que tendría que ir a ver a los bohemios si quería cerveza; los noruegos no bebían nada de cerveza mientras trillaban.

»–¡Dios mío! –dijo–. Así que ahora son noruegos, ¿eh? Yo pensaba que esto era América.

»Entonces se acercó a la máquina y le gritó a Ole Iverson:

»–Hola, amigo, déjeme subir. Puedo ayudarle a cortar tiras, y estoy harto de vagabundear. No pienso seguir.

»Intenté advertir a Ole por señas, porque pensé que aquel hombre estaba loco y que tal vez haría parar la máquina. Pero Ole se alegró de poder bajar y alejarse del sol y la paja, que te cae en el cuello y se te queda pegada cuando hace tanto calor. Así que Ole se bajó de un salto y se metió debajo de un carro, y el vagabundo se subió a la máquina. Estuvo cortando tiras durante unos minutos y luego, señora Harling, me saludó con la mano y se lanzó de cabeza a la trilladora, por donde entra el trigo.

»Yo me puse a chillar y los hombres corrieron para detener a los caballos, pero la correa lo había arrastrado, y cuando consiguieron parar la máquina, ya lo había cortado en pedazos. Costó muchísimo sacarlo de allí dentro, de tan encajado como estaba; la máquina no ha vuelto a funcionar bien desde entonces.

–¿Estaba muerto, Tony? –preguntamos nosotros.

–¿Que si estaba muerto? ¡Ya lo creo! Bueno, bueno, Nina está muy alterada. No hablemos más de esto. No llores, Nina. Ningún viejo vagabundo vendrá a llevarte mientras Tony esté aquí.

La señora Harling intervino con tono severo.

–Deja de llorar, Nina, o si no te mandaré arriba cuando Ántonia nos cuente historias del campo. ¿Consiguieron descubrir de dónde procedía aquel hombre, Ántonia?

–No, señora. No lo habían visto en ningún sitio, salvo en un pueblo llamado Conway. Intentó conseguir cerveza, pero allí no había cantina. Tal vez llegara en un tren de mercancías, pero el guardafrenos no lo vio. No le encontraron cartas ni ninguna otra cosa encima; no llevaba nada más que una navaja vieja en el bolsillo, un hueso de la suerte de pollo, envuelto en un trozo de papel, y algo de poesía.

–¿Poesía? –exclamamos.

–Lo recuerdo –dijo Frances–. Era un viejo recorte de periódico con «The Old Oaken Bucket», casi ilegible. Ole Iverson lo trajo a la oficina y me lo enseñó.

–Bueno, ¿no le pareció extraño, señorita Frances? –preguntó Tony pensativamente–. ¿Por qué habría de querer matarse alguien en verano? ¡Y en la época de la trilla, además! Es entonces cuanto todo está más bonito.

–Cierto, Ántonia –dijo la señora Harling con entusiasmo–. Quizá vaya a tu casa y te ayude a trillar el verano que viene. ¿No está ya el caramelo en su punto? Hace un buen rato que lo huelo.

Entre Ántonia y su señora existía una armonía básica. Ambas tenían un carácter fuerte e independiente. Sabían cuáles eran sus gustos y no andaban siempre intentando imitar a otras personas. Adoraban a los niños, los animales y la música, y los juegos rudos, y cavar la tierra. Les gustaba preparar comidas abundantes y suculentas y ver cómo se las comían los demás; hacer camas blandas y blancas y ver a los más jóvenes durmiendo en ellas. Ridiculizaban a las personas engreídas y ayudaban de buena gana a los menos afortunados. En lo más hondo de cada una de ellas había una especie de jovialidad desbordante, un placer por la vida que no era delicado, sino estimulante. Jamás intenté definirlo, pero era muy consciente de que existía. No podía imaginar a Ántonia viviendo más de cuatro días en cualquier otra casa de Black Hawk que no fuera la de los Harling.

VII

El invierno es demasiado largo en las pequeñas ciudades provincianas; se prolonga hasta volverse rancio y gastado, viejo y huraño. En la granja, el tiempo era el hecho fundamental y los asuntos humanos seguían desarrollándose aún bajo su influencia, de la misma forma que los arroyos discurren bajo el hielo. Pero en Black Hawk, la actividad humana parecía encogida, mezquina, congelada hasta la médula.

Durante los meses de enero y febrero fui al río con los Harling en las noches despejadas, y allí patinábamos hasta la isla grande y hacíamos fogatas en la arena helada. Pero al llegar marzo el hielo se volvió irregular y la nieve en las orillas del río tenía un lúgubre tinte gris. Yo estaba cansado de la escuela, de la ropa de invierno, de las calles llenas de surcos, de los montones de nieve sucia y de las pilas de ceniza que llevaban tanto tiempo en los jardines de las casas. Sólo una vez se interrumpió la pesada monotonía de aquel mes: cuando vino a la ciudad Blind d'Arnault, el pianista negro. Dio un concierto en la ópera el lunes por la noche, y él y su representante pasaron el sábado y el domingo en nuestro confortable hotel. La señora Harling conocía al pianista desde hacía años. Le dijo a Ántonia que sería mejor que fuera a ver a Tiny aquella noche, porque con toda seguridad habría música en el Boys' Home.

El sábado por la noche, después de cenar, fui corriendo hasta el hotel y me metí sigilosamente en el salón. Las sillas y sofás estaban ocupados y el aire tenía un agradable olor a humo de cigarros. En otro tiempo, el salón había estado dividido en dos habitaciones, y el suelo era desigual en el lugar que antes ocupaba el tabique de separación. Una corriente de aire hacía ondas en la larga alfombra. A cada extremo del salón había una estufa de carbón encendida y el gran piano que había en el centro estaba abierto.

El ambiente en la casa era de una libertad inusitada aquella noche, pues la señora Gardener se había ido a pasar una semana a Omaha. Johnnie había estado bebiendo con los huéspedes y tenía un aire ausente. Era la señora Gardener quien dirigía el negocio y se ocupaba de todo. Su marido daba la bienvenida a los recién llegados en la recepción. Era un tipo popular, pero no tenía capacidad para dirigir nada.

Todos estaban de acuerdo en que la señora Gardener era la mujer mejor vestida de Black Hawk. Tenía el mejor caballo y un elegante carruaje de dos ruedas, y un pequeño trineo blanco y dorado. Parecía indiferente a sus posesiones, no estaba ni la mitad de interesada en ellas que sus amigos. Era alta, morena, severa, y su rostro era rígido e imperturbable como el de una mujer india. Sus maneras eran frías y hablaba poco. Los huéspedes tenían la sensación de ser ellos quienes recibían el favor, en lugar de hacerlo, al alojarse en su casa. Incluso los viajantes más distinguidos se sentían halagados cuando la señora Gardener charlaba un rato con ellos. Los clientes del hotel se dividían en dos clases: los que habían visto los diamantes de la señora Gardener y los que no los habían visto.

Cuando entré a hurtadillas en el salón, estaba al piano Anson Kirkpatrick, el empleado de Marshall Field, tocando melodías de una comedia musical que representaban en Chicago por aquel entonces. Era un irlandés menudo y atildado, muy vanidoso, hogareño como un mono, con amigos por todas partes y una novia en cada puerto, como un marinero. Yo no conocía a todos los hombres que estaban en el salón, pero vi a un vendedor de muebles de Kansas City, a un vendedor de medicamentos, y a Willy O'Reilly, que era viajante de una joyería y vendía instrumentos musicales. Las conversaciones se centraban en torno a buenos y malos hoteles, actores y actrices y prodigios musicales. Me enteré de que la señora Gardener había ido a Omaha para oír a Booth y Barrett, y de que Mary Anderson estaba teniendo un gran éxito con *Un cuento de invierno* en Londres.

Se abrió la puerta de la oficina y por ella salió Johnnie Gardener, indicando el camino a Blind d'Arnault, que jamás consentiría ser conducido. Era un mulato corpulento y paticorto, y avanzaba tanteando el suelo con su bastón de puño de oro. Alzaba el rostro a la luz, mostrando sus blancos dientes, todo sonrisas, y sus párpados encogidos como papel arrugado permanecían inmóviles sobre sus ojos ciegos.

–Buenas noches, caballeros. ¿No hay señoras? Buenas noches, caballeros. ¿Vamos a disfrutar de un poco de música? ¿Alguno de ustedes, caballeros, va a tocar para mí esta noche? –Era la típica voz negra, dulce y amistosa, como las que yo recordaba de mi primera infancia, con un matiz de dócil sumisión. También tenía la cabeza de negro, que casi no era una cabeza; no tenía nada detrás de las orejas, salvo los pliegues del cuello bajo el pelo lanudo y muy corto. Habría resultado repulsivo de no ser por su rostro, que irradiaba bondad y felicidad. Era el rostro más feliz que había visto desde mi partida de Virginia.

Se abrió camino directamente hasta el piano. En el momento en que se sentó, noté la enfermedad nerviosa de la que me había hablado la señora Harling. Cuando estaba sentado, o quieto de pie, se balanceaba hacia adelante y hacia atrás sin cesar, como un juguete balancín. Mientras tocaba el piano, se balanceaba al ritmo de la música, y cuando no tocaba, su cuerpo mantenía el movimiento, como un molino vacío que sigue moliendo. Encontró los pedales y los probó; pasó sus manos amarillentas por el teclado varias veces, haciendo escalas; luego se volvió hacia la concurrencia.

–Parece que está bien, caballeros. No le ha ocurrido nada desde la última vez que estuve aquí. La señora Gardener siempre manda afinar el piano antes de que yo llegue. Ahora, caballeros, espero que tengan todos una fuerte voz. Me parece que esta noche podríamos cantar unas cuantas de esas buenas y viejas melodías de las plantaciones.

Los hombres se apiñaron en torno a él cuando empezó a tocar *My Old Kentucky Home*[17]. Cantaron una melodía negra

---

17 «Mi viejo hogar de Kentucky.»

tras otra, mientras el mulato se mecía en el asiento con la cabeza echada hacia atrás, el rostro amarillo levantado y los párpados arrugados e inmóviles.

Había nacido en el lejano Sur, en la plantación D'Arnault, donde el espíritu, ya que no el hecho, de la esclavitud aún persistía. A las tres semanas de vida había padecido una enfermedad que lo había dejado totalmente ciego. En cuanto tuvo edad suficiente para sentarse y moverse por sí solo, se hizo evidente la otra dolencia, el movimiento nervioso del cuerpo. Su madre, una joven criada negra de grandes pechos, que era lavandera de los D'Arnault, llegó a la conclusión de que su bebé ciego «no estaba bien» de la cabeza y se avergonzó de él. Sentía por él un gran amor maternal, pero era tan feo, con aquellos ojos hundidos y aquellos «nervios», que lo escondió de la gente. Todas las exquisiteces que traía de la mansión eran para el niño ciego, y pegaba y reñía a sus demás hijos siempre que los veía burlándose de él o intentando quitarle su hueso de pollo. El niño empezó a hablar pronto, recordaba todo lo que oía, y su mamá dijo que «no había salido torcido del todo». Le puso de nombre Samson, porque era ciego, pero en la plantación lo llamaban «el idiota amarillo de Martha». Era un niño dócil y obediente, pero cuando tenía seis años de edad le dio por escaparse de casa a cada momento, y siempre en la misma dirección. Se abría paso entre las lilas y caminaba a lo largo del seto de boj hasta llegar al ala sur de la mansión, donde la señorita Nellie d'Arnault practicaba con el piano cada mañana. Esto enfurecía a la madre de Samson más que cualquier otra cosa que pudiera haber hecho; se avergonzaba hasta tal punto de la fealdad de su hijo que no podía soportar la idea de que los blancos lo vieran. Siempre que lo pillaba cuando intentaba escabullirse de la choza, lo azotaba sin compasión, y le explicaba las cosas horribles que le haría el señor D'Arnault si alguna vez lo encontraba cerca de la mansión. Pero en cuanto se le presentaba la ocasión, Samson volvía a escaparse. Si la señorita D'Arnault dejaba de practicar por un momento y se acercaba a la ventana, veía aquel negrito horrendo, vestido con una vieja tela de saco, de pie en el espacio abierto entre las hileras de malvarrosas, meciéndose como un autómata, con el rostro ciego alzado hacia el sol y una expresión idiota de extasiado arrobo. A menudo sentía la tentación de decirle a Martha que debía retener al niño en casa, pero el recuerdo de su rostro bobo y feliz parecía impedírselo. Recordaba que, prácticamente, el niño sólo tenía el sentido del oído, si bien no se le ocurrió pensar que tal vez fuera más agudo que el de los demás niños.

Un día, Samson estaba de pie, como casi siempre, mientras la señorita Nellie tocaba la lección para su profesora. Las ventanas estaban abiertas. Samson las oyó levantarse, charlar un rato y, a continuación, salir de la habitación. Oyó el ruido de la puerta al cerrarse tras ellas. Se acercó a las ventanas y asomó la cabeza al interior: no había nadie. Samson podía detectar la presencia de cualquier persona en una habitación. Pasó un pie por el alféizar y se sentó a horcajadas.

Su madre le había dicho una y otra vez que el amo se lo daría a comer al gran mastín si lo encontraba alguna vez «curioseando». En una ocasión, el niño se había acercado demasiado a la perrera del mastín y había notado su terrible aliento en el rostro. Pensó en ello, pero metió el otro pie.

En la oscuridad de su ceguera, encontró el camino hasta la Cosa, hasta su boca. La tocó con suavidad, y ésta respondió suave y amablemente. Samson se estremeció y se quedó quieto. Luego empezó a recorrer el piano con las manos, pasó las puntas de los dedos por los costados resbaladizos, abrazó las patas talladas, intentó concebir su forma y su tamaño, el espacio que ocupaba en su noche primigenia. Era un objeto frío y duro, como no había ningún otro en su universo de negritud. Volvió a tocar la boca, empezó por un extremo del teclado y tanteó las teclas hacia los bajos suaves, hasta donde le alcanzó la mano. Parecía saber que aquello debía hacerse con los dedos y no con los puños o los pies. Se acercó a aquel instrumento totalmente artificial guiado por el mero instinto y se acopló a él, como si supiera que era la pieza que le faltaba para ser una criatura completa. Después de probar todos los sonidos, empezó a tocar pasajes de las piezas que la señorita Nellie había practicado, pasajes que ya eran suyos, que yacían bajo el hueso de su reducida calavera cónica, tan definidos como un deseo animal.

Se abrió la puerta; la señorita Nellie y su profesora de música aparecieron en el umbral, pero el ciego Samson, que tan sensible era a cualquier presencia, no lo advirtió. Probaba los sonidos diferenciados de las teclas grandes y las pequeñas. Cuando se detuvo un instante, porque se había equivocado de sonido y buscaba otro, la señorita Nellie le habló suavemente. El niño giró en redondo en un espasmo de terror, se abalanzó contra la ventana en la oscuridad, se golpeó la cabeza y cayó al suelo chillando y sangrando. Tenía lo que su madre llamaba uno de sus ataques. Se llamó a un médico, que le dio opio.

Cuando Samson se recobró, su joven ama lo llevó de nuevo hasta el piano. Varios profesores experimentaron con él. Descubrieron que tenía un oído absoluto y una memoria extraordinaria. Aun siendo muy niño, podía repetir, a su manera, cualquier composición que oyera tocar. Por muchas que fueran las notas equivocadas, jamás perdía la intención de un pasaje, conservando su esencia, por medios irregulares e insólitos. Sus profesores lo dejaban por imposible. Jamás consiguió aprender como el resto de la gente, jamás acabó de pulirse. Siempre fue un prodigio negro que tocaba de un modo maravilloso y primitivo. Como pianista, tal vez fuera abominable, pero su música era algo real, vital, gracias a un sentido del ritmo que era más fuerte que sus demás sentidos físicos, que no sólo llenaba su oscuro cerebro, sino que daba a su cuerpo una inquietud incesante. Escucharlo, contemplarlo, era ver a un negro disfrutando como sólo puede disfrutar un negro. Era como si todas las sensaciones agradables que podían tener las criaturas de carne y hueso se amontonaran en aquellas teclas blancas y negras, y él se regodeara con ellas y dejara que se deslizaran por entre sus dedos amarillentos.

En medio de un estrepitoso vals, D'Arnault se puso de repente a tocar muy suavemente y, volviéndose hacia los hombres que tenía a su espalda, susurró:

–Hay alguien ahí, bailando. –Movió la cabeza de bala hacia el comedor–. Oigo unos pies pequeños... de chicas, sospecho.

Anson Kirkpatrick se encaramó a una silla y atisbó por encima del dintel. Bajándose de un salto, abrió las puertas de golpe e irrumpió en el comedor. Tiny y Lena, Ántonia y Mary Dusak estaban bailando el vals. Se separaron y huyeron hacia la cocina entre risas.

Kirkpatrick cogió a Tiny por los codos.

–¿Qué os pasa, chicas? ¡Bailando aquí solas, cuando hay una habitación llena de hombres solitarios al otro lado de la puerta! Preséntame a tus amigas, Tiny.

Las muchachas trataron de escapar, riendo todavía. Tiny se alarmó.

–A la señora Gardener no le gustaría –protestó–. Se pondría furiosa si salieran aquí a bailar con nosotras.

–La señora Gardener está en Omaha, muchacha. Bien, tú eres Lena, ¿verdad? Y tú eres Tony y tú Mary. ¿Lo he dicho bien?

O'Reilly y los demás empezaron a apilar las sillas sobre las mesas. Johnnie Gardener salió corriendo de la oficina.

–¡Calma, muchachos, calma! –les rogó–. Si despertáis a la cocinera, la que me espera será de órdago. La música no la oirá, pero bajará como una flecha si se mueve algo en el comedor.

–¿Y qué más da, Johnnie? Despide a la cocinera y telegrafía a Molly para que traiga otra. Vamos, nadie le irá con el cuento.

Johnnie meneó la cabeza.

–Está comprobado, muchachos –dijo en tono confidencial–. ¡Si me tomo una copa en Black Hawk, Molly se entera en Omaha!

Sus huéspedes se echaron a reír y le palmearon el hombro.

–Venga, nosotros nos ocuparemos de Molly. Levanta ese ánimo, Johnnie.

Molly era el nombre de la señora Gardener, claro está. «Molly Bawn», se leía en grandes letras azules pintadas en los laterales, blancos y relucientes, del autobús del hotel, y «Molly» era la inscripción grabada en el interior del anillo de Johnnie y en la tapa del reloj; sin duda también llevaba el nombre grabado en el corazón. Era un hombre menudo y afectuoso que tenía a su mujer por una mujer maravillosa; sabía que sin ella difícilmente sería otra cosa que el recepcionista del hotel de algún otro.

A una palabra de Kirkpatrick, D'Arnault se echó sobre el piano y le extrajo música de baile, con el sudor brillando en su corto cabello lanudo y en su rostro alzado. Tenía la apariencia de un reluciente dios africano del placer, lleno de savia fuerte y salvaje. Siempre que los bailarines se detenían para cambiar de pareja o para tomar aliento, su voz de trueno decía con suavidad:

–¿Quién anda por ahí? ¡Apuesto a que es uno de esos caballeros de ciudad! Vamos, muchachas, ¿no iréis a dejar que el suelo se enfríe?

Ántonia parecía asustada al principio, y no dejaba de lanzar miradas inquisitivas a Lena y a Tiny por encima del hombro de Willy O'Reilly. Tiny era esbelta, de pies menudos y ágiles, y bonitos tobillos; llevaba los vestidos muy cortos. Hablaba más deprisa y se movía y actuaba con mayor ligereza que las demás chicas. Mary Dusak era gruesa y morena, y tenía algunas marcas de viruela, pero también era guapa. Sus cabellos rizados de color castaño eran muy hermosos; tenía la frente baja y lisa, y sus ojos negros, autoritarios, contemplaban el mundo sin miedo y con indiferencia. Parecía audaz, llena de recursos y carente de escrúpulos, y así era. Eran todas muchachas atractivas, tenían el cutis sonrosado que daba la vida en el campo y en sus ojos ese brillo que llaman –no por metáfora, ¡ay!– «la luz de la juventud».

D'Arnault tocó hasta que llegó su representante y cerró el piano. Antes de dejarnos nos enseñó su reloj de oro, que daba las horas, y un anillo de topacio, regalo de un noble ruso al que deleitaban las melodías negras y que había oído tocar a D'Arnault en Nueva Orleans. Por fin subió tanteando el camino con su bastón, tras saludar a todo el mundo con reverencias, dócil y feliz. Yo volví a casa andando con Ántonia. Estábamos tan excitados que temíamos irnos a la cama. Nos quedamos un buen rato parados frente a la puerta de los Harling, hablando en susurros, hasta que el frío tranquilizó poco a poco nuestro espíritu alterado.

VIII

Los hijos de los Harling y yo no fuimos nunca tan felices, ni nos sentimos jamás tan seguros y contentos, como en las semanas de la primavera que siguió a aquel largo invierno. Nos pasábamos el día fuera, a la tibia luz del sol, ayudando a la señora Harling y a Tony a roturar y sembrar en el huerto, a cavar alrededor de los árboles frutales, a sujetar las parras y recortar los setos. Todas las mañanas oía a Tony silbando en los surcos del huerto. Cuando los manzanos y los cerezos florecieron, corríamos bajo sus copas, buscando los nuevos nidos que construían los pájaros, arrojándonos unos a otros terrones de tierra y jugando al escondite con Nina. Sin embargo, el verano que todo lo iba a cambiar estaba cada día más cerca. Cuando chicos y chicas crecen, la vida no puede detenerse, ni siquiera en la más tranquila de las ciudades provincianas; y tienen que crecer, tanto si quieren como si no. Eso es lo que olvidan siempre sus mayores.

Debió de ser en junio, porque la señora Harling y Ántonia estaban haciendo las conservas de cerezas, cuando pasé una mañana por su casa para decirles que iban a instalar una carpa de baile en la ciudad. Había visto dos carros que llegaban con la lona y los postes pintados desde la estación.

Aquella tarde, tres vivarachos italianos se paseaban por Black Hawk mirándolo todo, acompañados por una mujer morena y robusta que llevaba una cadena de reloj, muy larga y de oro, alrededor del cuello, y una sombrilla negra de encaje. Parecían especialmente interesados en los niños y en los solares vacíos. Cuando pasé por su lado y me detuve a decirles unas palabras, los encontré afables y confiados. Me contaron que trabajaban en Kansas City en invierno, y que en verano recorrían las poblaciones rurales con su carpa para enseñar a bailar. Cuando el negocio decaía en un sitio, se trasladaban a otro.

La carpa de baile se levantó cerca de la lavandería danesa, en un solar rodeado de álamos de Virginia, altos y arqueados. Se parecía mucho a un tiovivo, con los lados abiertos y alegres banderines ondeando en los postes. Antes de que transcurriera una semana, todas las madres ambiciosas enviaban a sus hijos a la clase de baile de la tarde. A las tres se encontraba uno con niñas vestidas de blanco y niños con las camisas de cuello redondo de aquella época, caminando presurosos en dirección a la carpa. La señora Vanni los recibía en la entrada, vestida siempre de color azul lavanda con gran profusión de encaje negro, y con su imponente cadena de reloj sobre el pecho. Se peinaba con los cabellos recogidos en la coronilla formando una torre negra con peinetas de rojo coral. Cuando sonreía, mostraba dos hileras de dientes fuertes pero torcidos y amarillos. Ella enseñaba a los pequeños, y su marido, el arpista, enseñaba a los mayores.

A menudo las madres se sentaban en el lado de sombra de la carpa y hacían sus labores mientras duraba la lección. El vendedor de palomitas se colocaba con su carrito de cristal bajo el gran álamo que había junto a la entrada y holgazaneaba al sol, seguro de hacer el agosto en cuanto terminara el baile. El señor Jensen, el dueño de la lavandería danesa, sacaba una silla de su porche y se iba con ella a sentarse en la hierba. Unos chiquillos harapientos de la estación vendían palomitas y limonada helada bajo un paraguas blanco en una esquina, y hacían muecas a los acicalados jovencitos que acudían a bailar. Aquel solar pronto se convirtió en el lugar más alegre de la ciudad. Aun en las tardes más calurosas, los álamos creaban una sombra susurrante, y el aire olía a palomitas y a mantequilla derretida y a las jaboneras que se marchitaban al sol. Aquellas resistentes flores habían huido del jardín de la lavandería y salpicaban de rosa la hierba del centro del solar.

Los Vanni mantenían el orden de una forma modélica, y cerraban todas las noches a la hora sugerida por el ayuntamiento. Cuando la señora Vanni daba la señal y el arpa tocaba *Hogar, dulce hogar*, todo Black Hawk sabía que eran las diez. Se podía poner el reloj en hora con aquella melodía con la misma confianza que si fuera el silbato del edificio circular donde guardaban y reparaban locomotoras.

Por fin había algo que hacer en aquellas tardes estivales tan largas y vacías en que las parejas de casados se sentaban como estatuas en el porche de la casa y las chicos y chicas no hacían más que ir de un lado a otro por las aceras de madera: hacia el Norte hasta los límites de la pradera, hacia el Sur hasta la estación, luego de vuelta hasta la oficina de correos, la heladería y la carnicería. Ahora había un lugar donde las chicas podían lucir sus vestidos nuevos y donde se podía reír a mandíbula batiente sin ser censurado por el consiguiente silencio. Aquel silencio parecía brotar del suelo, colgar del follaje de los arces negros junto con los murciélagos y las sombras. Ahora había mil sonidos alegres que lo quebraban. Primero el arrullo sonoro del arpa del señor Vanni atravesaba con sus ondas argentinas la negritud de la noche, que olía a polvo; luego se le unían los violines; uno de ellos era casi como una flauta. Su llamada era tan pícara, tan seductora, que nuestros pies se iban corriendo hacia la carpa por sí solos. ¿Por qué no se había montado antes la carpa?

El baile se hizo popular, igual que los patines de ruedas el verano anterior. El Club Progresista de Euchre[18] llegó a un acuerdo con los Vanni para el uso exclusivo de la carpa los martes y viernes por la noche. No siendo entonces, cualquiera que pagara y respetara el orden podía ir allí a bailar; los ferroviarios, los mecánicos de trenes, los recaderos, el heladero, los peones de las granjas que vivían lo bastante cerca para acercarse a caballo a la ciudad después de la jornada laboral...

No falté jamás al baile los sábados por la noche. Ese día, la carpa permanecía abierta hasta la medianoche. Iban allí chicos de la pradera que vivían a doce y a quince kilómetros, y encontraban a todas las chicas que también procedían de la pradera: Ántonia y Lena y Tiny, y las chicas

[18] Juego de naipes.

danesas de la lavandería y sus amigas. No era yo el único chico al que aquellos bailes le parecían más alegres que los otros. Los jóvenes que pertenecían al Club Progresista de Euchre se pasaban por la carpa ya tarde, y se arriesgaban a reñir con sus novias y a la condena general por haber bailado un vals con «las criadas».

IX

Había una curiosa situación social en Black Hawk. Todos los hombres jóvenes se sentían atraídos por las chicas del campo, atractivas y vigorosas, que habían venido a la ciudad para ganarse la vida y, en casi todos los casos, para ayudar a un padre endeudado o para hacer posible que los hermanos pequeños de la familia fueran a la escuela.

Aquellas chicas se habían hecho adultas durante los primeros años de la emigración, los más duros, y carecían de educación. Pero sus hermanos más pequeños, por los que tantos sacrificios hicieron y que han tenido «ventajas», no me han parecido nunca, cuando me los he encontrado después, ni la mitad de interesantes que ellas, ni tan bien educados. Las hermanas mayores, que ayudaron a roturar las tierras salvajes, aprendieron mucho de la vida, de la pobreza, de sus madres y sus abuelas; todas se habían espabilado prematuramente, igual que Ántonia, al tener que cambiar su viejo país por otro nuevo a una edad temprana.

Recuerdo a una veintena de aquellas chicas que sirvieron en Black Hawk durante los pocos años que viví allí, y recuerdo algo insólito y cautivador de cada una de ellas. Físicamente eran casi una raza aparte, y el trabajo al aire libre les había dado un vigor que, cuando superaron su timidez de recién llegadas, se transformó en una seguridad y una desenvoltura que las hicieron destacar entre las mujeres de Black Hawk.

Esto ocurría antes de que se implantara el deporte en los institutos. Se compadecía a las chicas que tenían que caminar más de medio kilómetro para ir a la escuela. No había pistas de tenis en la ciudad; el ejercicio físico se consideraba muy poco elegante para las hijas de las familias acomodadas. Algunas de las chicas que estudiaban en el instituto eran alegres y bonitas, pero en invierno no salían de casa por culpa del frío, y en verano, a causa del calor. Cuando uno bailaba con ellas notaba que su cuerpo no se movía bajo las ropas; sus músculos parecían pedir una sola cosa: no ser molestados. Recuerdo a aquellas chicas como simples rostros en el aula de la escuela, sonrosados y alegres, o apáticos y aburridos, cortados por debajo de los hombros, como querubines, por la superficie manchada de tinta de los altos pupitres, sin duda colocados a esa altura para hacer que tuviéramos los hombros redondeados y el pecho plano.

Las hijas de los comerciantes de Black Hawk tenían la convicción firme e inquebrantable de que eran «refinadas» y de que las chicas del campo, que «trabajaban al aire libre», no lo eran. Los campesinos americanos de nuestra región sufrían las mismas penurias que sus vecinos de otros países. Todos habían llegado a Nebraska con un capital escaso y una ignorancia absoluta sobre la tierra que debían cultivar. Todos habían pedido dinero prestado poniendo la tierra como garantía. Pero, por grandes que fueran las estrecheces en las que se encontrara un granjero de Pennsylvania o de Virginia, jamás permitía que sus hijas entraran a servir. A menos que sus hijas pudieran convertirse en maestras rurales, permanecían en casa sumidas en la pobreza.

Las chicas de Bohemia o de Escandinavia no podían trabajar como maestras porque no habían tenido la oportunidad de estudiar el idioma. Resueltas a poner su grano de arena en la dura lucha por librar de deudas a la familia, no les había quedado otra alternativa que ponerse a servir. Una vez en la ciudad, algunas de ellas habían seguido siendo tan serias y discretas en su comportamiento como antes, cuando araban y apacentaban el ganado en la granja de sus padres. Otras, como las tres Marys de Bohemia, intentaban recuperar los años de juventud perdidos. Pero todas ellas consiguieron lo que se habían propuesto, y enviaron a casa sus dólares duramente ganados. Las chicas que yo conocí andaban siempre ayudando a pagar arados y cosechadoras, cerdos de cría o novillos de engorde.

Uno de los resultados de esta solidaridad familiar fue que los campesinos extranjeros de nuestra región fueron los primeros en alcanzar la prosperidad. Cuando los padres salían de deudas, las hijas se casaban con los hijos de sus vecinos –por lo general, de la misma nacionalidad–, así que las chicas que antes trabajaron en las cocinas de Black Hawk tienen ahora granjas prósperas y hermosas familias; sus hijos están en mejor situación que los de las mujeres de la ciudad a las que antes servían.

A mí, la actitud de la gente de la ciudad hacia aquellas

chicas me parecía muy estúpida. Si les decía a mis compañeros de clase que el padre de Lena Lingard era clérigo y había sido un hombre muy respetado en Noruega, me miraban sin comprender. ¿Qué importaba eso? Todos los extranjeros eran unos ignorantes que no sabían hablar inglés. No había un solo hombre en Black Hawk que tuviera la inteligencia ni la cultura, ni mucho menos la distinción personal, del padre de Ántonia. Sin embargo, la gente no veía diferencia alguna entre las tres Marys y ella; todas eran de Bohemia, todas eran «criadas».

Siempre supe que viviría para ver a mis chicas campesinas en la posición que merecían, y así ha sido. En la actualidad, lo mejor que un agobiado comerciante de Black Hawk puede esperar del porvenir es vender provisiones y maquinaria agrícola y automóviles a las granjas ricas, donde la primera cosecha de inquebrantables chicas de Bohemia y Escandinavia son ahora las señoras.

Los chicos de Black Hawk esperaban casarse con chicas de Black Hawk y vivir en una casita nueva con sus mejores sillas, en las que nadie podía sentarse, y porcelana china pintada a mano, que no podía usarse. Pero algunas veces un joven alzaba la vista del libro mayor, o atisbaba por la ventanilla del banco de su padre, y dejaba que sus ojos siguieran a Lena Lingard cuando pasaba por delante de la ventana con su caminar lento y ondulante, o a Tiny Soderball, con su paso ligero, vestida con faldas cortas y medias de rayas.

A estas chicas las consideraban una amenaza para el orden social. Su belleza brillaba con una audacia excesiva en aquel ambiente convencional. Pero las alarmadas madres podrían haberse ahorrado tanta preocupación. Las confundía la fogosidad de sus hijos. El respeto a la respetabilidad era más fuerte que el deseo en la juventud de Black Hawk.

Un joven de posición era como el primogénito de una casa real; el chico que barría su oficina o conducía su carro de reparto podía coquetear con las alegres chicas campesinas, pero él tenía que pasarse la velada sentado en un lujoso salón, donde la conversación languidecía de modo tan perceptible que el padre entraba a menudo y hacía torpes esfuerzos por animar el ambiente. De camino a casa después de la aburrida visita, tropezaba tal vez con Tony y Lena, que caminaban por la acera cuchicheando, o con las tres Marys de Bohemia, con sus largos abrigos y sus gorros de felpa, comportándose con una dignidad que sólo servía para hacer más sabrosas las excitantes historias que de ellas se contaban. Si iba al hotel para hablar de negocios con algún viajante, allí estaba Tiny, arqueándose ante él como una gata. Si iba a la lavandería en busca de los cuellos de sus camisas, allí estaban las cuatro chicas danesas, sonriendo desde sus tablas de planchar, con el blanco cuello y las mejillas sonrosadas.

Las tres Marys eran las heroínas de un ciclo de historias escandalosas que los viejos gustaban de relatar cuando se sentaban junto a la expendeduría de tabaco en la tienda. Mary Dusak había sido ama de llaves en el rancho de un soltero de Boston y, tras varios años a su servicio, se había visto obligada a retirarse del mundo durante un breve espacio de tiempo. Más tarde había vuelto a la ciudad para ocupar el lugar de su amiga Mary Svoboda, que se hallaba en la misma vergonzosa situación. Se consideraba que las tres Marys eran tan peligrosas en una casa como explosivos de alta potencia; sin embargo, cocinaban tan bien y eran amas de casa tan admirables que jamás les faltó el trabajo.

La carpa de los Vanni reunía a los chicos de la ciudad y las chicas del campo en un terreno neutral. Sylvester Lovett, que era cajero en el banco de su padre, iba siempre al baile los sábados por la noche. Bailaba con Lena Lingard todos los bailes que ella le concedía, y tuvo incluso la audacia de acompañarla a casa. Si las hermanas o los amigos de Sylvester se encontraban por casualidad entre los espectadores de las «noches populares», él permanecía oculto bajo la sombra de los álamos, fumando y contemplando a Lena con expresión tensa. Varias veces tropecé con él allí, en la oscuridad, y me dio lástima. Me recordaba a Ole Benson, que se sentaba al borde de la cañada y contemplaba a Lena mientras apacentaba el ganado. Más adelante, durante el verano, cuando Lena se fue a pasar una semana con su madre, Ántonia me contó que el joven Lovett fue a verla y la llevó a dar un paseo en calesa. Yo, ingenuo de mí, creía que Sylvester se casaría con Lena, con lo que mejoraría la consideración que se tenía de todas las chicas campesinas en la ciudad.

Sylvester rondó a Lena hasta que empezó a cometer errores en su trabajo; tenía que quedarse en el banco hasta la noche para hacer que le cuadraran los libros. Estaba loco por ella y todo el mundo lo sabía. Para salir del aprieto, se fugó con una viuda seis años mayor que él, que era dueña de trescientos veinte acres de tierra. Este remedio le dio resultado en apariencia. No volvió a mirar a Lena, ni alzaba los ojos cuando se llevaba la mano al sombrero ceremoniosamente siempre que tropezaba con ella por casualidad en la acera.

¡De modo que así eran, pensé yo, aquellos dependientes y contables de manos blancas y cuellos altos! Al joven Lovett le lanzaba miradas hostiles desde lejos, y sólo deseaba hallar la manera de demostrarle el desprecio que me inspiraba.

X

Fue en la carpa de los Vanni cuando la ciudad descubrió a Ántonia. Hasta entonces la habían tenido más por una pupila de los Harling que como una de las «criadas». Había vivido en su casa, su huerto y su jardín; sus pensamientos parecían no salirse nunca de aquel pequeño reino. Pero cuando se instaló la carpa, empezó a salir con Tiny y Lena y sus amigas. Los Vanni decían a menudo que Ántonia era la que mejor bailaba de todas. Algunas veces oí las murmuraciones de la muchedumbre que había fuera de la carpa, afirmando que la señora Harling no tardaría en tener quebraderos de cabeza por culpa de aquella chica. Los hombres jóvenes empezaron a bromear sobre «la Tony de los Harling», igual que de «la Anna de los Marshall» o «la Tiny de los Gardener».

Ántonia no hablaba ni pensaba en otra cosa que no fuera la carpa. Se pasaba el día tarareando las melodías de baile. Cuando se cenaba tarde, se daba prisa en fregar los platos, se le caían y se le rompían con la agitación. Respondía a la primera llamada de la música. Si no tenía tiempo para vestirse, se limitaba a quitarse el delantal y salía disparada por la puerta de la cocina. Algunas veces la acompañaba yo; en cuanto teníamos la carpa iluminada a la vista, echaba a correr como un chico. Siempre tenía parejas de baile esperándola; empezaba a bailar antes de haber recobrado el resuello.

El éxito de Ántonia en la carpa tuvo sus consecuencias. El repartidor del hielo se demoraba en exceso cuando entraba en el porche cubierto para llenar el refrigerador. Los repartidores remoloneaban por la cocina cuando iban a llevar comestibles. Los granjeros jóvenes que venían el sábado a la ciudad atravesaban el jardín con fuertes pisadas en dirección a la puerta de atrás, para pedirle un baile a Tony, o para invitarla a fiestas y a meriendas campestres. Lena y la noruega Anna iban a ayudarla para que pudiera salir más temprano. Los chicos que la acompañaban a casa después del baile se reían a veces junto a la cancela de atrás y despertaban al señor Harling de su primer sueño. La crisis fue inevitable.

Un sábado por la noche, el señor Harling había bajado a la bodega en busca de cerveza. Cuando subía la escalera en la oscuridad, oyó voces de disputa en el porche de atrás, y luego el sonido de una fuerte bofetada. Asomó la cabeza por la puerta lateral a tiempo de ver un par de largas piernas que saltaban por encima de la valla. Ántonia estaba allí plantada, presa de una gran agitación y furiosa. El joven Harry Paine, que iba a casarse con la hija de su patrón el lunes, había ido a la carpa con un grupo de amigos y se había pasado la noche bailando. Más tarde había rogado a Ántonia que le permitiera acompañarla a casa. Ella dijo suponer que era un caballero, puesto que se trataba de uno de los amigos de la señorita Frances, y que no le importaba. En el porche de atrás, Harry intentó besarla y, cuando ella protestó –porque él iba a casarse el lunes–, la sujetó y la besó hasta que Ántonia consiguió liberar una mano y abofetearlo.

El señor Harling dejó las botellas de cerveza sobre la mesa.

–Me estaba temiendo que sucedería algo así, Ántonia. Has estado saliendo con chicas que tienen fama de casquivanas y ahora te has ganado la misma reputación. No toleraré que haya tipos rondando a cada momento por mi jardín. Hasta aquí hemos llegado. Se ha acabado. O dejas de ir a esos dichosos bailes o te buscas otro empleo. Piénsatelo bien.

A la mañana siguiente, cuando la señora Harling y Frances intentaron razonar con Ántonia, la encontraron turbada, pero resuelta.

–¿Dejar de ir a la carpa? –dijo, jadeante–. ¡Ni pensarlo! ¡No me lo impediría ni mi propio padre! El señor Harling no es mi patrón fuera del trabajo. Y tampoco pienso dejar a mis amigas. Los chicos que me acompañan son unos caballeros. Creía que el señor Paine también lo era, porque solía venir de visita a esta casa. ¡Pues va ir a su boda con la cara bien roja! –exclamó con gran indignación.

–Tendrás que elegir una cosa u otra, Ántonia –le dijo la señora Harling con firmeza–. No puedo retractarme de lo que te ha dicho el señor Harling. Ésta es su casa.

–Entonces me iré, señora Harling. Hace tiempo que Lena me ha pedido que consiga un empleo cerca de ella.

Mary Svoboda deja a los Cutter para trabajar en el hotel; me darán su puesto.

La señora Harling se levantó de su asiento.

–Ántonia, si te vas a trabajar para los Cutter, no podrás volver a entrar en esta casa. Sabes perfectamente lo que es ese hombre. Te buscarás la ruina.

Tony cogió la tetera con brusquedad y empezó a servir el agua hirviendo en los vasos, riéndose con gran excitación.

–¡Oh, sé cuidar de mí misma! Soy mucho más fuerte que Cutter. En su casa pagan cuatro dólares, y no hay niños. Hay poco trabajo; tendré libres todas las noches y podré salir muchas tardes.

–Pensaba que te gustaban los niños. Tony, ¿qué te ha dado?

–No lo sé, algo. –Ántonia echó la cabeza hacia atrás con los dientes apretados–. Una chica como yo tiene que divertirse mientras pueda. Tal vez no haya ninguna carpa el año que viene. Supongo que quiero divertirme, igual que las otras chicas.

La señora Harling soltó una breve y áspera carcajada.

–Si te vas a trabajar para los Cutter, seguramente tendrás una diversión de la que te arrepentirás toda la vida.

Frances dijo, cuando nos contó esta escena a la abuela y a mí, que todos los cacharros, platos y tazas temblaron en los estantes cuando su madre salió de la cocina. La señora Harling declaró amargamente que desearía no haberse encariñado con Ántonia.

XI

Wick Cutter era el prestamista que había esquilmado al pobre ruso Peter. Cuando un granjero se acostumbraba a recurrir a Cutter, era como darse al juego o jugar a la lotería; siempre volvía en los momentos de abatimiento.

El nombre de pila de Cutter era Wycliffe, y le gustaba alardear de haber crecido en un ambiente piadoso. Aportaba donativos regularmente a las iglesias protestantes, «por sentimentalismo», afirmaba, con una floritura de la mano. Procedía de una población de Iowa donde residían muchos suecos, y sabía hablar un poco su idioma, lo que le proporcionaba una gran ventaja en sus tratos con los primeros colonos suecos.

En todos los asentamientos fronterizos hay hombres que están ahí para escapar a las normas. Cutter era uno de los hombres de negocios de Black Hawk que habían prosperado rápidamente. Era un jugador inveterado y un mal perdedor. Cuando veíamos brillar una luz en su despacho a una hora tardía sabíamos que había allí una partida de póquer. Cutter alardeaba de que jamás bebía un licor más fuerte que el jerez, y decía que había empezado a medrar en la vida ahorrando el dinero que otros jóvenes se gastaban en cigarros. Tenía un montón de máximas morales para chicos. Cuando venía a nuestra casa por negocios, me citaba el «Almanaque del pobre Richard» y me decía que estaba encantado de conocer a un chico de ciudad que sabía ordeñar una vaca. Era especialmente cordial con la abuela, y siempre que se encontraban se lanzaba inmediatamente a hablar sobre «los buenos viejos tiempos» y la vida sencilla. Yo detestaba su cabeza calva y rosada, sus patillas amarillas, siempre suaves y relucientes. Se decía que se las cepillaba cada noche, igual que se peina una mujer. Sus dientes blancos parecían de fábrica. Tenía la piel roja y basta, como si estuviera siempre quemada por el sol; se iba con frecuencia a unas fuentes termales para tomar baños de fango. Con las mujeres tenía fama de disoluto. Dos chicas suecas que habían vivido en su casa salieron mal paradas de la experiencia. A una de ellas la llevó a Omaha y la estableció en el negocio para el que la había hecho apropiada. Aún la visitaba.

Cutter vivía en un estado de guerra permanente con su esposa y, sin embargo, al parecer no pensaron nunca en la separación. Vivían en una casa de estilo recargado, con volutas, pintada de blanco y enterrada entre árboles de hoja perenne, con una valla blanca y un establo, también recargados. Cutter creía que sabía mucho sobre caballos y solía tener algún potro entrenando para las carreras. Los domingos por la mañana frecuentaba el recinto de la feria, dando vueltas a gran velocidad en la pista de carreras con su calesa, llevando guantes amarillos y una gorra de viaje a cuadros blancos y negros, y con las patillas amarillas ondeando al viento. Si había chicos merodeando por allí, Cutter ofrecía un cuarto de dólar a cualquiera de ellos por sostener el cronómetro, y luego se iba sin pagar, diciendo que no tenía cambio y que «ya saldarían cuentas la próxima vez». Nadie le cortaba el césped ni le lavaba la calesa a su gusto. Era tan quisquilloso y remilgado con su propiedad que un chico podía meterse en un buen aprieto si arrojaba un gato muerto en la parte de atrás de su jardín o dejaba caer un saco lleno de latas en su callejón. Era una mezcla peculiar de mojigatería y de libertinaje lo que hacía parecer a Cutter tan despreciable.

Desde luego había encontrado la horma de su zapato en la señora Cutter. Era ésta una persona de aspecto terrorífico; de una estatura casi gigantesca, huesos prominentes, cabellos de un gris acerado, el rostro siempre rubicundo y ojos saltones e histéricos. Cuando pretendía ser divertida y agradable, asentía con la cabeza sin parar y fijaba los ojos en su interlocutor. Tenía los dientes largos y curvados como los de un caballo; la gente afirmaba que cualquier bebé lloraba indefectiblemente si ella le sonreía. Su rostro ejercía cierta fascinación sobre mí: tenía exactamente el color y la forma de la ira. En sus ojos redondos y penetrantes brillaba algo cercano a la locura. Le gustaban las formalidades y para hacer sus visitas lucía susurrantes vestidos de brocado gris y un sombrero alto con plumas enhiestas.

La señora Cutter tenía tal afición a pintar porcelanas que incluso las palanganas y jofainas, y el recipiente para el jabón de afeitar de su marido estaban cubiertos de violetas y azucenas. En una ocasión en que Cutter estaba mostrando a una visita parte de la porcelana pintada por su esposa, dejó caer una de las piezas. La señora Cutter se llevó el pañuelo a los labios como si fuera a desmayarse y dijo pomposamente: «Señor Cutter, ha quebrantado usted todos los Mandamientos; ¡deje al menos los aguamaniles!».

Marido y mujer se peleaban desde que Cutter entraba en la casa hasta que se acostaban por la noche, y sus criadas comentaban sus escenas por toda la ciudad. Varias veces, la señora Cutter había recortado párrafos de los periódicos sobre maridos adúlteros, y se los había enviado a su marido, disimulando la letra. Cutter llegaba a casa a mediodía, encontraba el periódico mutilado en su sitio habitual y encajaba el recorte en el espacio del que había sido extraído con aire de triunfo. Aquella pareja podía pasarse toda una mañana discutiendo sobre si él debía ponerse la ropa interior más gruesa, y toda la noche sobre si se había resfriado o no.

Los Cutter tenían motivos de disputa tan importantes como otros eran nimios. El principal era la cuestión de la herencia: la señora Cutter acusaba a su marido de ser el culpable de que no tuvieran hijos. Él insistía en que la señora Cutter no había tenido hijos a propósito, con la intención de vivir más que él y repartirse la herencia con su «gente», a la que él detestaba. A esto replicaba ella que, a menos que cambiara su estilo de vida, sin duda acabaría dejándola viuda. Tras escuchar las insinuaciones de su mujer sobre su condición física, Cutter volvía a sus ejercicios de pesas durante un mes o se levantaba diariamente a la hora en que a ella más le gustaba dormir, se vestía ruidosamente y se iba a la pista con su caballo trotón.

Una vez, después de pelearse por culpa de los gastos de la casa, la señora Cutter se puso su vestido de brocado y visitó a sus amigos para pedirles que le encargaran porcelanas pintadas, ya que el señor Cutter la obligaba a «vivir de su pincel». Cutter no se sintió abochornado como ella esperaba; ¡le encantó!

Cutter amenazaba a menudo con talar los cedros que ocultaban la casa casi por completo. Su mujer afirmaba que lo abandonaría si la privaba de la «intimidad» que, según ella, le proporcionaban aquellos árboles. Qué duda cabe que aquélla fue una oportunidad única; pero Cutter nunca taló los árboles. Los Cutter parecían considerar que su relación era interesante y estimulante, y desde luego lo mismo opinábamos los demás. Wick Cutter era distinto de cualquier otro granuja al que haya conocido, pero he tropezado con señoras Cutter por todo el orbe; a veces, fundando nuevas religiones, otras, siendo alimentadas a la fuerza; fácilmente reconocibles, incluso cuando estaban domesticadas en apariencia.

XII

Después de que Ántonia se fuera a vivir con los Cutter, pareció perder todo interés por las meriendas campestres, las fiestas y las diversiones. Cuando no iba al baile, se quedaba cosiendo hasta la medianoche. Su nueva forma de vestir fue objeto de cáusticos comentarios. Siguiendo las indicaciones de Lena, copió en telas baratas el vestido de noche nuevo de la señora Gardener y el traje de calle de la señora Smith con tanto ingenio que ambas señoras se ofendieron, y la señora Cutter, que les tenía celos, se sintió secretamente complacida.

Tony empezó a llevar guantes, y zapatos de tacón, y sombreros de plumas, y casi todas las tardes iba a la ciudad con Tiny y Lena y con la noruega de los Marshall, Anna. Nosotros, los chicos del instituto, solíamos quedarnos en el patio durante el recreo para verlas pasar cuando bajaban la cuesta, caminando emparejadas por la acera. Cada día estaban más guapas, pero cuando pasaban por delante de nosotros me decía con orgullo que Ántonia seguía siendo «la más bella», como la Blancanieves del cuento.

Como yo estaba ya en el último curso, acababa las clases temprano. Algunas veces alcanzaba a las chicas cuando se dirigían al centro y las convencía para que vinieran conmigo a la heladería, donde parloteaban y reían, y me contaban todas las novedades del campo.

Recuerdo lo furioso que me puse una tarde por culpa de Tiny Soderball. Afirmó que había oído decir que la abuela iba a hacer de mí un predicador baptista.

–Supongo que tendrás que dejar de bailar y llevarás uno de esos cuellos blancos. ¿Verdad que estará muy gracioso, chicas?

Lena se echó a reír.

–Tendrás que darte prisa, Jim. Si vas a ser predicador, quiero que te cases conmigo. Tienes que prometernos que te casarás con todas nosotras y que luego bautizarás a los niños.

La noruega Anna, siempre digna, le lanzó una mirada de recriminación.

–Los baptistas no bautizan a los bebés, ¿verdad, Jim?

Le dije que no tenía la menor idea, ni me importaba, y que desde luego no pensaba ser predicador.

–Qué lástima –dijo Tiny, sonriendo como una boba. Estaba de guasa–. Lo harías muy bien. Eres tan estudioso. Quizá te gustaría ser profesor. A Tony le diste clases, ¿verdad?

Ántonia intervino entonces:

–A mí me haría ilusión que Jim fuera médico. Serías muy bueno con los enfermos, Jim. Tu abuela te ha educado muy bien. Mi padre decía siempre que eras un chico muy listo.

Yo repliqué que sería lo que me diera la gana.

–¿No la sorprendería, señorita Tiny, que resultara ser un demonio?

Se rieron hasta que una mirada de la noruega Anna las hizo callar; el director del instituto acababa de entrar en la tienda a comprar el pan para la cena. Anna sabía que se estaba esparciendo el rumor de que yo era un pillo. La gente decía que tenía que haber algo raro en un chico que no mostraba interés alguno por las chicas de su edad, pero se le veía la mar de contento en compañía de Tony, Lena o las tres Marys.

El entusiasmo por el baile que habían despertado los Vanni no se extinguió fácilmente. Cuando la carpa abandonó la ciudad, el Club de Euchre se convirtió en el Club de los Búhos, que celebraba bailes en el Gremio de Albañiles una vez por semana. Me invitaron a asistir, pero rehusé. Aquel invierno estaba deprimido e inquieto, y cansado de la gente que veía todos los días. Charley Harling se había ido ya a Annapolis, mientras que yo tenía que quedarme en Black Hawk, respondiendo todas las mañanas cuando se decía mi nombre, levantándome del pupitre con el sonido de una campana y saliendo en fila como los niños pequeños. La señora Harling me trataba con cierta frialdad, porque yo seguía defendiendo a Ántonia. ¿Qué podía hacer después de cenar? Cuando salía del edificio de la escuela solía llevar ya aprendidas las lecciones del día siguiente, y no podía quedarme sentado leyendo todas las noches.

Pasaba las veladas deambulando por la ciudad, buscando un poco de diversión. Las calles eran las mismas de siempre, heladas por la nieve o cubiertas de lodo. Conducían a las casas de las buenas gentes que acostaban a sus bebés o, sencillamente, se sentaban junto a la estufa de la salita para digerir la cena. Black Hawk tenía dos cantinas. De una de ellas, incluso la gente de iglesia admitía que era tan respetable como podía serlo una cantina. El apuesto Anton Jelinek, que había arrendado sus tierras para venirse a la ciudad, era el propietario. En su salón había mesas largas donde los granjeros alemanes y de Bohemia podían comerse lo que habían llevado de casa mientras bebían cerveza. Jelinek tenía a mano pan de centeno y pescado ahumado y fuertes quesos importados para complacer paladares extranjeros. A mí me gustaba ir allí a escuchar las conversaciones. Pero un día, Anton me encontró en la calle y me dio una palmada en el hombro.

–Jim –me dijo–. Tú y yo somos buenos amigos y siempre me alegro de verte. Pero ya sabes lo que piensa la gente de iglesia de las cantinas. Tu abuelo siempre me ha tratado bien, y no me gusta que vengas a mi local, porque sé que a él no le gusta; eso me pone a malas con él.

Así que me vi privado de aquellas visitas.

Se podía ir a la tienda y escuchar a los viejos que se sentaban allí todas las noches para hablar de política y contar historias picantes. Se podía ir a la fábrica de cigarros y charlar con el viejo alemán que criaba canarios para la venta y cuidaba de sus pájaros disecados. Pero fuera cual fuera el inicio de la conversación, acababa siempre volviendo a la taxidermia. Estaba la estación, por supuesto; con frecuencia iba a ver la llegada del tren nocturno y después me sentaba un rato con el desconsolado telegrafista, cuyo único deseo era que lo trasladaran a Omaha o a Denver, «donde había más animación». Al final siempre acababa sacando sus fotos de actrices y bailarinas. Las conseguía con los cupones de los cigarrillos y prácticamente se mataba a fumar por la posesión de las formas y los rostros que tanto deseaba. Para variar, se podía hablar con el jefe de estación, pero era otro amargado; dedicaba todo su tiempo libre a escribir cartas a sus superiores, pidiendo el traslado. Quería regresar a Wyoming, donde podía ir a pescar truchas los domingos. Solía decir que «no le interesaba nada más en la vida que los ríos trucheros, desde que había perdido a sus gemelos».

Tales eran las distracciones que tenía para elegir. Después de las nueve no había otras luces encendidas en la ciudad. En las noches estrelladas me paseaba por aquellas calles largas y frías mirando ceñudo las casas pequeñas y silenciosas que las flanqueaban, con sus contraventanas y sus porches traseros cubiertos. Eran refugios endebles, la mayoría pobremente construidos con maderas ligeras, con postes en los porches en forma de huso, horriblemente mutilados por el torno. Sin embargo, a pesar de su fragilidad, ¡cuántos celos, envidia e infelicidad llegaban a contener algunas de ellas! La vida que se desarrollaba en su interior me parecía hecha de evasiones y negativas; cambios para ahorrarse cocinar, y lavar, y limpiar, aparatos para propiciar los chismorreos. Este modo de vida cauteloso era como una tiranía. La forma de hablar de la gente, su voz, hasta sus miradas, se volvían furtivos, se reprimían. La cautela domeñaba todo gusto individual, todo apetito natural. La gente que dormía en aquellas casas, me decía, intentaba vivir como los ratones de sus propias cocinas; sin hacer ruido, sin dejar huella, deslizándose sobre la superficie de las cosas en la oscuridad. Los montones de cenizas y carbonilla que se iban acumulando en la parte de atrás era la única prueba de que el proceso de la vida, despilfarrador y consumista, no se había detenido por completo. Los martes por la noche el Club de los Búhos bailaba; entonces había algo de movimiento en la calle y se veía alguna ventana iluminada, aquí y allá, hasta la medianoche. Pero a la noche siguiente todo volvía a estar en tinieblas.

Después de rechazar la invitación para unirme a «los s», como los llamaban, resolví audazmente que iría a los bailes del sábado por la noche en el Cuartel de Bomberos. Sabía que sería inútil comunicar estos planes a mis mayores. El abuelo no aprobaba los bailes, de todas formas; se limitaría a decir que, si quería bailar, debería ir al Gremio de Albañiles, con «la gente que conocíamos». Precisamente el problema era que veía demasiado a la gente que conocíamos.

Mi dormitorio estaba en la planta baja y, como estudiaba en ella, disponía de una estufa. Los sábados por la noche solía retirarme temprano, me cambiaba la camisa y el cuello y me ponía la chaqueta de los domingos. Esperaba a que todo estuviera en silencio y a que mis abuelos se hubieran dormido, luego levantaba la ventana de guillotina, saltaba al otro lado y atravesaba el jardín a hurtadillas. La primera vez que engañé a mis abuelos me sentí fatal, incluso puede que también me sintiera mal la segunda vez, pero enseguida dejé de pensar en ello.

Me pasaba la semana esperando con impaciencia el baile del Cuartel de Bomberos. Allí coincidía con la misma gente que solía ver en la carpa de los Vanni. Algunas veces había bohemios de Wilber, o chicos alemanes que llegaban con el tren de mercancías de la tarde procedente de Bismarck.

Tony y Lena y Tiny siempre iban, y las tres Marys de Bohemia, y las chicas danesas de la lavandería.

Las cuatro chicas danesas vivían con el dueño de la lavandería y su mujer en la casa que estaba detrás de la lavandería, con un gran jardín donde se tendía la ropa para que se secara. El dueño era un señor mayor, amable y prudente, que pagaba bien a sus empleadas, velaba por ellas y les proporcionaba un buen hogar. En una ocasión me dijo que su hija había muerto cuando empezaba a ser lo bastante mayor para ayudar a su madre, y que había estado «intentando compensarlo desde entonces». En verano solía pasarse la tarde sentado en la acera, frente a su lavandería, con el periódico sobre la rodilla, contemplando a sus chicas a través del ventanal abierto, mientras ellas planchaban y charlaban en danés. Las nubes de polvo blanco que barrían la calle, las ráfagas de aire cálido que agostaban su huerta, jamás perturbaron su calma. Su graciosa expresión parecía decir que había hallado el secreto de la felicidad. Mañana y tarde recorría la ciudad con su carrito, repartiendo ropa recién planchada y recogiendo sacos de ropa blanca que pedía a gritos su agua jabonosa y su soleado tendedero. Sus chicas no estaban nunca tan guapas en los bailes como de pie junto a la tabla de planchar, o inclinadas sobre las tinas, lavando las prendas delicadas con el cuello y los blancos brazos desnudos, las mejillas arreboladas como las rosas silvestres más vistosas, los cabellos dorados húmedos por el vapor o el calor, enroscados en pequeñas espirales alrededor de las orejas. No habían aprendido mucho inglés, y no eran tan ambiciosas como Tony o Lena, pero eran chicas buenas y sencillas, y siempre estaban alegres. Cuando uno bailaba con ellas, olía sus ropas limpias y recién planchadas que guardaban con hojas de romero del huerto del señor Jensen.

Nunca había suficientes chicas para dar unas vueltas en aquellos bailes, pero todos querían bailar con Tony y Lena.

Lena se movía sin esforzarse, con indolencia, y a menudo llevaba el ritmo suavemente con la mano sobre el hombro de su pareja. Sonreía si le hablaban, pero raras veces respondía. La música parecía sumirla en un leve trance y sus ojos de color violeta lo miraban a uno con expresión soñolienta y confiada bajo las largas pestañas. Cuando suspiraba, exhalaba un intenso olor a polvos perfumados. Bailar *Hogar, dulce hogar* con Lena era como subir con la marea. Lo bailaba todo como un vals y era siempre el mismo: el vals de volver a casa con un propósito, de un regreso inevitable y predestinado. Después de un rato, uno se sentía inquieto, como en un día de verano, bochornoso y quieto.

Cuando uno giraba en la pista de baile con Tony, no regresaba a nada; emprendía cada vez una aventura nueva. Me gustaba bailar la danza escocesa con ella; tenía mucha energía y variedad, e incorporaba siempre nuevos pasos. Me enseñó a bailar contra el ritmo absoluto de la música, y en torno a él. Si, en lugar de seguir hasta el final de la línea férrea, el viejo señor Shimerda se hubiera quedado en Nueva York y se hubiera ganado la vida tocando el violín, ¡qué diferente podría haber sido la vida de Ántonia!

A menudo Ántonia iba al baile con Larry Donovan, un revisor de tren que era una especie de galán profesional, como decíamos nosotros. Recuerdo con qué admiración la miraron todos los muchachos la noche en que estrenó su vestido de velvetón, copiado del vestido de terciopelo negro de la señora Gardener. Estaba preciosa, con los ojos brillantes y los labios siempre un poco separados cuando bailaba. Aquel color intenso y constante de sus mejillas no variaba nunca.

Una noche en que Donovan estaba fuera, trabajando, Ántonia vino al baile con Anna, la noruega, y su pareja, y después yo la acompañé a casa. Cuando llegamos al jardín de los Cutter, protegido por los árboles, le dije que tenía que darme un beso de buenas noches.

–Pues claro, Jim. –Segundos después apartaba la cara y susurraba con indignación–: ¡Jim! Sabes que no está bien que me beses así. ¡Se lo diré a tu abuela!

–Lena Lingard me deja besarla –repliqué– y no la quiero ni la mitad de lo que te quiero a ti.

–¿Que Lena te deja? –exclamó Tony–. ¡Como intente alguna tontería de las suyas contigo, le arrancaré los ojos! –Volvió a cogerse de mi brazo, salimos por la cancela y paseamos por la acera–. Mira, no vayas a ser tan estúpido como algunos de los chicos de la ciudad. Tú no tienes que quedarte aquí, tallando cajas y contando trolas toda tu vida. Tienes que irte a estudiar y convertirte en alguien importante. Estoy muy orgullosa de ti. No irás a mezclarte con las suecas, ¿verdad que no?

–No me importa nadie más que tú –dije–. Y supongo que tú siempre me tratarás como a un crío.

Ella se rió y me rodeó con los brazos.

–Supongo que sí, ¡pero de todas formas, eres el crío al que más quiero! Puedo gustarte yo todo lo que quieras, pero si veo que andas tonteando con Lena, iré a contárselo a tu abuela, ¡tan seguro como que te llamas Jim Burden! Lena es buena chica, pero... bueno, tú ya sabes que en eso se deja llevar. No puede evitarlo. Es su naturaleza.

Si ella estaba orgullosa de mí, yo estaba tan orgulloso de ella que alcé la cabeza cuando emergí de entre los oscuros cedros y cerré la cancela de los Cutter suavemente tras de mí. El rostro cálido y dulce de Ántonia, sus brazos amables y ese corazón fiel que tenía; ¡era, oh, todavía era mi Ántonia! Miré con desdén las casitas silenciosas y oscuras por las que pasaba, y pensé en los estúpidos jóvenes que dormían en algunas de ellas. Yo sabía dónde estaban las verdaderas mujeres, aunque sólo era un muchacho, ¡y no les tendría miedo!

Detestaba el momento de entrar en mi tranquila casa cuando volvía del baile, y tardaba mucho tiempo en dormirme. Hacia la mañana tenía agradables sueños: algunas veces Tony y yo estábamos en la pradera, deslizándonos por los almiares como solíamos hacer; trepando a las montañas amarillas una y otra vez, y resbalando cuesta abajo por las suaves laderas hasta caer en blandos montones de granzas.

Un sueño se repetía infinidad de veces, y era siempre igual. Estaba en un campo cubierto de gavillas, apoyado en una de ellas. Lena Lingard venía hacia mí por entre los rastrojos, con los pies descalzos, la falda corta y una hoz en la mano; tenía el rostro encendido como la aurora y parecía rodeada toda ella por una especie de rubor luminoso. Se sentaba junto a mí, me miraba con un leve suspiro y decía: «Ahora que se han ido todos, puedo besarte cuanto quiera».

Yo deseaba tener con Ántonia aquel sueño tan halagador, pero nunca ocurrió.

XIII

Una tarde advertí que la abuela había estado llorando. Parecía arrastrar los pies al moverse por la casa, así que me levanté de la mesa donde estaba estudiando y me acerqué a ella para preguntarle si no se encontraba bien y si quería que la ayudara.

–No, gracias, Jim. Estoy preocupada, pero supongo que estoy bien. Tengo los huesos un poco viejos, tal vez –añadió con amargura. Yo vacilé.

–¿Qué es lo que te preocupa, abuela? ¿Ha perdido dinero el abuelo?

–No, no es el dinero. Ojalá. He oído ciertas cosas. Deberías haberte imaginado que acabaría enterándome. –Se dejó caer en una silla y, cubriéndose la cara con el delantal, se echó a llorar–. Jim –dijo–, nunca he sido de las que creen que los abuelos pueden criar a los nietos. Pero las cosas vinieron así; en tu caso no parecía haber otra solución.

La rodeé con los brazos. Me partía el corazón verla llorar.

–¿Qué pasa, abuela? ¿Es por los bailes del Cuartel de Bomberos?

Ella asintió.

–Siento haberme escabullido de esa manera. Pero no hay nada malo en esos bailes, y tampoco yo he hecho nada malo. Me gustan todas las chicas del campo, y me gusta bailar con ellas. No es nada más que eso.

–Pero no está bien que nos engañes, hijo, y con ello nos haces responsables. La gente dice que acabarás siendo un chico malo, y eso no es justo para nosotros.

–No me importa lo que digan de mí, pero si eso os hace daño a vosotros, no hay más que hablar. No volveré al Cuartel de Bomberos nunca más.

Mantuve mi promesa, por supuesto, pero los meses primaverales fueron de lo más aburridos. Pasaba la velada en casa con los abuelos, estudiando latín, que no dábamos en el instituto. Había decidido estudiar en verano todo lo que necesitara para ingresar en otoño en el primer curso de la universidad. Quería marcharme lo antes posible.

Descubrí que la desaprobación de los demás me dolía, aunque se tratara de personas por las que no sentía la menor admiración. A medida que pasaba el tiempo me volvía más y más solitario, y volví a frecuentar la compañía del telegrafista y la del fabricante de cigarros y sus canarios. Recuerdo que en aquella primavera me produjo un placer melancólico arreglar una cesta de mayo[19] para Nina Harling. Le compré las flores a una vieja alemana, que era siempre la que tenía más macetas en los alféizares de las ventanas, y dediqué una tarde a adornar con ellas un pequeño costurero. Cuando se hizo de noche y brilló la luna nueva

[19] Cesta con la que se regalan flores o dulces el primero de mayo, colgándola de la puerta de la persona escogida.

en el firmamento, me dirigí sigilosamente a la puerta de los Harling con mi regalo, toqué la campanilla y luego salí corriendo, como mandaba la costumbre. Desde el otro lado del seto de sauces oí las exclamaciones de deleite de Nina y me sentí reconfortado.

En aquellas noches cálidas y apacibles de primavera me quedaba a menudo en el centro para acompañar a Frances a casa y charlaba con ella sobre mis planes y sobre mis lecturas. Una noche me dijo que le parecía que la señora Harling no se sentía realmente ofendida por mi conducta.

–Supongo que mamá es tan liberal como pueda serlo una madre. Pero ya sabes que le dolió mucho lo de Ántonia, y no puede entender por qué te gusta más la compañía de Tiny y de Lena que la de las chicas de tu propio ambiente.

–¿Lo entiendes tú? –pregunté sin rodeos.

Frances se echó a reír.

–Sí, creo que sí. Las conocías cuando vivías en la pradera, y te gusta tomar partido. En ciertos aspectos eres más maduro que los demás chicos de tu edad. Todo se arreglará con mamá cuando hayas pasado el examen para la universidad y se dé cuenta de que eres un chico serio.

–Si fueras un chico –insistí–, tampoco tú pertenecerías al Club de los Búhos. Serías como yo.

Negó con la cabeza.

–Sería como tú y no lo sería. Creo que conozco a las chicas del campo mejor que tú. Tú siempre las ves rodeadas por una especie de aureola. Lo que a ti te pasa, Jim, es que eres un romántico. Mamá irá a la ceremonia de graduación del instituto. El otro día me preguntó si sabía cuál iba a ser el tema de tu discurso. Quiere que hagas un buen papel.

Yo estaba convencido de que mi discurso era muy bueno. Exponía con fervor muchas cosas que había descubierto en los últimos tiempos. La señora Harling vino al teatro de la ópera a ver la ceremonia; yo la miré a ella casi todo el tiempo mientras pronunciaba mi discurso. Sus ojos perspicaces e inteligentes no se apartaron de mi rostro en ningún instante. Después vino al camerino donde estábamos todos con el diploma en la mano, se acercó a mí y dijo de todo corazón:

–Me has sorprendido, Jim. No creía que pudieras hacerlo tan bien. Ese discurso no lo has sacado de los libros.

Entre los demás regalos que recibí por mi graduación, había un paraguas de seda de la señora Harling con mi nombre en el puño.

Volví a casa solo. Al pasar por la iglesia metodista vi tres figuras blancas delante de mí, paseando de un lado a otro bajo los arces, cuyo exuberante follaje filtraba la luz de la luna en aquel mes de junio. Vinieron hacia mí presurosas; me esperaban: Lena y Tony y Anna Hansen.

–¡Oh, Jim, has estado espléndido! –Tony resoplaba con fuerza, como siempre que las emociones no la dejaban hablar–. Ningún abogado de Black Hawk podría hacer un discurso así. Acabo de ver a tu abuelo y le he dicho eso mismo. Él no lo admitirá, pero a nosotras nos ha dicho que se ha llevado una gran sorpresa, ¿no es verdad, chicas?

Lena se acercó más para decirme con tono de guasa:

–¿Cómo es que estabas tan solemne? Me has parecido asustado. Estaba segura de que lo olvidarías todo.

Anna habló con añoranza en la voz.

–Debe de hacerte muy feliz, Jim, tener todo el tiempo pensamientos como ésos en la cabeza, y palabras para expresarlos. Yo siempre quise ir a la escuela, ¿sabes?

–¡Oh, mientras estaba allí sentada, deseaba que mi padre te hubiera oído, Jim! –Ántonia me cogió por las solapas de la chaqueta–. ¡Había algo en tu discurso que me recordó tanto a mi padre!

–Pensé en él cuando escribí el discurso, Tony –dije–. Se lo he dedicado a él.

Tony me abrazó; su amado rostro estaba arrasado por las lágrimas.

Me quedé contemplando el tenue brillo de sus vestidos blancos, cada vez más débil, mientras se alejaban. No he tenido después ningún otro éxito que me haya emocionado tanto como aquél.

XIV

El día después de la graduación trasladé mis libros y mi escritorio arriba, a una habitación vacía donde no me molestaría nadie, y me dispuse a estudiar de lo lindo. Despaché un curso entero de trigonometría aquel verano y empecé a leer a Virgilio por mi cuenta. Una mañana tras otra me paseaba por mi cuarto pequeño y soleado, contemplando las lejanas y escarpadas riberas del río y los ondulantes y rubios pastos, leyendo la *Eneida* en voz alta y aprendiéndome largos pasajes de memoria. Algunas noches, la señora Harling me llamaba cuando pasaba por delante de su puerta y me pedía que entrara a oírla tocar. Echaba de menos a Charley, decía, y le gustaba tener a un varón en la casa. Siempre que a mis abuelos les entraban las dudas y se preguntaban si no sería demasiado joven para irme solo a estudiar a la universidad, la señora Harling defendía mi causa con energía. Yo sabía que el abuelo sentía tal respeto hacia sus opiniones que no le llevaría la contraria.

Sólo tuve un día de fiesta aquel verano. Fue en julio. Me encontré con Ántonia en la ciudad el sábado por la tarde y me enteré de que Tiny, Lena y ella irían al río al día siguiente con Anna Hansen; los saúcos estaban en flor y Anna quería hacer vino con sus bayas.

–Anna nos llevará en el carro de reparto de los Marshall y llevaremos buena comida. Sólo nosotras; nadie más. ¿No podrás venir tú por casualidad, Jim? Sería como en los viejos tiempos.

Reflexioné unos instantes.

–Quizá pueda, si no os molesto.

El domingo por la mañana me levanté temprano y abandoné Black Hawk cuando el rocío cubría aún la larga hierba de los prados. Era la mejor época para las flores del estío. Las rosadas melisas de Virginia se erguían en el borde arenoso de los caminos y las rubeckias y las malvarrosas crecían por todas partes. Al otro lado de la alambrada, en la hierba alta, vi un montón de algodoncillos de llameante color naranja, que eran raros en aquella parte del estado. Dejé el camino y rodeé unos pastos, cuya hierba se segaba siempre en verano, y donde brotaban gaillardias año tras año, formando un manto que tenía el intenso color rojo aterciopelado de las alfombras de Bujara. Sólo se veían alondras en el paisaje desierto y solitario aquel domingo por la mañana, y la tierra parecía alzarse hacia mí y llegarme muy cerca.

El río llevaba mucha agua para ser pleno verano; las fuertes lluvias del Oeste habían mantenido su caudal. Crucé el puente y caminé río arriba por la orilla boscosa hasta llegar a una bonita caseta que conocía, situada entre arbustos de cornejos cubiertos por vides silvestres. Empecé a desvestirme para ir a nadar. Las chicas aún tardarían un rato. Por primera vez se me ocurrió que sentiría nostalgia del río cuando me fuera. Los bancos de arena, con sus limpias playas blancas y sus bosquecillos de sauces y álamos jóvenes, constituían una especie de tierra de nadie, un pequeño mundo recién creado que pertenecía a los chicos de Black Hawk. Charley Harling y yo habíamos ido de caza por aquellos bosques y habíamos pescado desde los troncos caídos hasta llegar a conocer cada centímetro de las orillas del río y sentir amistad por cada banco de arena y cada vado.

Después de nadar, mientras jugueteaba con indolencia en el agua, oí ruido de cascos y de ruedas en el puente. Nadé río abajo y grité cuando apareció ante mi vista un carro abierto en el arco central del puente. El caballo se detuvo y las dos chicas que iban en el fondo del carro se levantaron, apoyándose en los hombros de las dos chicas de delante, para poder verme mejor. Formaban un grupito encantador allí arriba, apiñadas en el carro y mirándome como ciervas curiosas surgidas de la espesura para beber. Encontré un sitio cerca del puente donde hacía pie y me levanté, agitando la mano para saludarlas.

–¡Qué guapas estáis! –grité.

–¡Y tú también! –me gritaron todas al unísono, y estallaron en carcajadas. Anna Hansen sacudió las riendas y el carro reanudó la marcha, mientras yo regresaba a mi brazo del río nadando en zigzag y trepaba a la orilla por un olmo inclinado sobre el agua. Me sequé al sol y me vestí lentamente, reacio a dejar aquel verde retiro hasta el que los intensos rayos del sol se filtraban a través de las hojas de parra y donde el pájaro carpintero martilleaba el olmo encorvado que se alargaba sobre el río. De regreso al puente, iba recogiendo pequeños trozos de tierra caliza escamosa de los charcos secos y los desmenuzaba entre los dedos.

Cuando di con el caballo de los Marshall atado a la sombra, las chicas ya habían cogido sus cestas y habían bajado por el camino del este que serpenteaba entre la arena y la maleza. Las oí llamarse unas a otras. Los saúcos no crecían en los barrancos, a la sombra de las escarpadas riberas del río, sino en el fondo cálido y arenoso, junto al agua, donde las raíces tenían siempre humedad y el sol calentaba los tallos. Aquel verano, las flores eran especialmente abundantes y hermosas.

Eché a andar por una cañada cubierta de una espesa maleza hasta que llegué a una cuesta que descendía en abrupta pendiente hasta el río. Alguna riada primaveral había arrancado un buen trozo de la orilla, y la cicatriz se ocultaba bajo los saúcos que crecían hasta el agua en floridos bancales. No los toqué. Me sentía invadido por el contento y la pereza y el cálido silencio que me rodeaba. No había más sonido que el zumbido agudo y cantarín de las abejas y el risueño gorjeo del agua. Atisbé por el borde del terraplén para ver el arroyo que producía ese ruido; el agua límpida y clara discurría por su cauce de arena y grava, separado de la fangosa corriente principal por un largo bancal de arena. Allá abajo, muy cerca del agua, vi a Ántonia, sentada sola bajo los saúcos semejantes a pagodas. Alzó la mirada cuando me oyó y esbozó una sonrisa, pero vi que había llorado. Bajé deslizándome hasta la blanda arena donde estaba sentada y le pregunté qué le pasaba.

–Me hace sentir nostalgia, Jimmy, esta flor, este aroma

–dijo en voz baja–. Teníamos muchas flores de éstas en casa, en mi país. Siempre crecían en nuestro jardín y mi padre tenía un banco y una mesa verdes bajo los arbustos. En verano, cuando florecían, se sentaba allí con su amigo, el que tocaba el trombón. Cuando yo era pequeña me acercaba para escuchar su charla; una charla hermosa como la que nunca se oye en este país.

–¿De qué hablaban? –le pregunté. Ella suspiró y meneó la cabeza.

–¡Oh, no lo sé! Sobre música, sobre los bosques, y sobre Dios, y sobre la época en la que eran jóvenes. –Se giró hacia mí de repente y me miró a los ojos–. Jimmy, ¿tú crees que quizá el espíritu de mi padre pueda volver a aquellos lugares?

Le conté que había sentido la presencia de su padre aquel día invernal en que mis abuelos habían ido a ver el cadáver, dejándome solo en casa. Le dije que desde entonces estaba convencido de que había regresado a su país y que, cuando pasaba junto a su tumba, no dejaba nunca de pensar, pese a los años transcurridos, que se encontraba en los campos y los bosques que tanto quería.

Ántonia tenía los ojos más confiados y expresivos del mundo; el amor y la credulidad parecían asomar por ellos con el rostro al descubierto.

–¿Por qué no me lo habías dicho antes? Eso me hace sentirme más tranquila. –Después de un rato añadió–: ¿Sabes, Jim? Mi padre era diferente de mi madre. No tenía por qué casarse con ella, y todos sus hermanos se pelearon con él cuando lo hizo. Yo oía los cuchicheos de los viejos. Decían que mi padre podría haberle dado dinero a mi madre, en lugar de casarse con ella. Pero era más viejo y era demasiado bueno para tratarla de aquella forma. Él vivía en casa de su madre y ella era una chica pobre que trabajaba con ellos de criada. Después de la boda, mi abuela no permitió que mi madre volviera a poner los pies en su casa. La única vez que yo estuve en casa de mi abuela fue en su funeral. ¿No te parece extraño?

Mientras Ántonia hablaba, me tumbé en la arena caliente y contemplé el cielo azul por entre los ramilletes de flores de los saúcos. Se podía oír el zumbido cantarín de las abejas, pero sobrevolaban las flores bajo el sol y no descendían nunca a la sombra de las hojas. Ántonia me pareció entonces exactamente igual que la niña que venía a nuestra casa con el señor Shimerda.

–Algún día, Tony, iré a tu país y a la ciudad en la que vivías. ¿Recuerdas algo de ella?

–Jim –respondió con expresión seria–, aunque me dejaran allí en medio de la noche, sabría moverme por toda la ciudad, y seguir el río hasta la ciudad siguiente, donde vivía mi abuela. Mis pies recuerdan todos los senderos que atravesaban el bosque, y dónde asomaban las grandes raíces que te hacían tropezar. Jamás olvidaré mi país.

Crujieron las ramas que había sobre nuestras cabezas y Lena Lingard nos miró desde el borde del terraplén.

–¡Eh, holgazanes! –exclamó–. ¡Con todos estos saúcos y vosotros ahí tumbados! ¿No oíais que os llamábamos?

Con el rostro casi igual de encendido que en mi sueño, Lena se inclinó sobre el borde del terraplén y empezó a demoler nuestra pagoda de flores. Jamás la había visto mostrar tanta energía; jadeaba por el esfuerzo y el sudor se le hizo gotas sobre el labio superior, breve y carnoso. Me puse en pie de un salto y subí corriendo por el terraplén.

Era ya mediodía, y hacía tanto calor que los cornejos y los robles enanos empezaban a volver el envés de sus hojas plateadas, y todo el follaje tenía una apariencia fofa y mustia. Llevé la cesta del almuerzo a lo alto de una de las pendientes de piedra caliza, donde incluso en los días más apacibles soplaba un viento suave. Los pequeños robles retorcidos y de copas achaparradas proyectaban sombras tenues sobre la hierba. A nuestros pies veíamos los meandros del río, y Black Hawk, agrupada entre árboles, y más allá el paisaje ondulante, elevándose suavemente hasta tocar el cielo. Distinguíamos las granjas y los molinos que nos eran tan familiares. Cada una de las chicas me señaló la dirección en la que estaba la granja de sus padres y me contó cuántos acres de trigo y cuántos de maíz habían sembrado aquel año.

–Mis padres –dijo Tiny Soderball– han sembrado veinte acres de centeno. Cuando está molido sirve para hacer un pan exquisito. Parece que mi madre no siente tanta nostalgia de nuestra tierra desde que mi padre ha hecho harina de centeno para ella.

–Debe de haber sido una dura prueba para nuestras madres –dijo Lena– venir aquí y encontrarlo todo tan diferente. Mi madre siempre había vivido en una ciudad. Dice que empezó tarde a trabajar en el campo y que nunca ha aprendido del todo.

–Sí, irse a un país nuevo siempre es difícil para los más mayores –dijo Anna, pensativamente–. Mi abuela empieza a estar delicada y la cabeza le falla. Se ha olvidado de este país y cree que está en Noruega. No hace más que pedirle a mi madre que la lleve a la orilla del mar y al mercado de pescado. Echa de menos comer pescado. Siempre que voy a casa le llevo latas de salmón y de caballa.

–¡Qué calor! –Lena bostezó. Estaba tumbada bajo un roble enano, descansando tras el ardor con que había recogido bayas de saúco, y se había quitado los zapatos de tacón alto que había cometido la estupidez de ponerse–. Ven, Jim. No te has quitado la arena del pelo. –Empezó a pasarme los dedos lentamente por la cabeza.

Ántonia la apartó.

–Así no se la vas a quitar –dijo con aspereza. Me dio un buen meneo en la cabeza y me despachó con un cachete en la oreja–. Lena, no deberías ponerte esos zapatos nunca más. Son demasiado pequeños para ti. Será mejor que me los des para Yulka.

–De acuerdo –dijo Lena de buen talante, escondiendo las blancas medias bajo la falda–. A Yulka se lo compras todo tú, ¿verdad? Ojalá mi padre no tuviera tan mala suerte con la maquinaria de la granja; así yo podría comprar más cosas a mis hermanas. Este otoño voy a comprarle un abrigo nuevo a Mary, ¡si es que acabamos de pagar de una vez el arado nuevo!

Tiny le preguntó por qué no esperaba a que pasaran las Navidades, ya que entonces los abrigos serían más baratos.

–¿Qué puedo hacer, pobre de mí –añadió–, con seis hermanos menores? ¡Y todos creen que soy rica porque voy bien vestida cuando vuelvo a casa! –Se encogió de hombros–. Pero ¿sabéis una cosa?: mi debilidad son los juguetes. Prefiero comprarles juguetes que otras cosas que necesitan.

–Te entiendo –dijo Anna–. Cuando llegamos aquí, yo era muy pequeña y no teníamos dinero para comprar juguetes. Nunca pude superar la pérdida de una muñeca que alguien me dio en Noruega antes de marcharnos. Un chico del barco la rompió y aún le odio por lo que hizo.

–¡Seguro que, cuando llegaste aquí, pronto tuviste un montón de muñecos de carne y hueso a los que cuidar, igual que yo! –comentó Lena irónicamente.

–Sí, desde luego los bebés vinieron uno detrás de otro. Pero nunca me importó. Los quería a todos. El último, el que nadie de la familia quería, es ahora el preferido de todos.

Lena suspiró.

–Oh, me gustan los bebés, siempre que no nazcan en invierno, como casi todos mis hermanos. No entiendo cómo lo pudo resistir mi madre. Os diré una cosa, chicas –se incorporó con súbita vitalidad–, voy a sacar a mi madre de aquella vieja covacha en la que ha vivido tantos años. Los hombres no lo conseguirán jamás. Johnnie, mi hermano mayor, dice ahora que quiere casarse y construir una casa para su chica en lugar de hacerle una a su madre. La señora Thomas me ha asegurado que pronto podré mudarme a otra ciudad y establecerme por mi cuenta. Si no abro un negocio, tal vez me case con un jugador rico.

–Pues sería un mal modo de empezar –dijo Anna sarcásticamente–. A mí me gustaría ser maestra, como Selma Kronn. ¡Imaginaos! Será la primera chica escandinava que consiga ese puesto en el instituto. Deberíamos estar orgullosas de ella.

Selma era una chica estudiosa, no demasiado tolerante con muchachas alocadas como Tiny y Lena, pero ellas siempre hablaban de Selma con admiración.

Tiny no paraba de moverse, abanicándose con el sombrero de paja.

–Si fuera lista como ella, no dejaría los libros ni de noche ni de día. Pero ella es lista desde que nació... ¡y fijaos cómo la ha educado su padre! En su país era un hombre de buena posición.

–También el padre de mi madre –musitó Lena–. ¡Para lo que nos sirve a nosotras! El padre de mi padre también era listo, pero era un cabeza loca. Se casó con una lapona. Supongo que ése es mi problema; dicen que la sangre lapona acaba por manifestarse.

–¿Una lapona auténtica, Lena? –exclamé–. ¿De esas que se visten con pieles?

–No sé si se vestía con pieles, pero era una lapona auténtica, y los padres de él se llevaron un disgusto enorme. Trabajaba de funcionario en no sé qué, y lo enviaron al Norte. Allí la conoció, y se casó con ella, claro.

–Pero yo creía que las laponas eran gordas y feas, y que tenían los ojos oblicuos como las chinas –objeté.

–No lo sé, quizá. Pero las chicas laponas deben de tener un atractivo muy especial, porque mi madre dice que los noruegos del Norte andan siempre temerosos de que sus hijos se vayan con ellas.

Por la tarde, cuando el calor era menos sofocante, jugamos animadamente a «Las cuatro esquinas» en la llana cima de la escarpadura, usando los pequeños árboles como esquinas. Lena se quedó tantas veces sin esquina que al final no quiso jugar más. Los demás nos dejamos caer en la hierba, sin aliento.

–Jim –dijo Ántonia en tono soñador–, quiero que les hables a las chicas de los españoles, que fueron los primeros en llegar aquí, igual que hacías con Charley Harling. He intentado contárselo yo, pero me olvido de muchas cosas.

Se sentaron las cuatro bajo un roble enano. Tony apoyada en el tronco y las otras apoyadas en ella o una contra otra, y escucharon lo poco que pude decirles sobre Coronado y su búsqueda de las siete ciudades doradas. En la escuela enseñaban que no había llegado tan al Norte como estaba Nebraska, sino que había abandonado la búsqueda y había dado media vuelta en algún lugar de Kansas. Pero Charley Harling y yo teníamos la íntima convicción de que Coronado había recorrido aquel mismo río que contemplábamos. Un granjero que vivía hacia el Norte había encontrado, mientras araba, una espuela de metal de excelente factura y una espada con una inscripción en español sobre la hoja. Le había prestado estas reliquias al señor Harling, y éste se las había llevado a casa. Charley y yo las limpiamos a fondo y quedaron expuestas en la oficina de Harling durante todo el verano. El padre Kelly, el sacerdote, había encontrado el nombre del artesano español en la espada y una abreviatura que se refería a la ciudad de Córdoba.

–Y eso lo vi con mis propios ojos –añadió Ántonia con acento triunfal–. ¡Así que Jim y Charley tenían razón, y los maestros se equivocaban!

Las chicas se hicieron preguntas unas a otras. ¿Por qué los españoles habían llegado hasta tan lejos? ¿Cómo debía de ser el país por aquel entonces? ¿Por qué Coronado no había vuelto a España, donde estaban sus riquezas, sus castillos y su rey? Yo no tenía las respuestas. Sólo sabía lo que decían los libros de texto, que «había muerto de pena en medio de aquella tierra inexplorada».

–No ha sido el único –dijo Ántonia con tristeza, y las demás musitaron su asentimiento.

Estuvimos sentados contemplando el paisaje y la puesta de sol. La hierba crespa que nos rodeaba parecía arder. La corteza de los robles adquirió el tono rojizo del cobre. En el río, el agua parda rielaba con reflejos dorados. Junto al arroyo, los bancales de arena resplandecían como el cristal y la luz tremolaba en los bosquecillos de sauces como lamidos por pequeñas llamas. La brisa se extinguió. En el barranco, una paloma torcaz lanzaba gemidos lastimeros y, en algún lugar lejano de los matorrales, ululaba una lechuza. Las chicas seguían reclinadas lánguidamente las unas en las otras. Los largos dedos del sol les acariciaba la frente.

De pronto vimos algo curioso: no había nubes, el sol se ponía en un cielo límpido y dorado. Justo cuando el borde inferior del disco rojo descansaba en el horizonte sobre los campos altos, una gran figura negra apareció de improviso, dibujándose en la superficie del sol. Nos pusimos en pie como movidos por un resorte, entornando los ojos para mirarla. Enseguida comprendimos qué era. En una granja de las tierras altas, alguien se había dejado el arado en el campo. El sol se ocultaba detrás de él. Agrandado en la distancia por la luz horizontal, se recortaba a contraluz, dentro del disco solar; los estevones, el dental, la reja... todo negro sobre rojo líquido. Allí, en tamaño heroico, teníamos una ilustración impresa en el sol.

Mientras hablábamos de ella en susurros, nuestra visión desapareció; el disco fue descendiendo hasta que el borde rojo se hundió en la tierra. Los campos que teníamos a nuestros pies quedaron sumidos en la oscuridad, el cielo palidecía, y aquel arado olvidado por alguien encogió hasta adquirir su pequeñez habitual en algún lugar de la pradera.

XV

A finales del mes de agosto, los Cutter se fueron a pasar unos días a Omaha, dejando a Ántonia al cuidado de la casa. Desde el escándalo de la chica sueca, Wick Cutter no conseguía mover a su esposa de Black Hawk si no la acompañaba él.

El día siguiente a su partida, Ántonia vino a vernos. La abuela advirtió que parecía preocupada y distraída.

–Algo te ronda por la cabeza, Ántonia –dijo con inquietud.

–Sí, señora Burden. Anoche apenas pude dormir. –Vaciló, y luego nos dijo que el señor Cutter se había portado de un modo muy extraño antes de irse. Había colocado toda la plata en una cesta, y ésta la había metido debajo de la cama de Ántonia, junto con una caja llena de documentos que, según le dijo, eran valiosos. Le hizo prometer que no dormiría fuera ningún día, ni volvería tarde por la noche mientras él estuviera ausente. Le prohibió terminantemente que pidiera a alguna de sus amigas que pasara la noche con ella. Estaría totalmente a salvo en la casa, le dijo, porque acababa de instalar una nueva cerradura Yale en la puerta principal.

Cutter había mostrado tal insistencia en estos detalles que Ántonia había acabado por ponerse nerviosa al pensar que estaba sola en la casa. No le había gustado que él entrara en la cocina una y otra vez para darle instrucciones, ni su manera de mirarla.

–Tengo la impresión de que está preparando otra de sus jugarretas y que intenta asustarme de algún modo.

La abuela receló enseguida.

–No creo que hagas bien en quedarte allí tal como estás. Supongo que tampoco sería correcto que dejaras la casa sola, después de haberte comprometido. Tal vez Jim querría irse allí a dormir y tú podrías venir aquí por la noche. Me sentiría más tranquila sabiendo que estás bajo mi techo. Supongo que Jim puede cuidar de la plata y de sus viejos recibos de usurero tan bien como tú.

Ántonia se volvió hacia mí con expresión anhelante.

–Oh, ¿lo harías, Jim? Te pondré sábanas limpias. Es una habitación muy fresca y la cama está junto a la ventana. Anoche no la abrí por miedo.

A mí me gustaba mi habitación y no me gustaba la casa de los Cutter bajo ninguna circunstancia, pero Tony parecía tan atribulada que consentí en probar. Descubrí que dormía allí tan bien como en cualquier otro lugar, y cuando volví a casa por la mañana me esperaba un suculento desayuno preparado por Tony. Después de las oraciones de la mañana, se sentó a la mesa con nosotros y revivimos los viejos tiempos en la pradera.

La tercera noche que pasé en la casa de los Cutter me

desperté inopinadamente con la sensación de que había oído una puerta al abrirse y cerrarse. Sin embargo, reinaba el silencio, y debí dormirme de nuevo inmediatamente.

De pronto noté que alguien se sentaba al borde de la cama. Yo sólo me desperté a medias, pero decidí que, quienquiera que fuese, podía llevarse la plata de Cutter. Tal vez, si yo seguía quieto, la encontraría y se iría con ella sin molestarme. Una mano se cerró suavemente sobre mi hombro, y al mismo tiempo noté algo peludo y con olor a colonia que me rozaba la cara. Aunque la habitación se hubiera inundado de repente de luz eléctrica, no habría visto con mayor claridad el detestable semblante barbudo que sin duda se inclinaba hacia mí. Aferré las patillas y tiré, dando voces. La mano que me agarraba por el hombro se lanzó rápidamente a mi garganta. El hombre se volvió loco; doblado sobre mí, me estrangulaba con una mano y me golpeaba el rostro con la otra, siseando, riendo entre dientes y profiriendo toda clase de insultos.

–Así que esto es lo que hace cuando yo no estoy, ¿eh? ¿Dónde está, mocoso repugnante, donde está? ¿Estás debajo de la cama, desvergonzada? ¡Ya me conozco yo tus triquiñuelas! ¡Espera a que te coja! Voy a encargarme de esta rata que tienes aquí. ¡La tengo bien atrapada!

Mientras Cutter me tuviera sujeto por el cuello, no tendría oportunidad de hacer nada. Le cogí el pulgar y se lo doblé hacia atrás hasta que dejó escapar un aullido. De un salto me levanté de la cama y lo derribé con toda facilidad. Luego me abalancé hacia la ventana abierta, di contra el mosquitero, lo arranqué de cuajo y caí al jardín tras él.

De repente me encontré corriendo por las calles del

extremo norte de Black Hawk en camisa de dormir, como ocurre a veces en las pesadillas. Cuando llegué a casa, entré por la ventana de la cocina. Me sangraban la nariz y el labio, pero estaba demasiado mal para hacer nada. Encontré un chal y un abrigo en el perchero, me tumbé en el sofá del salón y, a pesar de las heridas, me dormí.

La abuela me encontró allí por la mañana. Su grito de angustia me despertó. La verdad es que estaba hecho un asco. Cuando subía a mi habitación con su ayuda me vi de reojo en el espejo. Tenía el labio partido y abultado como un hocico de animal. Mi nariz parecía una gran ciruela azul y tenía un ojo tan amoratado e hinchado que no podía abrirlo. La abuela quería llamar al médico enseguida, pero yo le supliqué, como nunca antes había suplicado, que no llamara a nadie. Podía soportarlo todo, le dije, siempre que no me viera ni supiera nadie lo que me había ocurrido. Le rogué que no dejara entrar ni siquiera al abuelo en mi habitación. Ella pareció comprenderme, aunque estaba demasiado débil y abatido para entrar en detalles. Cuando me quitó la camisa de dormir, encontró tales moratones en el pecho y los hombros que se echó a llorar. Se pasó toda la mañana bañándome y poniéndome cataplasmas, y frotándome con árnica. Oí a Ántonia sollozar al otro lado de la puerta, pero le pedí a la abuela que la hiciera marcharse. En aquel momento no quería volver a verla nunca más. La odiaba casi tanto como a Cutter. Por su culpa tenía que pasar yo aquella vergüenza. La abuela no dejaba de proclamar lo agradecidos que debíamos sentirnos por haber sido yo y no Ántonia quien estuviera allí. Pero yo volví el rostro desfigurado hacia la pared y no sentí la menor gratitud. Mi único afán era que la abuela mantuviera a todo el mundo alejado de mí. Si llegaba a saberse, sería el cuento de nunca acabar. Imaginaba perfectamente lo que harían los viejos de la tienda con una historia como aquélla.

Mientras la abuela intentaba curarme, el abuelo se fue a la estación y averiguó que Wick Cutter había llegado a la ciudad en el expreso nocturno procedente del Este, y que había vuelto a marcharse en el tren de Denver que partía a las seis de la mañana. El jefe de estación le dijo que tenía la cara llena de parches[20] y que llevaba el brazo izquierdo en cabestrillo. Parecía tan maltrecho que el jefe de estación le preguntó qué le había pasado desde las diez de la noche, a lo que Cutter respondió lanzándole imprecaciones y amenazando con hacer que lo despidieran por falta de cortesía.

Por la tarde, mientras yo dormía, Ántonia se hizo acompañar por la abuela hasta la casa de los Cutter para ir en busca de su baúl y sus cosas. Encontraron la casa cerrada y tuvieron que forzar la ventana para entrar en el dormitorio de Ántonia. Lo encontraron en un terrible desorden. Habían sacado la ropa del armario para tirarla al suelo, pisotearla y romperla. Mi ropa estaba en un estado tal que nunca volví a verla; la abuela la quemó en la cocina económica de los Cutter.

Mientras Ántonia preparaba su baúl y ordenaba la habitación para dejarla, sonó violentamente la campanilla de la puerta principal. Era la señora Cutter –que no podía entrar, puesto que no tenía llave de la cerradura nueva– y le

[20] Se refiere a parches adhesivos, generalmente de seda cubierta por cola de pescado y glicerina, que se usaba antiguamente con fines curativos y cosméticos.

temblaba la cabeza de la rabia. «Le advertí que tendría que dominarse, si no quería que le diera un ataque», me contó después la abuela.

La abuela no permitió que viera a Ántonia, sino que la obligó a sentarse en el salón mientras le relataba lo ocurrido la noche anterior. Ántonia estaba asustada, dijo a la señora Cutter, y pasaría un tiempo en nuestra casa; sería inútil interrogar a la muchacha, puesto que ella no sabía nada de lo que había sucedido.

La señora Cutter pasó entonces a contar su historia. El día anterior por la mañana, su marido y ella habían emprendido juntos el regreso a casa desde Omaha. Tuvieron que bajar en el empalme de Waymore y pasar allí varias horas esperando el tren de Black Hawk. Durante la espera, Cutter la dejó en la estación para ir al banco de Waymore a resolver cierto asunto. A su regreso, le dijo que tendría que quedarse a pasar la noche en Waymore, pero que ella podía seguir sola hasta casa. Le compró el billete y la dejó en el tren. La señora Cutter le vio deslizar un billete de veinte dólares en su bolso junto con el billete de tren. Aquel dinero, dijo, debería haber despertado sus sospechas de inmediato... pero no fue así.

En los empalmes de las ciudades pequeñas no se llama nunca a los pasajeros al tren; todo el mundo sabe cuándo llegan. El señor Cutter enseñó el billete de su mujer al revisor y la instaló en su asiento antes de que el tren se pusiera en marcha. Era casi de noche cuando la señora Cutter descubrió que se encontraba en el expreso de Kansas City, que su billete tenía ese destino y que Cutter debía de haberlo planeado todo. El revisor le informó de que el tren de Black

Hawk tenía prevista su llegada a Waymore veinte minutos después de que se fuera el tren de Kansas City. Ella comprendió enseguida que su marido había ideado aquella estratagema para regresar a Black Hawk sin ella. No le quedó más remedio que seguir hasta Kansas City y coger el primer tren que la llevara de vuelta.

Cutter podría haber regresado a casa un día antes que su mujer valiéndose de otros ardides mucho más sencillos; podría haberla dejado en el hotel de Omaha con la excusa de que tenía que ir a Chicago unos cuantos días. Pero al parecer una parte de la diversión consistía en herir sus sentimientos en el mayor grado posible.

–El señor Cutter pagará por esto, señora Burden. ¡Ya lo creo! –afirmó la señora Cutter, asintiendo con su cabeza equina y poniendo los ojos en blanco.

La abuela dijo que no le cabía la menor duda.

Desde luego a Cutter le gustaba pasar por un demonio ante los ojos de su mujer. En cierto sentido, dependía de la excitación que causaba en la naturaleza histérica de la señora Cutter. Tal vez la sensación de ser un vividor le venía más de la ira y el asombro de su mujer que de supuestas experiencias propias. Quizá su afán libidinoso menguara, pero la certeza que de ese afán tenía su esposa no desaparecería nunca. Contaba con tener una escena después de cada aventura; eran como el fuerte licor con que se termina una larga comida. ¡La única emoción de la que realmente no podía abstenerse eran sus peleas con la señora Cutter!

Tercer libro
Lena Lingard

I

En la universidad tuve la suerte de caer bajo la influencia de un profesor joven y brillante que me sirvió de inspiración. Gaston Cleric había llegado a Lincoln unas cuantas semanas antes que yo para instalarse como jefe del departamento de latín. Sus médicos le habían sugerido que viniera al Oeste porque su salud se había quebrantado tras una larga enfermedad en Italia. Fue mi examinador en los exámenes de ingreso, y lo tuve como tutor durante el curso.

No volví a casa a pasar mis primeras vacaciones estivales, sino que permanecí en Lincoln para preparar un curso entero de griego, única condición que habían impuesto al iniciar las clases de primero. El médico de Cleric le desaconsejó que volviera a Nueva Inglaterra y, salvo unas cuantas semanas que pasó en Colorado, también él estuvo todo el verano en Lincoln. Jugamos a tenis, leímos y dimos largos paseos juntos. Siempre recordaré aquella época de despertar intelectual como una de las más felices de mi vida. Gaston Cleric me introdujo en el mundo de las ideas; cuando uno entra en ese mundo por primera vez, todo lo demás se desvanece durante un tiempo y todo lo que antes ha pasado es como si no hubiera existido. Sin embargo, descubrí algunos curiosos supervivientes; algunas de las figuras de mi antigua vida parecían esperarme en la nueva.

En aquellos tiempos había muchos jóvenes serios entre los estudiantes que procedían de las granjas agrícolas y las pequeñas ciudades esparcidas por aquel estado de población aún escasa. Algunos de ellos llegaban directamente de los maizales con tan sólo el salario de un verano en el bolsillo, permanecían los cuatro años en la universidad, mal vestidos y peor alimentados, y completaban los cursos a fuerza de sacrificios heroicos. Nuestros profesores formaban un grupo heterogéneo; maestros de escuela que habían sido pioneros de vida errante, ministros del Evangelio en apuros y unos cuantos jóvenes entusiastas recién licenciados. La atmósfera era de ahínco, de expectación y de una esperanza llena de vida en la joven universidad que había surgido de la pradera hacía apenas unos años.

Nuestra vida privada era tan libre como la de nuestros profesores. No había residencia de estudiantes; vivíamos donde y como podíamos. Yo me hospedaba en casa de una pareja de ancianos, de los primeros colonos de Lincoln, que tras casar a sus hijos llevaban una vida tranquila en las afueras de la ciudad, cerca del campo. La ubicación de la casa no era buena para los estudiantes, motivo por el que conseguí dos habitaciones al precio de una. Mi dormitorio, que originalmente era el cuarto donde se guardaba la ropa blanca, no tenía calefacción y mi catre apenas cabía en él, pero me permitía llamar estudio a la otra habitación. El tocador y el gran armario de nogal en que guardaba toda mi ropa, e incluso sombreros y zapatos, los había apartado y rechazaba su existencia, como los niños eliminan los objetos incoherentes cuando juegan a las casitas. Trabajaba en una espaciosa mesa de superficie verde, colocada justo enfrente de la ventana que daba al Oeste y desde la que se veía la pradera. En el rincón de mi derecha estaban todos mis libros, en estantes que había fabricado y pintado yo mismo. En la pared desnuda de mi izquierda, un gran mapa de la antigua Roma, obra de un erudito alemán, cubría el papel oscuro y anticuado. Cleric lo había encargado para mí al solicitar un envío de libros del extranjero. Sobre la estantería de libros colgaba una fotografía del teatro de Pompeya, que me había dado él de su colección.

Cuando me sentaba a estudiar, junto al extremo de la mesa veía una silla de mullido tapizado con el alto respaldo contra la pared. Había puesto gran esmero al comprarla. Mi tutor venía a verme algunas veces cuando salía a dar un paseo por la noche, y yo había observado que solía quedarse más rato y mostrarse más locuaz si había una silla cómoda donde sentarse y si tenía a mano una botella de Bénédictine y una buena provisión de cigarrillos de su gusto. Descubrí que era mezquino en aquellos pequeños gastos; rasgo absolutamente incongruente con su carácter general. En algunas de sus visitas se mantenía en un silencio malhumorado y, tras unos cuantos comentarios sarcásticos, volvía a irse para deambular por las calles de Lincoln, que eran tan silenciosas y opresivamente domésticas como las de Black Hawk. Otras veces, en cambio, se quedaba hasta casi la medianoche, charlando sobre poesía latina e inglesa o hablándome de su larga estancia en Italia.

No tengo palabras para describir el encanto peculiar y la viveza de su charla. En medio de una multitud, casi siempre permanecía callado. Ni siquiera en clase se abandonaba a los lugares comunes y a las típicas anécdotas de los profesores. Cuando estaba cansado, sus clases eran embrolladas, oscuras, elípticas; pero cuando le interesaba el tema eran maravillosas. Creo que a Gaston Cleric le faltó muy poco para ser un gran poeta, y algunas veces he pensado que sus arrebatos de charla imaginativa resultaron fatídicos para su talento poético. Derrochaba demasiadas energías en el calor de la comunicación personal. Cuán a menudo le había visto fruncir el entrecejo, fijar la vista sobre algún objeto de la pared o algún dibujo de la alfombra, y arrojar luego a la luz la imagen que tenía en el cerebro. Sabía arrancar a las sombras el drama de la vida antigua y desplegarlo ante tus ojos; figuras blancas sobre fondos azules. Jamás olvidaré la expresión de su cara cierta noche en que me habló de un día solitario entre los templos marinos de Paestum[21]: el suave viento soplando sobre las columnas sin techo, los pájaros volando bajo sobre la hierba de las marismas en flor, las luces cambiantes sobre las montañas plateadas y envueltas en nubes. Deliberadamente había pasado la corta noche estival allí, abrigado con una chaqueta y una manta de viaje, contemplando las constelaciones en su devenir por el cielo hasta que «la novia del viejo Tithonós»[22]

[21] Antigua ciudad del suroeste de Italia, junto al golfo de Salerno.

[22] Se refiere a la aurora. Según el mito griego, la diosa Eos (Aurora, en griego) raptó a Tithonós, hijo de Laomedonte (rey de Troya y padre también de Príamo), y pidió a Zeus que lo hiciera inmortal, olvidando pedir asimismo la eterna juventud. Tithonós fue envejeciendo hasta que la misma Aurora, u otro dios, lo convirtió en cigarra.

se elevó sobre el mar, y el perfil de las montañas se destacó nítidamente a la luz del amanecer. Allí fue donde enfermó de la fiebre que lo retuvo la víspera de su partida a Grecia y que le hizo permanecer tanto tiempo en Nápoles, gravemente enfermo. En realidad, aún estaba pagando las consecuencias.

Recuerdo vívidamente otra noche en la que acabamos hablando de la veneración de Dante por Virgilio. Cleric recitó un canto tras otro de la *Divina comedia*, repitiendo el diálogo entre Dante y su «dulce maestro» mientras su cigarrillo se extinguía, olvidado entre sus largos dedos. Me parece oírle recitando los versos del poeta Estacio, por cuya boca hablaba Dante: «Fui famoso en la tierra con el nombre que más honra y perdura. Las semillas de mi ardor fueron las chispas de esa llama divina, que en más de mil ha prendido; hablo de la *Eneida*, mi madre y mi nodriza en la poesía».

Aunque yo admiraba la erudición en Cleric, no me engañaba sobre mí mismo; sabía que jamás sería un erudito. Jamás pude perderme durante mucho tiempo entre cosas impersonales. La excitación intelectual tendía a enviarme bruscamente de vuelta a mi tierra desnuda y a las figuras dispersas que la ocupaban. Al mismo tiempo que anhelaba las nuevas formas que Cleric me presentaba, mi mente se distanciaba, y yo me encontraba de pronto pensando en los lugares y la gente de mi pasado infinitesimal. Los veía entonces reforzados y simplificados, como la imagen del arado a contraluz. Eran todo cuanto podía ofrecer como réplica a la nueva atracción. Me molestaba que Jake y Otto y el ruso Peter ocuparan un espacio en mi memoria que yo quería llenar con otras cosas. Pero siempre que se estimulaba mi mente consciente, todos mis antiguos amigos se despertaban en ella y, de un modo extraño, compartían todas mis nuevas experiencias. Estaban tan vivos en mi interior que no me detenía a pensar si existían en algún otro lugar, ni cómo.

II

Una noche de marzo, durante mi segundo año en la universidad, estaba solo en mi habitación después de cenar. Durante todo el día, el calor había producido el deshielo, los jardines se habían enfangado y pequeños riachuelos de agua oscura borboteaban alegremente por las calles, manando de los viejos montículos de nieve. Tenía la ventana abierta y el viento que soplaba con olor a tierra me había vuelto indolente. En el horizonte de la pradera, por donde se había puesto el sol, el cielo tenía un tono azul turquesa, como un lago, y palpitaban en él los dorados reflejos de la luz. Más arriba, en la claridad absoluta del Oeste, colgaba el lucero vespertino como una lámpara suspendida de cadenas de plata, como la lámpara grabada en las cubiertas de los viejos textos latinos, que aparece siempre en cielos nuevos y despertando nuevos deseos en los hombres. En cualquier caso, me recordó que debía cerrar la ventana y encender la mecha de mi lámpara. Lo hice con pesar, y los objetos borrosos de la habitación emergieron de las sombras para ocupar su sitio a mi alrededor con la eficacia que genera la costumbre.

Abrí el libro y contemplé con desgana la página de *Geórgicas* donde empezaba la lección del día siguiente. Se iniciaba con la melancólica reflexión de que, en la vida de los mortales, los mejores días son los primeros en huir. «*Optima dies... prima fugit.*» Volví al principio del tercer libro, que habíamos leído en clase por la mañana. «*Primus ego in patriam mecum... deducam Musas*»; «pues seré el primero, si vivo, en llevar a mi patria a la Musa». Cleric nos había explicado que aquí «patria» no se refería a una nación, ni siquiera a una provincia, sino a la pequeña población rural, situada junto al Mincio, donde el poeta había nacido. No era presunción, sino la esperanza, audaz y fervientemente humilde, de que podría llevar a la Musa (que acababa de llegar a Italia desde las nubosas cimas de Grecia), no a la capital, la palatia Romana, sino a su patria chica, a los campos de su padre, «que descienden hasta el río y las viejas hayas con las copas truncadas».

Cleric opinaba que sin duda Virgilio había recordado aquel pasaje cuando se hallaba en Brindisi, moribundo. Después de enfrentarse con la amarga realidad de que iba a dejar inacabada su *Eneida* y de decretar que aquel gran fresco atestado de figuras de dioses y hombres debía ser quemado antes que sobrevivirle a él imperfecto, sus pensamientos debieron de retroceder a la perfecta ejecución de *Geórgicas,* donde la pluma ahondaba en el tema como el arado en el surco, y debió de decirse a sí mismo, con el agradecimiento de un hombre bueno: «Yo fui el primero en llevar a la Musa a mi patria».

Abandonamos el aula en silencio, conscientes de que acabábamos de recibir la caricia del ala de un sentimiento sublime, aunque quizá sólo yo tenía la suficiente intimidad con Cleric para adivinar cuál era ese sentimiento. Por la noche, sentado ante mi libro, el fervor de su voz vibraba en cada palabra. Me preguntaba si aquella franja rocosa de la costa de Nueva Inglaterra, de la que tanto me había hablado, era la «patria» de Cleric. No había adelantado gran cosa en la lectura cuando me distrajo un golpe en la puerta. Corrí hacia ella y, cuando la abrí, vi a una mujer en el oscuro pasillo.

–Supongo que no me reconoces, Jim.

La voz parecía familiar, pero no supe de quién era hasta que la mujer dio un paso hacia la luz y vi a... ¡Lena Lingard! Su atuendo era tan discreto y convencional que me habría cruzado con ella por la calle sin verla. Llevaba un traje negro de líneas suaves y un recatado sombrero de encaje negro con nomeolvides de color azul sobre los rubios cabellos.

La conduje hasta la silla de Cleric, el único asiento cómodo que tenía, interrogándola con perplejidad.

A ella no la desconcertó mi azoramiento. Paseó la mirada por la habitación con aquella ingenua curiosidad suya que yo recordaba tan bien.

–Estás muy cómodo aquí, ¿verdad? Yo también vivo en Lincoln ahora, Jim. He abierto un negocio propio. Tengo un taller de modista en el Raleigh Block, en la calle O. Las cosas no pueden haber empezado mejor.

–Pero, Lena, ¿cuándo ha sido eso?

–Oh, llevo aquí todo el invierno. ¿No te lo ha dicho tu abuela en sus cartas? He pensado en venir a verte montones de veces. Pero, como todos sabemos que te has convertido en un joven estudioso, no me atrevía. No estaba segura de que te alegraras de verme. –Se echó a reír con su risa fácil y melodiosa, que uno nunca sabía si era realmente ingenua o llena de malicia–. Pareces el mismo de siempre... salvo en que ahora eres un hombre, claro. ¿Crees que yo he cambiado?

–Quizá estás más guapa... aunque guapa siempre lo has sido. Tal vez sea por la ropa.

–¿Te gusta mi traje nuevo? Hay que vestir muy bien en un negocio como el mío.

Se quitó la chaqueta y se sentó más cómodamente al quedarse en blusa, que era de una seda suave y muy ligera. Se sentía ya como en su casa, se había introducido en mi habitación con la mayor desenvoltura, como hacía siempre. Me contó que su negocio iba viento en popa y que había ahorrado algo de dinero.

–Este verano voy a construir la casa para mi madre de la que llevo tanto tiempo hablando. No podré pagarla toda de una vez, pero quiero que la tenga antes de que sea demasiado vieja para disfrutarla. El próximo verano le llevaré muebles nuevos y alfombras, así pasará el invierno ilusionada.

Contemplé a la Lena que tenía sentada allí, tan segura de sí misma, tan risueña y tan bien arreglada, y pensé en la época en que corría descalza por la pradera, incluso cuando ya había empezado a caer la nieve, y en que la loca Mary la perseguía por entre los maizales. Me parecía maravilloso que hubiera prosperado tanto. Desde luego no tenía que agradecérselo a nadie más que a ella misma.

–Debes de sentirte orgullosa de ti misma, Lena –le dije

efusivamente–. Fíjate en mí; jamás he ganado un solo dólar, y no sé si seré capaz de ganarme la vida algún día.

–Tony dice que serás más rico que el señor Harling. Siempre alardea de ti, ¿sabes?

–Dime, ¿cómo está Tony?

–Está bien. Ahora trabaja para la señora Gardener en el hotel. Es el ama de llaves. La salud de la señora Gardener ya no es lo que era y ya no puede ocuparse de todo como antes hacía. Tiene depositada una gran confianza en Tony. Y Tony se ha reconciliado con los Harling. La pequeña Nina la quiere tanto que la señora Harling optó por olvidarlo todo.

–¿Sigue saliendo con Larry Donovan?

–¡Ya lo creo! Supongo que se habrán prometido. Tony habla de él como si fuera el presidente de los ferrocarriles. Todo el mundo se ríe, porque ella no se ha andado nunca con medias tintas. No quiere oír una sola palabra en contra de Larry. Es demasiado ingenua.

Comenté que no me gustaba Larry y que jamás me gustaría.

A Lena se le hicieron hoyuelos en las mejillas al sonreír.

–Algunas podríamos contarle ciertas cosas, pero no serviría de nada. Antes le creería a él que a nosotras. Ése es el punto flaco de Ántonia; cuando se encariña con alguien no le ve ningún defecto.

–Creo que sería mejor que volviera a casa y me ocupara de Ántonia –dije.

–Creo que sí. –Lena me miró con regocijo no disimulado–. Menos mal que ha hecho las paces con los Harling. Larry los teme. Transportan tanto grano que tienen mucha influencia en los ferrocarriles. ¿Qué estás estudiando? –Apoyó los codos en la mesa y atrajo mi libro hacia sí. Capté un leve olor a perfume de violetas–. Esto es latín, ¿no? Parece difícil. Pero vas al teatro algunas veces, porque yo te he visto allí. ¿No te entusiasma una buena obra de teatro, Jim? Yo no puedo quedarme en casa cuando hay alguna función en la ciudad. Creo que estaría dispuesta a trabajar como una esclava con tal de vivir en un lugar donde haya teatros.

–¿Por qué no vamos juntos alguna vez? Me dejarás que vaya a verte, ¿verdad?

–¿Quieres? Yo estaría encantada. A partir de las seis no tengo nunca demasiado trabajo, y a las costureras las dejo salir a las cinco y media. Vivo en una pensión para ahorrar tiempo, pero algunas veces me hago una chuleta yo misma, y haría otra para ti con mucho gusto. Bueno –empezó a enfundarse sus blancos guantes–, me he alegrado mucho de verte, Jim.

–¿Qué prisa tienes? Si casi no me has contado nada.

–Podemos charlar cuando vengas a verme. Seguro que no tienes muchas visitas femeninas. A la vieja de abajo no le ha hecho mucha gracia que subiera. Le he dicho que somos del mismo pueblo y que había prometido a tu abuela venir a visitarte. ¡Qué sorpresa se llevaría la señora Burden si lo supiera! –Lena se rió bajito al tiempo que se levantaba.

Al verme coger el sombrero, meneó la cabeza.

–No, no quiero que me acompañes. He de encontrarme con unas suecas en la farmacia. No te gustarían. Quería ver tu habitación para poder contárselo todo a Tony cuando le escriba, pero tengo que asegurarle que te he dejado aquí con tus libros. ¡Siempre ha tenido tanto miedo de que alguna se fugue contigo! –Lena metió las mangas de seda en la chaqueta que yo sostenía, se la alisó una vez puesta y se la abrochó lentamente. La acompañé hasta la puerta–. Ven a verme alguna vez cuando te sientas solo. Aunque seguramente tendrás muchos amigos. ¿O no? –Me ofreció su suave mejilla–. ¿O no? –me susurró burlonamente en la oreja.

Instantes después la veía bajar por la oscura escalera hasta desaparecer.

Cuando volví a entrar en mi habitación, me pareció mucho más agradable que antes. Lena había dejado un no sé qué de cálido y placentero a la luz de la lámpara. ¡Cómo me había gustado volver a oír su risa! Era tan suave, serena y agradecida; a todo le daba una interpretación favorable. Cuando cerraba los ojos las oía reír a todas: a las chicas danesas de la lavandería y a las tres Marys de Bohemia. Lena había despertado su recuerdo. Se me ocurrió entonces que existía una relación entre muchachas como aquéllas y la poesía de Virgilio. Si no hubiera muchachas como ellas en el mundo, no habría poesía. Lo vi claramente por primera vez. Esta revelación me pareció un tesoro inestimable. Me aferré a ella como si fuera a desvanecerse de un momento a otro.

Cuando por fin volví a sentarme frente a mi libro, aquel viejo sueño en el que Lena venía hacia mí atravesando un campo segado me pareció el recuerdo de una experiencia real. Flotó ante mis ojos sobre la página como una lámina, y al pie se leía la triste frase: *«Optima dies... prima fugit»*.

III

En Lincoln, la mejor parte de la temporada teatral llegaba tarde, cuando las compañías buenas daban una única representación tras largas temporadas en cartel en Nueva York y Chicago. Aquella primavera, Lena vino conmigo a ver a Joseph Jefferson en *Rip Van Winkle* y una obra sobre la guerra titulada *Xanandú.* Lena era inflexible y se pagaba siempre la entrada; decía que era una mujer de negocios y que no permitiría que un estudiante se gastara el dinero con ella. A mí me gustaba ir al teatro con Lena; todo le parecía maravilloso y verídico. Era como ir a una reunión evangelista con alguien que siempre acababa convirtiéndose. Entregaba sus emociones a los actores con una especie de resignación fatalista. El vestuario y los accesorios que aparecían en escena significaban mucho más para ella que para mí. Siguió extasiada la representación de *Robin Hood* y pendiente de los labios de la contralto que cantaba «¡Oh, prométemelo!».

Hacia finales de abril, la cartelera del teatro, que yo repasaba con avidez en aquella época, amaneció un día cubierta de relucientes carteles blancos en los que había dos nombres impresos en grandes letras góticas de color azul: el nombre de una actriz a la que había oído nombrar a menudo y *La dama de las camelias.*

El sábado por la noche pasé por el Raleigh Block para recoger a Lena y nos fuimos los dos andando hasta el teatro. Hacía un tiempo cálido y húmedo que nos puso a ambos de un humor festivo. Llegamos temprano, porque a Lena le gustaba ver llegar a la gente. En el programa había una nota explicando que la «música de acompañamiento» era de la ópera *La Traviata,* cuyo argumento era el mismo que el de la obra. Ninguno de los dos había leído la pieza teatral y no sabíamos de qué trataba, aunque a mí me parecía recordar que, según se decía, era una obra para el lucimiento de las grandes actrices. De Alejandro Dumas sólo conocía *El conde de Montecristo,* que había visto el invierno anterior representada por James O'Neill. Por lo visto, la obra que íbamos a ver era de su hijo, así que esperaba encontrar un parecido. Ni dos liebres que hubieran entrado allí corriendo desde la pradera habrían sido más ignorantes de lo que les aguardaba que Lena y yo.

Empezamos a emocionarnos cuando se alzó el telón y el taciturno Varville, sentado frente a la chimenea, interrogó a Nanine. Decididamente, aquel diálogo tenía un tono nuevo. Jamás había oído en el teatro frases que estuvieran vivas, que sugirieran cosas y dieran otras por supuestas, como las que intercambiaron Varville y Marguerite en el breve encuentro antes de que entraran los amigos de ella. Era la introducción a la escena más brillante, mundana y encantadoramente alegre que había tenido ocasión de presenciar. Nunca antes había visto que se abrieran botellas de champán en un escenario; en realidad, no lo había visto en ninguna parte. El recuerdo de aquella cena aún hoy me da hambre; verlo entonces, cuando sólo tenía una comida de pensión en el estómago, fue un tormento exquisito. Me parece recordar que había sillas y mesas doradas (dispuestas apresuradamente por lacayos con guantes y medias blancos), manteles de deslumbrante blancura, cristalería resplandeciente, vajilla de plata, un gran recipiente lleno de fruta, y rosas de un rojo intenso. Invadieron la sala mujeres hermosas y hombres jóvenes y apuestos, charlando y riendo. Los hombres vestían más o menos según la moda de la época en que se escribió la obra; las mujeres no. Yo no vi contradicción alguna. Su charla parecía abrirte al mundo en que vivían; cada frase lo hacía a uno más sabio y más viejo, cada cumplido ensanchaba incluso el horizonte. ¡Uno podía experimentar el exceso y la saciedad sin el inconveniente de verse obligado a aprender qué debe hacerse con las manos en un salón! Cuando los personajes hablaban todos a la vez y me perdía alguna de las frases que se lanzaban unos a otros, me disgustaba. Aguzaba ojos y orejas para captar cualquier exclamación.

La actriz que interpretaba a Marguerite estaba, ya entonces, pasada de moda, aunque era una gran dama del teatro. Había pertenecido a la famosa compañía de Daly en Nueva York y después había sido una «estrella» bajo su dirección. Se dice de ella que era una mujer a la que no se podía enseñar, pese a que tenía una fuerza natural en bruto, que agradaba a personas de emociones accesibles y gustos poco exigentes. Era ya una mujer madura, con un rostro envejecido y un físico curiosamente duro y envarado. Se movía con dificultad; creo que era coja, me parecer recordar que tenía una enfermedad de la columna. Su Armand era desproporcionadamente joven y delgado, un hombre apuesto y perplejo en extremo. Mas ¿qué importaba? Yo creí devotamente en el poder de aquella mujer para hechizarlo con su encanto deslumbrante. La creí joven, ardiente, alocada, desilusionada, condenada, enfebrecida, ávida de placer. Deseé atravesar las candilejas y ayudar al Armand de estilizada cintura y camisa con chorreras a convencerla de que en el mundo aún existían la lealtad y la devoción. La súbita enfermedad de Marguerite cuando más alegre era su vida, su palidez, el pañuelo que apretaba contra los labios, la tos que disimulaba con risas mientras Gaston tocaba el piano suavemente; todo ello hizo que se me encogiera el corazón. Pero no tanto como su cinismo en el largo diálogo con su amante que vino después. ¡Qué lejos estaba yo de poner en duda su descreimiento! Mientras el joven de encantadora sinceridad le suplicaba –acompañado por la orquesta en el viejo dueto de *La Traviata*, *«misterioso, misterios'altero!»*–, ella mantenía su amargo escepticismo, y el telón caía cuando bailaba con los demás, después de haber despedido a Armand y su flor.

En los entreactos no teníamos tiempo para olvidar. La orquesta no dejaba de tocar fragmentos de la música de *La Traviata*, tan alegre y tan triste, tan débil y distante, tan vacía y, sin embargo, tan conmovedora. Tras el segundo acto, dejé a Lena en llorosa contemplación del techo y salí al vestíbulo a fumar. Mientras me paseaba por allí, iba felicitándome a mí mismo por no haber invitado a ninguna chica de Lincoln, de esas que hubieran hablado sobre los bailes de tercer curso durante los descansos, o sobre la posibilidad de que los cadetes acamparan en Plattsmouth. Al menos Lena era una mujer, y yo era un hombre.

Durante la escena entre Marguerite y el viejo Duval, Lena no paró de llorar, y yo la contemplaba, incapaz de impedir que se cerrara aquel capítulo de amor idílico, temiendo el regreso del joven cuya inefable felicidad iba a ser únicamente la medida de su caída.

Supongo que ninguna otra mujer habría estado más lejos de parecerse en persona, voz y temperamento a la seductora heroína de Dumas que la veterana actriz que me la dio a conocer por primera vez. Su concepción del personaje era tan pesada e inflexible como su dicción; arrastraba la idea y las consonantes. Se mostraba siempre exageradamente trágica, devorada por los remordimientos. No conocía la ligereza del tono ni del comportamiento. Su voz era pesada y grave: «¡Ar-r-r-mand!», empezaba, como si lo llamara ante un tribunal de justicia. Pero las frases de la obra bastaban. Sólo tenía que pronunciarlas para que crearan el personaje, pese a ella.

El mundo implacable al que regresa Marguerite del brazo de Varville no había sido jamás tan resplandeciente ni tan insensato como la noche en que se reúne en el salón de Olympe para el cuarto acto. Recuerdo que había arañas colgando del techo, muchos criados con librea, mesas de juego donde los hombres jugaban con montones de oro y una escalera por la que los invitados hacían su entrada. Después de que todos los demás se hubieran apiñado en torno a las mesas de juegos, y de que Prudence hubiera avisado al joven Duval, apareció Marguerite bajando la escalera con Varville; ¡qué capa, qué abanico, qué joyas... y el rostro! Con sólo mirarla se sabía lo que pasaba por su interior. Cuando Armand, con las terribles palabras: «¡Fijaos, todos vosotros; a esta mujer no le debo nada!», arrojó el oro y los billetes a una Marguerite medio desmayada, Lena se acurrucó a mi lado y se cubrió el rostro con las manos.

El telón se levantó para dar paso a la escena del dormitorio. Para entonces no quedaba en mí nervio alguno que no se hubiera crispado. Hasta Nanine podría haberme hecho llorar. Amaba a Nanine; y Gaston, ¡cómo se encariñaba uno con aquel buen tipo! Los regalos de Año Nuevo no eran demasiado; en aquel momento, nada podía ser demasiado. Lloré a lágrima viva. El pañuelo que llevaba en el bolsillo superior por elegancia, y desde luego no para usarlo, estaba empapado cuando la mujer moribunda cayó por última vez en los brazos de su amado.

Cuando llegamos a la puerta del teatro, las calles estaban relucientes de lluvia. Yo había tenido la prudencia de llevar conmigo el útil regalo de graduación de la señora Harling, y acompañé a Lena a casa bajo su protección. Después de dejarla, volví caminando despacio a las afueras de la ciudad, donde vivía. Las lilas habían florecido en los jardines y su olor, tras la lluvia, el de hojas y flores por igual, me subió hasta la cara con una especie de amarga dulzura. Caminaba pesadamente, pisando charcos, pasando bajo árboles que goteaban, lamentándome por la muerte de Marguerite Gauthier como si hubiera muerto el día anterior, suspirando con el espíritu de 1840, que tanto había suspirado y que había llegado hasta mí aquella noche, después de largos años y varios idiomas, gracias a la persona de una actriz vieja y enferma. Es una idea que ninguna circunstancia puede frustrar. Donde quiera y cuando quiera que se represente la obra, será abril.

IV

Qué bien recuerdo el severo saloncito donde solía esperar a Lena: los duros muebles tapizados con crin, comprados en alguna subasta, el largo espejo, las láminas de moda en las paredes. Si me sentaba, siquiera un momento, podía estar seguro de encontrar hilos y trozos de sedas de colores en mi ropa cuando me marchara. El éxito de Lena me desconcertaba. Era tan indolente; no tenía ni el empuje ni la seguridad en sí misma que hacen medrar a la gente en los negocios. Ella, que era una chica del campo, se había trasladado a Lincoln sin más recomendación que la que le había dado la señora Thomas para unas primas suyas que vivían allí, y se encargaba ya de confeccionar la ropa de las «jóvenes casadas». Evidentemente tenía un gran talento natural para su trabajo. En sus propias palabras, sabía «qué favorece más a cada persona». Se enfrascaba sin hartarse en las revistas de modas. Algunas noches la encontraba sola en su taller, doblando pliegues de raso en un maniquí de alambre, con una expresión de dicha absoluta en el semblante. No dejaba de pensar que los años en los que Lena no tuvo literalmente ropa bastante con que taparse tenían algo que ver con su infatigable interés por vestir la figura humana. Sus clientes decían que Lena «tenía estilo», y pasaban por alto sus deficiencias habituales. Descubrí que jamás terminaba los encargos en los plazos prometidos, y que con frecuencia gastaba más dinero en los materiales de lo que había autorizado la clienta. En una ocasión, al llegar yo a las seis, Lena acompañaba a una madre nerviosa y a su hija, torpe y demasiado crecida para su edad, hasta la salida. La mujer retuvo a Lena en la puerta para decir, en tono de disculpa:

–Me hará usted el favor de no pasar de cincuenta, ¿verdad, señorita Lingard? Verá, en realidad es demasiado joven para ir a una modista cara, pero yo sabía que usted le sacaría más partido que ninguna otra.

–Oh, no se preocupe, señora Herron. Creo que conseguiremos un buen resultado –repuso Lena con voz anodina.

Su forma de tratar a las clientas me pareció excelente, y me pregunté dónde habría adquirido semejante aplomo.

Algunas veces, al acabar las clases de la mañana, me encontraba con Lena en el centro de la ciudad, vestida con su traje de terciopelo y su sombrerito negro, y un velo atado flojo sobre el rostro que parecía tan fresco como la mañana primaveral. Podía llevar a casa un ramo de junquillos, o un jacinto en un tiesto. Cuando pasábamos por delante de una tienda de dulces, sus pasos vacilaban, se hacían los remolones. «No me dejes entrar –musitaba–. Aléjame de aquí si puedes.» Era muy golosa y tenía miedo de engordar demasiado.

Los domingos disfrutábamos de deliciosos desayunos en

casa de Lena. En la parte posterior de su amplio taller había una ventana en saliente lo bastante grande para contener un sofá que también servía para guardar cosas, y un velador. Desayunábamos en aquel pequeño hueco después de correr las cortinas que lo separaban del taller, lleno de mesas de cortar patrones, maniquíes de alambre y prendas que se protegían del polvo con fundas y colgaban de las paredes. La luz del sol entraba a raudales, haciendo que todo lo que había sobre el velador brillara y resplandeciera y que la llama de la lámpara de alcohol fuera invisible. *Prince*, el perro de Lena, un spaniel de agua con el pelo negro y rizado, desayunaba con nosotros. Se sentaba junto a ella en el sofá y se comportaba muy bien hasta que el profesor de violín polaco del otro lado del pasillo empezaba a practicar, momento en que *Prince* gruñía y husmeaba el aire con repugnancia. El perro era un regalo del dueño de la casa, el viejo coronel Raleigh, y al principio a Lena no le había hecho ninguna gracia. Había pasado demasiado tiempo cuidando animales para sentir mucha afición por ellos. Pero *Prince* era una criatura inteligente y acabó por tomarle cariño. Después del desayuno yo le hacía repetir sus lecciones: hacerse el muerto, estrechar la mano, ponerse firme como un soldado. Le poníamos mi gorra de cadete en la cabeza –tenía que hacer la instrucción militar en la universidad– y le dábamos una vara de medir para que la sujetara con la pata delantera. Su aire solemne nos hacía reír a carcajadas.

La charla de Lena siempre me divertía. Ántonia jamás había hablado como la gente que la rodeaba. Incluso después de haber aprendido a expresarse en un inglés fluido, su forma de hablar conservaba un no sé qué de impulsivo y foráneo. Pero Lena había asimilado todas las expresiones convencionales que oía en el taller de costura de la señora Thomas. Aquellas frases formales, flor y nata del decoro en una ciudad de provincias, aquellas vulgaridades insulsas, hipócritas casi todas ellas en su origen, sonaban graciosísimas y encantadoras cuando las pronunciaba Lena con su dulce voz, con su entonación arrulladora y su pícara ingenuidad. No había nada más divertido que oír a Lena, que era casi tan franca como la Naturaleza misma, llamar «miembro» a una pierna o «residencia» a una casa.

En aquel soleado rincón, saboreábamos el café con parsimonia. Lena estaba más bella que nunca por la mañana; se despertaba siempre fresca como el día y sus ojos tenían una tonalidad más intensa, como las flores azules que aún lo son más cuando se abren. Podía pasarme toda la mañana del domingo contemplándola, ocioso. La conducta de Ole Benson había dejado de ser un misterio para mí.

–Ole siempre fue inofensivo –me dijo una vez–. La gente no tenía de qué preocuparse. Sencillamente le gustaba venir a sentarse al borde de la cañada conmigo y olvidar su mala suerte. A mí me gustaba que viniera. Cualquier compañía es bien recibida cuando te pasas la vida sola apacentando ganado.

–Pero ¿no andaba siempre mohíno? –pregunté–. La gente decía que no hablaba nada.

–Pues claro que hablaba, pero en noruego. Había sido marino en un barco inglés y había visto montones de lugares extraños. Tenía unos tatuajes maravillosos. Nos pasábamos horas mirándolos; no había mucho que ver en la cañada. Era como un libro ilustrado. En un brazo llevaba un barco y una chica rubia, y en el otro una chica delante de una casita con valla, cancela y todo lo demás, esperando a su amor. Más arriba, el marino había vuelto y la besaba. «El regreso del marino», lo llamaba él.

Admití que no era extraño que a Ole le gustara mirar a una chica guapa de vez en cuando, con un adefesio como el que tenía en casa.

–¿Sabes? –me dijo Lena en tono confidencial–, se casó con Mary porque creía que era una mujer de carácter que lo llevaría por el buen camino. Ole no sabía dominarse cuando estaba en tierra. La última vez que desembarcó en Liverpool llegaba de un viaje de dos años. Se lo pagaron todo una mañana, y al día siguiente no le quedaba ni un céntimo; hasta su reloj y su brújula habían volado. Unas mujeres con las que se había juntado se lo habían robado todo. Vino a este país en un pequeño buque de pasajeros, donde se costeó el billete trabajando. Mary era una de las camareras, e intentó reformarlo durante el trayecto. Ole pensó que era la mujer que le hacía falta para mantenerlo a raya. ¡Pobre Ole! Me traía caramelos de la ciudad escondidos en la bolsa de la comida. No era capaz de negarle nada a una chica. Hacía tiempo que habría regalado sus tatuajes si hubiera podido. Es una de las personas que más pena me dan.

Si por casualidad pasaba la velada con Lena y me quedaba hasta tarde, el profesor de violín del otro lado del pasillo salía para verme bajar la escalera, rezongando en un tono tan amenazador que a poco no nos peleábamos. Lena le había dicho en una ocasión que le gustaba oírle practicar, así que él dejaba siempre su puerta abierta y vigilaba las idas y venidas de la gente.

La relación entre el polaco y el casero era tirante a causa de Lena. El viejo coronel Raleigh procedía de Kentucky y, al instalarse en Lincoln, había invertido en bienes raíces una fortuna heredada en una época de precios abusivos. Ahora se pasaba el día en su oficina del Raleigh Block, intentando averiguar adónde había ido a parar su dinero y cómo podía recuperar una parte. Era viudo y eran pocas las compañías que encontraba agradables en aquella ciudad del Oeste poco convencional. La belleza de Lena y sus modales amables le atraían. Decía que su voz le recordaba las voces sureñas, y hallaba mil y una ocasiones para oírla. Le pintó y empapeló las habitaciones en primavera y le instaló una bañera de porcelana en lugar de la bañera de estaño con que se había contentado el anterior inquilino. Mientras se realizaban estas reformas, el anciano caballero se dejaba caer a menudo para consultar las preferencias de Lena. Ésta me contó con regocijo que Ordinsky, el polaco, se había presentado en su puerta una noche para decirle que, si le molestaban las atenciones del casero, él les pondría freno inmediatamente.

–No sé muy bien qué hacer –dijo Lena, meneando la cabeza–. Parece una fiera. No me gustaría que se mostrara rudo con un anciano tan simpático. El coronel es pesado, pero supongo que se siente solo. Creo que tampoco a él le gusta mucho Ordinsky. Una vez me dijo que, si tenía alguna queja de mis vecinos, no dudara en transmitírsela.

Un sábado por la noche, estaba yo cenando con Lena cuando oímos un golpe en la puerta de su salita y vimos aparecer al polaco en mangas de camisa, una camisa de etiqueta y cuello duro. *Prince* bajó la cabeza y empezó a gruñir como un mastín mientras el visitante se disculpaba, decía que no podía entrar vestido de aquella guisa de ninguna de las maneras y rogaba a Lena que le prestara unos imperdibles.

–Oh, pase usted, señor Ordinsky, y déjeme ver de qué se trata. –Lena cerró la puerta–. Jim, ¿quieres hacer callar a *Prince*?

Le di a *Prince* un golpe en el hocico, mientras Ordinsky explicaba que hacía mucho tiempo que no se había puesto su traje de etiqueta y que esa noche, cuando se preparaba para ir a tocar en un concierto, se le había roto por la mitad la espalda del chaleco. Creía que podía sujetarlo con unos imperdibles hasta que pudiera llevárselo a un sastre.

Lena le cogió por el codo y le hizo dar media vuelta. Cuando vio el enorme roto, soltó una carcajada.

–Esto no podrá sujetarlo con imperdibles, señor Ordinsky. Lo ha tenido demasiado tiempo doblado, y se le ha desgastado la tela por la raya. Quíteselo. Le pondré una pieza nueva de forro de seda en diez minutos.

Lena desapareció en el interior de su taller con el chaleco, dejándome a solas con el polaco, que estaba reclinado en la puerta como una estatua de madera. Tenía los brazos cruzados y me lanzaba miradas furiosas con sus ojos inquietos, marrones y achinados. Su cabeza tenía la forma de una gota de chocolate, cubierta por un pelo reseco y pajizo que se le encrespaba alrededor de la coronilla puntiaguda. Conmigo no había ido nunca más allá de un simple murmullo al pasar, y me sorprendió que me dirigiera la palabra.

–La señorita Lingard –dijo, altanero– es una joven por la que siento el mayor, el mayor de los respetos.

–Yo también –repliqué fríamente.

Él no prestó la menor atención a mi comentario, sino que empezó a hacer ejercicios de dedos sobre las mangas de la camisa, mientras seguía de brazos cruzados.

–En un lugar como éste –prosiguió, con la vista fija en el techo– no se comprenden la bondad ni los sentimientos. Las cualidades más nobles son ridiculizadas. ¡Qué saben de delicadezas esos universitarios sonrientes, ignorantes y engreídos!

Dominé mis impulsos e intenté hablar con toda seriedad.

–Si se refiere a mí, señor Ordinsky, hace mucho tiempo que conozco a la señorita Lingard, y creo que sé apreciar su bondad. Somos de la misma ciudad; crecimos juntos.

Su mirada descendió lentamente del techo para posarse sobre mi persona.

–¿Debo entender que se preocupa usted por esta joven?, ¿que no desea comprometerla?

–Ésa es una palabra que no usamos mucho por aquí, señor Ordinsky. Una joven que se gana la vida puede invitar a un universitario a cenar sin que se hable mal de ella. Hay cosas que las damos por sabidas.

–Entonces le he juzgado mal, y le pido mil perdones –se inclinó con gravedad–. La señorita Lingard –añadió– confía en todo el mundo ciegamente. Aún no ha aprendido las duras lecciones que da la vida. En cuanto a usted y a mí, *noblesse oblige* –me observó con detenimiento.

Lena volvió con el chaleco.

–Cuando se vaya, entre y déjenos echarle una mirada, señor Ordinsky. No le he visto nunca vestido de etiqueta –dijo, abriendo la puerta.

Instantes después, el polaco reaparecía con un estuche de violín, una gruesa bufanda alrededor del cuello y las huesudas manos metidas en sendos guantes de gruesa lana. Lena le dirigió unas palabras de aliento y él se marchó dándose tales aires de profesional que nos echamos a reír en cuanto cerramos la puerta.

–Pobre –dijo Lena con indulgencia–, se lo toma todo muy a pecho.

A partir de entonces, Ordinsky fue más amable conmigo y se comportó como si existiera un entendimiento secreto entre nosotros. Escribió un artículo furibundo en contra del gusto musical de la ciudad y me pidió que le hiciera el enorme favor de llevárselo al editor del periódico matinal. Si el editor se negaba a publicarlo, debía decirle que habría de responder ante Ordinsky «en persona». Afirmó que no se retractaría de nada en absoluto, aun a riesgo de perder a todos sus pupilos. Pese al hecho de que nadie le habló jamás de su artículo después de su publicación –lleno de errores tipográficos que él consideró intencionados–, le satisfizo creer que los ciudadanos de Lincoln habían aceptado sumisamente el epíteto de «bárbaros incultos». «Ya ve lo que ocurre –me dijo–, cuando no hay caballerosidad, tampoco hay *amour-propre.*» Después de aquello, cada vez que me lo encontraba en la calle de camino a sus clases me parecía que erguía la cabeza con más desdén que nunca y que subía los escalones de los porches y llamaba a las puertas con mayor seguridad en sí mismo. A Lena le dijo que jamás olvidaría que yo no lo había abandonado cuando estaba «en la línea de fuego».

Durante todo aquel tiempo, claro está, andaba yo perdido. Lena había dado al traste con mi ánimo estudioso. No me interesaban mis clases. Jugaba con Lena y con *Prince*, jugaba con el polaco, salía a pasear en calesa con el viejo coronel, al que había caído en gracia y me contaba cosas sobre Lena y sobre las «grandes beldades» que había conocido en su juventud. Los tres estábamos enamorados de Lena.

Antes del uno de junio, a Gaston Cleric le ofrecieron una plaza de profesor en Harvard, y la aceptó. Me sugirió que me fuera con él en otoño y completara mis estudios en Harvard. Había descubierto lo de Lena –no por mí– y habló conmigo muy seriamente.

–Aquí ya no vas a hacer nada de nada. O dejas los estudios o te pones a trabajar, o cambias de universidad y empiezas de nuevo en serio. No volverás a ser tú mismo mientras sigas tonteando con esa hermosa noruega. Sí, te he visto con ella en el teatro. Es muy guapa, y una irresponsable sin remedio, diría yo.

Cleric escribió a mi abuelo para decirle que quería llevarme al Este con él. Fue grande mi asombro cuando el abuelo contestó que podía irme con él si lo deseaba. Me sentí triste y alegre a un tiempo el día en que llegó la carta. No me moví de mi habitación en toda la tarde para poder reflexionar. Incluso intenté convencerme a mí mismo de que era un obstáculo para Lena –¡es tan necesario mostrar una cierta nobleza!–, y que si no tonteaba conmigo, seguramente acabaría casándose y asegurándose el porvenir.

Al día siguiente por la noche fui a ver a Lena. La encontré recostada en el sofá de la ventana en saliente, con un pie metido en una enorme pantufla. Una torpe muchachita rusa a la que había contratado para su taller le había dejado caer la plancha de hierro sobre el dedo gordo. En el velador había una cesta de flores tempranas que le había llevado el polaco al enterarse del accidente. Ordinsky se las arreglaba siempre para saber cuanto ocurría en casa de Lena.

Lena me estaba contando una divertida anécdota sobre una de sus clientas en el momento en que la interrumpí y levanté la cesta de flores.

–Nuestro querido amigo se te declarará cualquier día, Lena.

–¡Oh, ya lo ha hecho… a menudo! –murmuró.

–¡Qué! ¿Después de que lo rechazaras?

–Eso no le importa. Parece que le anima mencionar el tema. Es propio de los hombres mayores, ¿comprendes? Los hace sentirse importantes creer que están enamorados.

–El coronel se casaría contigo sin pensárselo. Espero que no te cases con un viejo; aunque sea rico.

Lena movió los almohadones y me miró sorprendida.

–Vaya, no pienso casarme con nadie. ¿No lo sabías?

–Tonterías, Lena. Eso es lo que dicen todas las chicas, pero tú sabes que no es verdad. Todas las chicas guapas como tú acaban casándose, por supuesto.

Ella meneó la cabeza.

–Yo no.

–Pero ¿por qué no? ¿Por qué dices eso? –insistí.

Lena se echó a reír.

–Bueno, sobre todo porque no deseo ningún marido. Los hombres están bien como amigos, pero en cuanto te casas con uno de ellos se convierte en un padre viejo y gruñón, incluso el más atolondrado. Empiezan por decirte lo que es sensato y lo que es estúpido, y quieren tenerte todo el tiempo metida en casa. Prefiero ser estúpida cuando me apetece y no tener que rendir cuentas a nadie.

–Pero te sentirás muy sola. Te cansarás de llevar esta vida, y querrás tener una familia.

–Yo no. Me gusta estar sola. Tenía diecinueve años cuando empecé a trabajar para la señora Thomas y hasta entonces no había dormido una sola noche de mi vida con menos de dos personas en la misma cama. Jamás tenía un minuto para mí misma, salvo cuando estaba al aire libre con el ganado.

Por lo general, en las pocas ocasiones en que Lena se refería a su vida en el campo, se desentendía con un simple comentario humorístico o levemente cínico. Pero aquella noche sus pensamientos parecían recrearse en aquellos primeros años. Me contó que no recordaba una época en que fuera tan pequeña que no anduviera todo el día con uno u otro pesado bebé a cuestas o ayudando a bañarlos o intentando que tuvieran limpias las caras y las agrietadas manitas. Recordaba su casa como un lugar donde siempre había demasiados niños, un hombre malhumorado y un montón de trabajo atrasado para una mujer enferma.

–No era culpa de mi madre. Ella nos habría dado todas las comodidades, de haber podido. ¡Pero aquélla no era vida para una niña! Cuando empecé a ordeñar y apacentar el ganado ya no pude desprenderme del olor de los animales. La poca ropa interior que tenía la guardaba en una caja de galletas. Los sábados por la noche, cuando todos los demás se habían acostado, podía darme un baño, si no estaba demasiado cansada. Hacía dos viajes hasta el molino para acarrear el agua y la calentaba en el caldero de hervir la ropa. Mientras se calentaba el agua, me iba fuera a sacar la tina de lavar la ropa de la despensa y me bañaba en la cocina. Luego me ponía un camisón limpio y me metía en la cama con otros dos chiquillos, que seguramente no se habían lavado, a menos que yo les hubiera dado un baño. No me hables de la vida de familia. Con la que he tenido me basta y me sobra.

–Pero no siempre es así –objeté.

–Parecido. Todo se reduce a estar sometido a otra persona. ¿Qué te ronda por la cabeza, Jim? ¿Tienes miedo de que quiera que te cases conmigo algún día?

Le dije entonces que me iba de la ciudad.

–¿Por qué quieres irte, Jim? ¿No he sido buena contigo?

–Has sido más que buena, Lena –espeté–. No hago más que pensar en ti. No pensaré en nada más mientras esté contigo. No me pondré nunca a hincar los codos en serio si me quedo aquí. Lo sabes.

Me dejé caer a su lado y miré el suelo. Parecía haber olvidado todas mis razonables explicaciones.

Lena se acercó más a mí, y el leve titubeo de su voz, que antes me había dolido, desapareció al hablarme de nuevo.

–No debería haber empezado esto, ¿verdad? –musitó–. No debería haber ido a verte aquella primera vez. Pero lo deseaba de veras. Supongo que siempre he tenido debilidad por ti. No sé cómo se me metió en la cabeza, a menos que fuera Ántonia con tanto insistir que no debía hacer ninguna de mis tonterías contigo. Aunque te dejé tranquilo mucho tiempo, ¿no?

¡Era una dulce criatura con las personas a las que amaba aquella Lena Lingard!

Por fin se despidió de mí con un beso dulce, lento, de renuncia.

–¿Lamentas que fuera a verte la primera vez? –susurró–. Me parecía tan natural. Solía pensar que me gustaría ser tu primer amor. ¡Eras un muchachito tan gracioso!

Lena siempre lo besaba a uno como si le diera el adiós definitivo, triste y prudente.

Nos despedimos muchas veces antes de que me fuera de Lincoln, pero nunca intentó ponerme trabas ni retenerme.

–Te irás, pero aún no te has ido, ¿verdad? –solía decirme.

Aquel capítulo de mi vida en Lincoln terminó bruscamente. Volví a casa a pasar unas semanas con los abuelos y luego me fui a visitar a mis parientes de Virginia, hasta que me reuní con Cleric en Boston. Tenía entonces diecinueve años.

Cuarto libro

La historia de la mujer pionera

I

Dos años después de abandonar Lincoln terminé mis estudios en Harvard. Antes de ingresar en la Facultad de Derecho fui a pasar las vacaciones de verano en casa. La noche de mi llegada, la señora Harling, Frances y Sally vinieron a saludarme. Todo parecía igual que antes. Mis abuelos apenas habían envejecido. Frances Harling se había casado y su marido y ella dirigían el negocio de los Harling en Black Hawk. Cuando nos reunimos en el salón de la abuela, me costaba creer que hubiera estado ausente. Hubo un tema, sin embargo, que evitamos sacar a colación.

Cuando acompañé a Frances a su casa, después de dejar a la señora Harling en su puerta, se limitó a decir:

–Sin duda te habrás enterado de lo de la pobre Ántonia.

¡La pobre Ántonia! Todo el mundo haría el mismo comentario, pensé con amargura. Contesté que, en una de sus cartas, la abuela me había contado que Ántonia se había ido para casarse con Larry Donovan allá donde él trabajaba, que él la había abandonado y que ahora le había nacido un bebé. Eso era cuanto yo sabía.

–No se casaron –dijo Frances–. A ella no la he visto desde que volvió. Vive en casa de su madre, en la granja, y casi nunca viene a la ciudad. Vino una vez a enseñarle el bebé a mi madre. Me temo que está condenada a ser la fregona de Ambrosch para siempre.

Intenté apartar a Ántonia de mis pensamientos. Había sufrido una amarga decepción con ella. No podía perdonarle que se hubiera convertido en objeto de compasión, mientras que Lena Lingard, a la que siempre habían vaticinado algún infortunio, era la modista más importante de Lincoln, y muy respetada en Black Hawk. Lena entregaba su corazón cuando le apetecía, pero tenía la cabeza centrada en su negocio y había conseguido medrar.

Justo entonces se había adoptado la costumbre generalizada de hablar con indulgencia de Lena y criticar a Tiny Soderball, que el año anterior se había ido tranquilamente al Oeste a probar fortuna. Un chico de Black Hawk que acababa de regresar de Seattle trajo la noticia de que Tiny no se había ido a la costa a la buena de Dios, como había dejado que pensara la gente, sino con un propósito definido. Uno de los promotores de vida errante que solía alojarse en el hotel de la señora Gardener era dueño de unas propiedades en los muelles de Seattle que no se utilizaban, y había ofrecido a Tiny uno de sus edificios vacíos para abrir un negocio. Tiny había abierto una pensión para marineros. Todos afirmaban que sería su fin. Aunque la pensión hubiera empezado siendo decente, no podría mantenerse; todas las pensiones de marineros eran iguales.

Cuando pensé en ello, descubrí que jamás había conocido a Tiny tan bien como a las otras chicas. Recordaba su enérgico taconeo por el comedor del hotel, llevando una bandeja llena de platos, mirando con coquetería a los viajantes de mejor aspecto y con desprecio a los más desarreglados, que le tenían tanto miedo que no se atrevían a pedir dos tipos de pastel. Se me ocurrió que quizá Tiny también amedrentara a los marineros. ¡Cuál no habría sido nuestro asombro, mientras charlábamos sobre ella, sentados en el porche de Frances Harling, si hubiéramos sabido lo que el futuro le deparaba en realidad! De todos los chicos y chicas de Black Hawk, Tiny Soderball sería la que llevara una vida más aventurera y la que lograra una fortuna más sólida.

Esto es lo que le sucedió a Tiny: mientras ella regentaba la casa de huéspedes de Seattle, se descubrió oro en Alaska. Mineros y marineros regresaban del Norte contando maravillas y exhibiendo bolsas de oro. Tiny vio el oro y lo sopesó en sus manos. Se despertó en ella la audacia que nadie había sospechado que tuviera. Vendió su negocio y se fue a Circle City con un carpintero y su mujer, a los que había convencido para que la acompañaran. Llegaron a Skaguay en medio de una tormenta de nieve. Atravesaron el paso de Chilkoot en trineos tirados por perros y cruzaron el Yukon en balsas. Arribaron a Circle City el mismo día en que llegaban unos indios siwash al asentamiento con la noticia de que se había encontrado oro en abundancia río arriba, en cierto arroyo llamado Klondike. Dos días más tarde Tiny y sus amigos, y casi todos los habitantes de Circle City, emprendían la marcha hacia los yacimientos de Klondike en el último vapor que remontaría el Yukon antes de que el río se helara. Los pasajeros de aquel vapor fundaron Dawson City. Al cabo de unas cuantas semanas había mil quinientos hombres viviendo en el campamento. Tiny y la mujer del carpintero empezaron a cocinar para ellos en una tienda. Los mineros le dieron un trozo de tierra y el carpintero levantó un hotel de troncos para ella. En aquel hotel llegó a alimentar, en ocasiones, a ciento cincuenta hombres por día. Los mineros acudían con sus raquetas de nieve desde sus placeres[23], situados a treinta kilómetros de distancia, para comprarle pan fresco, y se lo pagaban en oro.

Aquel invierno Tiny tuvo alojado en su hotel a un sueco al que se le habían congelado las piernas en una noche de tormenta, cuando intentaba encontrar el camino de vuelta a su cabaña. El pobre hombre consideró una suerte inmensa poder contar con los cuidados de una mujer, que además hablaba su propia lengua. Cuando le dijeron que le tendrían que amputar los pies, expresó el deseo de no recobrarse; ¿qué iba a hacer sin pies un trabajador como él en un mundo tan duro como éste? Murió, en efecto, al ser operado, pero no sin antes haber cedido a Tiny su concesión del arroyo Hunker. Tiny vendió el hotel, invirtió la mitad del dinero en comprar parcelas en Dawson y con el resto explotó la concesión minera, instalándose en ella para vivir en plena naturaleza. Compró otras concesiones a mineros desalentados, las cambió o vendió a cambio de un tanto por ciento de los beneficios.

---

[23] Aquí «placer» se refiere a los depósitos de arena donde las aguas de un río han depositado partículas de oro o de cualquier otro mineral valioso.

Tras pasar casi diez años en Klondike, Tiny regresó con una fortuna considerable, para vivir en San Francisco. Me encontré con ella en Salt Lake City en 1908. Era entonces una mujer delgada, de duras facciones, muy bien vestida y de maneras circunspectas. Curiosamente, me recordó a la señora Gardener, para la que había trabajado en Black Hawk hacía tanto tiempo. Me habló de algunos de los riesgos temerarios que había corrido en la tierra del oro, pero la emoción de antaño había desaparecido. Me confesó con franqueza que ya nada le interesaba salvo amasar dinero. Los dos únicos seres humanos de los que habló con cierto sentimiento fueron el sueco, Johnson, que le había cedido la concesión, y Lena Lingard. Había convencido a Lena para que fuera a San Francisco y trasladara allí su negocio.

–Lincoln no fue nunca el lugar apropiado para ella –observó–. En una ciudad tan pequeña Lena siempre habría suscitado chismorreos. Frisco es el lugar ideal para ella. Su negocio tiene distinción. ¡Bueno, sigue siendo la misma de siempre! Es demasiado despreocupada, pero tiene la cabeza en su sitio. Es la única persona de las que conozco que no envejece. A mí me va muy bien tenerla a mi lado; es una persona que disfruta con las cosas. Ella me vigila para que no me vuelva descuidada en el vestir. Cuando cree que necesito un traje nuevo, me lo hace y me lo envía a casa... ¡con una factura bien abultada, te lo aseguro!

Tiny cojeaba levemente al andar. La concesión del arroyo Hunker exigía un alto precio a sus poseedores. Tiny se había visto sorprendida por un súbito cambio del tiempo, igual que el pobre Johnson. Había perdido tres dedos de uno de aquellos lindos pies con los que caminaba garbosamente por Black Hawk, calzando zapatos de punta y con medias de rayas. Tiny mencionó su mutilación con absoluta indiferencia; no parecía importarle. Estaba satisfecha de sus éxitos, pero sin euforia. Parecía una persona en la que se había extinguido la capacidad de interesarse por las cosas.

II

Poco después de volver a casa aquel verano, convencí a mis abuelos para que se hicieran una fotografía, y una mañana me encaminé al taller del fotógrafo para concertar la sesión. Mientras esperaba a que saliera del cuarto oscuro, contemplé las fotografías que colgaban de las paredes, intentando reconocer a los retratados: muchachas con el vestido de graduación del instituto, parejas de novios campesinos cogidos de la mano, grupos familiares de tres generaciones. Me fijé en un grueso marco con una de esas deprimentes «ampliaciones coloreadas» que se ven a menudo en las salas de estar de las granjas y en la que se representaba a un bebé de ojos redondos con vestido corto. El fotógrafo salió en aquel momento y dejó escapar una risita forzada de disculpa.

–Es el bebé de Tony Shimerda. Seguro que la recuerda; solían llamarla Tony la de los Harling. ¡Qué lástima! Aunque ella parece orgullosa de su bebé. No quiso oír hablar de un marco barato para la fotografía. Creo que el sábado vendrá su hermano a recogerla.

Me fui de allí con la convicción de que debía volver a ver a Ántonia. Otra chica habría ocultado a su bebé, pero Tony, claro está, tenía que mostrar su fotografía a toda la ciudad en un marco dorado. ¡Qué típico de ella! Me dije a mí mismo que habría podido perdonarla, si no se hubiera arrojado en brazos de un tipo de tan poca categoría.

Larry Donovan era revisor, uno de esos ferroviarios aristocráticos que andan siempre temerosos de que algún pasajero les pida que cierren la ventanilla del vagón y que, al serles solicitado que se rebajen hasta ese punto, señalan silenciosamente el botón para llamar al camarero. Larry adoptaba ese aire de altanería oficial incluso en la calle, donde no había ventanillas que pudieran poner en peligro su dignidad. Al final de cada trayecto, se apeaba del tren con indiferencia, mezclado entre los pasajeros, llevando el sombrero de calle en la cabeza y la gorra de revisor en una bolsa de piel de cocodrilo, entraba directamente en la estación y se cambiaba de ropa. Para él era una cuestión de suma importancia que no le vieran jamás con los pantalones azules fuera del tren. Solía ser frío y distante con los hombres, pero con las mujeres mostraba una familiaridad grave y callada; les estrechaba la mano de un modo especial, acompañando el gesto con una mirada larga y cargada de intención. Confiaba sus cuitas a casadas y solteras por igual; las llevaba a pasear a la luz de la luna, les contaba el error que había cometido al no haber entrado en la administración, en lugar del servicio de trenes, e insistía en que estaba mucho mejor cualificado para el puesto de director general de pasajeros de Denver que el tirano que ostentaba ese título. Su desaprovechada valía era el delicado secreto que Larry compartía con sus enamoradas, y se las apañaba para hacer que hubiera siempre alguna boba que se compadeciera de él.

Aquella mañana, al aproximarme a casa, vi a la señora Harling en su jardín, cavando alrededor de su enorme fresno. El verano era seco y no tenía quien la ayudara. Charley estaba en su buque de guerra, surcando el mar del Caribe. Me encaminé hacia ella; en aquella época abría y cerraba la cancela de su jardín con una agradable sensación; me gustaba su tacto. Cogí la pala a la señora Harling y, mientras yo removía la tierra alrededor del árbol, ella se sentó en los peldaños del porche y nos pusimos a charlar sobre la familia de oropéndolas que había anidado entre sus ramas.

–Señora Harling –dije al cabo de un rato–, quisiera saber exactamente por qué no llegó a producirse la boda de Ántonia.

–¿Por qué no vas a ver a la arrendataria de tu abuelo, la viuda Steavens? Es la que mejor lo sabe. Ayudó a Ántonia a hacer los preparativos para la boda, y la recibió a su regreso. La cuidó cuando nació el bebé. Ella puede contártelo todo. Además, la viuda Steavens es buena conversadora, y tiene una memoria prodigiosa.

III

El día uno o dos de agosto preparé carro y caballo y me dirigí hacia las tierras altas para visitar a la viuda Steavens. El trigo había terminado de segarse y a lo largo del horizonte, aquí y allá, se veían las negras columnas de humo de las trilladoras. Los antiguos pastos se estaban roturando para convertirlos en campos de maíz y de trigo, la hierba roja estaba desapareciendo, y el paisaje entero se transformaba. Había casas de madera donde antes se alzaban las viejas viviendas de tierra, y pequeños huertos, y grandes graneros de color rojo; todo ello se acompañaba de niños felices, mujeres satisfechas y hombres que veían enderezarse sus vidas y ante sí un futuro prometedor. Las primaveras ventosas y los veranos ardientes, uno tras otro, habían enriquecido y ablandado aquella altiplanicie; todos los esfuerzos humanos derrochados allí daban sus frutos en largos y arrolladores surcos de fertilidad. Los cambios me parecieron bellos y armoniosos; era como contemplar el crecimiento de un gran hombre o de una gran idea. Reconocía cada árbol, cada banco de arena y cada barranco. Me di cuenta de que recordaba la configuración del terreno igual que se recuerdan las facciones de un rostro humano.

Cerca ya de nuestro viejo molino, la viuda Steavens salió a recibirme. Estaba tan morena como una mujer india, y era alta y muy fuerte. Cuando yo era pequeño, su maciza cabeza me había parecido siempre la de un senador romano. Le dije enseguida para qué había ido a verla.

–¿Te quedarás a pasar la noche con nosotros, Jimmy? Charlaremos después de la cena. Me concentro mejor cuando no tengo que pensar en el trabajo del día. ¿Tienes algo en contra de un bizcocho caliente para la cena? Últimamente algunos lo tienen.

Mientras dejaba el caballo en el establo, oí el chillido de un gallo. Miré mi reloj y suspiré; eran las tres de la tarde, y sabía que tendría que comérmelo a las seis.

Después de la cena, la señora Steavens y yo subimos a la vieja sala de estar, mientras su taciturno hermano se quedaba en la planta baja leyendo el periódico. Todas las ventanas estaban abiertas. En el cielo brillaba la blanca luna estival, una suave brisa hacía girar el molino perezosamente. Mi anfitriona depositó la lámpara sobre una repisa del rincón, y bajó la llama por el calor. Se sentó en su mecedora favorita y colocó un cómodo escabel bajo sus cansados pies.

–Me molestan los callos, Jim; me hago vieja –dijo, suspirando alegremente.

Cruzó las manos sobre el regazo, adoptando la misma postura que si celebráramos una especie de reunión.

–Bien, ¿dices que quieres hablar de nuestra querida Ántonia? Pues has acudido a la persona más indicada. Me he preocupado por ella como si fuera mi propia hija.

»Cuando volvió a su casa aquel verano para preparar el ajuar, venía aquí todos los días. En casa de los Shimerda no han tenido nunca máquina de coser y se lo hizo todo aquí. Yo le enseñé a hacer dobladillos, y la ayudé a cortar e hilvanar. Solía sentarse a coser junto a la ventana, pedaleando como una posesa (era muy fuerte) y cantando siempre extrañas canciones de Bohemia, como si fuera la persona más feliz del mundo.

»–Ántonia –solía decirle yo–, no vayas tan deprisa. No va a llegar antes el día por mucho que corras.

»Entonces se reía y aminoraba la marcha unos minutos, pero pronto lo olvidaba y volvía a pedalear y a cantar con nuevos bríos. Nunca he visto a una muchacha trabajar tanto para ir tan bien preparada. Los Harling le habían dado unos manteles preciosos y Lena le había mandado cosas muy bonitas de Lincoln. Hicimos el dobladillo a todos los manteles, a las fundas de las almohadas y a algunas sábanas. La vieja señora Shimerda tejió metros y metros de puntillas para su ropa interior. Tony me contó cómo lo quería todo exactamente en su casa. Incluso había comprado tenedores y cucharas de plata y los guardaba en su baúl. Siempre andaba engatusando a mi hermano para que fuera a la oficina de correos. La verdad es que el novio le escribía a menudo desde las diferentes ciudades de su ruta.

»El primer disgusto que se llevó fue cuando él le escribió para decirle que le habían cambiado de ruta y que seguramente tendrían que vivir en Denver. «Soy una chica del campo –dijo–, y no sé si podré llevar la casa igual de bien en una ciudad. Yo contaba con tener gallinas, y quizá una vaca.» De todas formas, pronto se animó.

»Por fin recibió la carta en que le decía cuándo debía ir a reunirse con él. Ántonia se emocionó mucho; rompió el sello y la leyó en su habitación. Sospeché entonces que había empezado a desanimarse por la espera, aunque a mí nunca me lo hizo notar.

»Entonces llegó el momento de hacer el equipaje. Fue en marzo, si mal no recuerdo, y hacía un tiempo horrible, con barro y frío, y las carreteras estaban impracticables para transportar sus cosas hasta la ciudad. Y déjame decirte que Ambrosch se portó muy bien. Fue a Black Hawk y compró a su hermana una cubertería con baño de plata con un estuche de terciopelo púrpura, regalo más que bueno para una joven de su posición. También le dio trescientos dólares en dinero; yo vi el cheque. Había guardado los salarios de todos aquellos primeros años que Ántonia trabajó en los campos ajenos, y bien que hizo. Le estreché la mano en esta misma habitación. «Te has portado como un hombre, Ambrosch, y me alegro de que así sea, hijo», le dije.

»El tiempo era frío y desapacible el día que llevó a Ántonia y sus tres baúles a Black Hawk, donde iba a coger el tren nocturno con dirección a Denver; las cajas las había despachado antes. Se detuvieron aquí al pasar, y Ántonia bajó del carro y entró corriendo para despedirse. Me abrazó y me dio un beso, y me agradeció todo lo que había hecho por ella. Lloraba y reía al mismo tiempo de tan feliz como era, y tenía las mejillas rojas y mojadas por la lluvia.

»–¿Qué hombre no te querría con lo guapa que eres? –le dije, mirándola de arriba abajo.

»Ella se rió con ligereza y susurró: «¡Adiós, querida casa!», y luego se fue corriendo. Creo que no sólo se refería a mí, sino también a ti y a tu abuela, así que quiero que lo sepas. Esta casa siempre fue un refugio para ella.

»Bien, al cabo de unos días recibimos una carta en la que nos decía que había llegado a Denver sana y salva, y que él había ido a recogerla. Iban a casarse a los pocos días. Decía que él estaba intentando conseguir un ascenso antes de la boda. Aquello me dio mala espina, pero no dije nada. La semana siguiente, Yulka recibió una postal en la que decía que «estaba bien y contenta». Después no supimos nada más. Pasó un mes y la vieja señora Shimerda empezó a inquietarse. Ambrosch me ponía mala cara, como si yo misma hubiera elegido al novio y hubiera concertado la boda.

»Una noche, mi hermano William me dijo al entrar que, a la vuelta de los campos, se había cruzado con un coche de alquiler procedente de la ciudad que enfilaba la carretera del Oeste a toda velocidad. Había un baúl en el pescante, junto al conductor, y otro detrás. En el asiento viajaba una mujer muy tapada, pero, pese a todos sus velos, le pareció que era Ántonia Shimerda, o Ántonia Donovan, como debería llamarse después de la boda.

»A la mañana siguiente, pedí a mi hermano que me llevara a casa de los Shimerda. Aún puedo andar, pero mis pies no están ya para muchos trotes e intento ahorrarles esfuerzos. Junto a la casa, las cuerdas estaban llenas de ropa tendida, aunque estábamos en mitad de la semana. Al acercarnos más, lo que vi hizo que se me pusiera el corazón en un puño: las prendas que ondeaban al viento eran la ropa interior en la que habíamos puesto tanto empeño. Yulka salió con una palangana llena de ropa lavada, pero volvió a meterse en casa a toda prisa como si no quisiera vernos. Al entrar yo, vi a Ántonia inclinada sobre la tina, acabando de hacer la colada. La señora Shimerda andaba por allí trajinando y rezongando por lo bajo. Ni siquiera levantó la vista. Tony se secó la mano con el delantal y me la tendió, mirándome con expresión resuelta, pero apesadumbrada. Cuando intenté abrazarla, se apartó de mí. «No, señora Steavens –me dijo–, me hará llorar, y no quiero.»

»Le pedí en susurros que saliera conmigo. Sabía que no podía hablar con libertad delante de su madre. Salió entonces, con la cabeza descubierta, y ascendimos por la cuesta hacia el huerto.

»–No estoy casada, señora Steavens –me dijo tranquilamente, con toda la naturalidad del mundo–, y debería estarlo.

»–Ay, hija mía –le dije yo–. ¿Qué te ha pasado? ¡No temas contármelo!

»Se sentó al borde de la cañada, en un lugar desde donde no se veía la casa.

»–Me ha abandonado –dijo–. No sé si alguna vez tuvo intención de casarse conmigo.

»–¿Quieres decir que ha dejado su trabajo y se ha ido del país? –pregunté.

»–No tenía trabajo. Le habían despedido; estaba en la lista negra por robar el dinero de los billetes. Yo no lo sabía. Pensaba que habían cometido una injusticia con él. Estaba enfermo cuando llegué. Acababa de salir del hospital. Vivió conmigo hasta que se me acabó el dinero, y después descubrí que en realidad no había buscado trabajo. Un día, sencillamente, no volvió. Un hombre muy amable de la estación, al verme allí buscándolo todos los días, me dijo que lo dejara correr. Me dijo que se temía lo peor de Larry, y que no creía que fuera a volver nunca más. Supongo que se habrá ido a México. Allí los revisores se hacen ricos cobrando la mitad del billete a los nativos y robándoselo a la compañía. Siempre estaba hablando de individuos que se ganaban así la vida.

»Lógicamente le pregunté por qué no había insistido en un matrimonio civil inmediato, con el que habría podido retenerlo. Ántonia apoyó la cabeza en las manos, pobre criatura, y dijo: «No lo sé, señora Steavens. Supongo que estaba harta de esperar. Pensé que si se daba cuenta de lo bien que podía cuidar de él, querría quedarse conmigo».

»Jimmy, me senté junto a ella y me eché a llorar. Lloré como una niña. No pude evitarlo. Se me había partido el corazón. Era uno de esos preciosos y cálidos días de mayo, soplaba la brisa y los potros correteaban por los pastos, pero yo me había hundido en la desesperación. Mi Ántonia, que tan buena era, había vuelto a casa deshonrada. Y a esa Lena Lingard, que siempre fue una mala pieza, digas lo que digas, le iba todo de perlas y volvía a casa todos los veranos con sus rasos y sus sedas, y ayudaba a su madre. No quiero quitarle méritos a nadie, pero tú sabes muy bien, Jim Burden, que esas dos muchachas tenían unos principios muy distintos. ¡Y resulta que era la buena la que acababa mal! Poco pude consolarla. Me asombraba su tranquilidad. Cuando volvimos a la casa, se detuvo a palpar la ropa para ver si estaba seca y pareció enorgullecerse de su blancura; me explicó que había estado viviendo en un edificio de ladrillo, donde no disponía de un lugar adecuado para lavar.

»La siguiente vez que vi a Ántonia estaba en el campo sembrando maíz. Durante toda la primavera y el verano hizo el trabajo de un hombre en la granja; parecía ser algo que se daba por supuesto. Ambrosch no contrató a nadie más para ayudarle. Hacía ya bastante tiempo que el pobre Marek se había vuelto violento y habían tenido que internarlo en una institución. Jamás volvimos a ver ninguno de los bonitos vestidos de Tony. No los sacó de los baúles. Se comportaba con serenidad y firmeza. La gente respetó su laboriosidad e intentó tratarla como si nada hubiera ocurrido. No faltaron los comentarios, claro está, pero habrían sido mucho peores si ella hubiera vuelto dándose aires. Se la veía tan abatida y callada que nadie parecía querer humillarla. No iba nunca a ninguna parte. En todo el verano no vino a verme ni una sola vez. Al principio me sentí dolida, pero comprendí que se debía a que esta casa tenía demasiados recuerdos para ella. Fui a verla siempre que pude, pero cuando ella no estaba trabajando en el campo era cuando yo más trabajo tenía aquí. Hablaba sobre el grano y el tiempo como si jamás le hubiera interesado otra cosa, y si iba a verla por la noche, parecía siempre muerta de cansancio. Tenía dolor de muelas, se le ulceraba un diente tras otro, y andaba con la cara hinchada la mitad del tiempo. No quería ir al dentista de Black Hawk por miedo a encontrarse con la gente que conocía. Hacía tiempo que Ambrosch había olvidado sus buenos sentimientos y estaba siempre malhumorado. Una vez le dije que no debía dejar que Ántonia trabajara hasta agotarse. Me contestó: «Si eso es lo que le mete en la cabeza, mejor que se quede en su casa». Y eso fue lo que hice a partir de entonces.

»Ántonia siguió trabajando durante la siega y la trilla, pero el pudor le impidió ir a trillar en los campos de los vecinos, como hacía cuando era joven y libre. No la vi mucho hasta finales de otoño, cuando empezó a apacentar el ganado de Ambrosch en campo abierto, al Norte de aquí, subiendo hacia las madrigueras de los perros de las praderas. Algunas veces pasaba por esa colina que hay allí, al Oeste, y yo corría a su encuentro y caminaba un rato con ella hacia el Norte. Llevaba treinta cabezas de ganado; el tiempo había sido seco y escaseaba el pasto, de lo contrario no habría llegado hasta tan lejos.

»Aquel otoño hacía buen tiempo y a ella le gustaba estar sola. Mientras los novillos pastaban, ella se sentaba en la hierba, al borde de las cañadas, y tomaba el sol durante horas. Algunas veces me iba hasta allí para hablar con ella, si no estaba demasiado lejos.

»–Supongo que debería hacer puntillas o calceta, como solía hacer Lena –me dijo un día–, pero cuando empiezo, miro a mi alrededor y me distraigo. Parece que fue ayer cuando Jim Burden y yo jugábamos por estos campos. Aquí arriba están los lugares a los que solía venir mi padre. Algunas veces tengo la impresión de que no voy a vivir mucho tiempo, así que disfruto cada día de este otoño.

»Al llegar el invierno empezó a llevar un largo gabán de hombre y botas, y un sombrero de fieltro de hombre con el ala ancha. Yo seguía sus idas y venidas, y veía que cada vez le costaba más caminar. Un día, en diciembre, empezó a nevar. A última hora de la tarde vi a Ántonia conduciendo el ganado de vuelta a casa, cruzando la colina. Los copos de nieve revoloteaban a su alrededor, y ella agachó la cabeza para seguir andando, con un aire más solitario del que era habitual. «Dios mío –me dije–, se le ha hecho tarde. Será de noche cuando consiga meter el ganado en el corral.» Presentí que se había sentido demasiado mal para levantarse y ponerse en camino.

»Ocurrió aquella misma noche. Llegó a casa con el ganado, lo dejó en el corral y se metió en la casa, en su dormitorio, detrás de la cocina, y cerró la puerta. Allí, sin llamar a nadie, sin un gemido, se tumbó en la cama y dio a luz.

»Yo estaba sirviendo la cena cuando la vieja señora Shimerda bajó corriendo la escalera del sótano, jadeando y chillando: «¡Bebé llega, bebé llega! –dijo–. ¡Ambrosch muy furioso!».

»Desde luego mi hermano William es un hombre paciente. Estaba a punto de sentarse para tomar una cena caliente tras un largo día de trabajo en el campo. Sin una palabra se levantó y se fue al establo para enganchar los caballos. Nos llevó a casa de los Shimerda tan velozmente como era humanamente posible. Entré directamente en la habitación y empecé por ocuparme de Ántonia, pero ella siguió tumbada con los ojos cerrados sin prestarme atención. La vieja llenó un barreño con agua caliente para lavar al bebé. Yo la observaba y dije en voz alta:

»–Señora Shimerda, no use ese jabón tan fuerte con el bebé. Le quemará la piel. –Estaba indignada.

»–Señora Steavens –dijo Ántonia desde la cama–, si mira en la bandeja superior de mi baúl, encontrará jabón más suave. –Fueron las primeras palabras que le oí pronunciar.

»Después de vestir al bebé, fui a enseñárselo a Ambrosch. Estaba refunfuñando detrás de la estufa; no quiso ni mirarlo.

»–Sería mejor que lo metiera en el tonel de agua de lluvia –me dijo.

»–Escucha, Ambrosch –le dije yo–; en este país hay leyes, no lo olvides. Yo soy testigo de que este bebé ha nacido sano y fuerte, y pienso vigilar que nada le ocurra. –Puedo decir con orgullo que conseguí intimidarlo.

»Bueno, supongo que a ti no te interesan mucho los bebés, pero puedo decirte que el de Ántonia está perfectamente. Lo quiso desde el principio como si hubiera llevado un anillo en el dedo, y nunca se ha sentido avergonzada. Ahora tiene ya un año y ocho meses, y no hay bebé mejor cuidado. Ántonia está hecha para ser madre. Ojalá pudiera casarse y tener una familia, pero supongo que ahora no tiene muchas posibilidades.

Aquella noche dormí en la habitación que ocupaba de pequeño, y el viento estival entraba por las ventanas, trayendo consigo el olor de los sembrados maduros. Estuve un buen rato despierto, contemplando la luna que brillaba sobre el establo y los almiares y el estanque, y el molino que alzaba su vieja sombra negra hacia el firmamento azul.

IV

Al día siguiente, por la tarde, fui andando a la casa de los Shimerda. Yulka me enseñó el bebé y me dijo que Ántonia estaba en la parcela del sudoeste haciendo gavillas de la siega. Bajé atravesando los campos; Tony me vio desde lejos. Se quedó quieta junto a sus gavillas, apoyada en la horquilla, contemplándome mientras me acercaba. Nos encontramos, como dice la vieja canción, en silencio, al borde de las lágrimas. Su cálida mano apretó la mía.

–Sabía que vendrías, Jim. Me he enterado de que has pasado la noche en casa de la señora Steavens. Llevo todo el día esperándote.

Nunca la había visto tan delgada, ni, como decía la señora Steavens, tan «trabajada», pero en la gravedad de su rostro había una fuerza de una clase nueva, y el color de sus mejillas le daba aún aquel aspecto de salud y vitalidad. ¿Aún? Me acordé de repente. Pese a tantas cosas que nos habían ocurrido, Ántonia apenas tenía veinticuatro años.

Ántonia clavó la horquilla en la tierra e instintivamente echamos a andar hacia aquella franja del cruce de caminos que no estaba cultivada, convencidos de que era el sitio más adecuado para charlar. Nos sentamos junto a la alambrada medio caída que separaba la tumba del señor Shimerda del resto del mundo. Allí no se había cortado jamás la alta hierba roja. Se moría en invierno y volvía a nacer en primavera hasta hacerse tan espesa y enmarañada como la hierba de un jardín tropical. Sin saber cómo, se lo conté todo: por qué había decidido estudiar leyes y trabajar en el despacho de abogados que tenía un pariente de mi madre en Nueva York; la muerte de Gaston Cleric el invierno anterior, a causa de una neumonía, y el cambio que había experimentado mi vida gracias a él. Ántonia se interesó por mis amigos y mi estilo de vida, y también por mis esperanzas para el futuro.

–Claro que eso quiere decir que nos dejas para siempre –dijo ella, con un suspiro–. Pero no significa que vaya a perderte. Fíjate en mi padre; hace muchos años que murió, pero para mí es más real que casi todos los demás. Nunca se ha ido de mi vida. Le hablo y le pido consejo a cada momento. Cuanto mayor me hago, más lo conozco y mejor lo comprendo.

Me preguntó si habían llegado a gustarme las grandes ciudades.

–Yo me deprimiría en una ciudad grande. Me moriría de soledad. Me gusta estar donde conozco cada gavilla y cada árbol, y donde el paisaje es amigo. Quiero vivir y morir aquí. El padre Kelly dice que todos venimos al mundo para algo, y yo ya sé qué he de hacer. Voy a procurar que mi hija tenga un porvenir mejor que el mío. Voy a cuidar de ella, Jim.

Le dije que estaba convencido de que así sería.

–¿Sabes, Ántonia? Desde que me fui, pienso en ti más que en ninguna otra persona de esta parte del mundo. Me habría gustado que fueras mi novia, o mi mujer, o mi madre, o mi hermana... cualquier cosa que una mujer pueda ser para un hombre. La idea que tengo de ti forma parte de mi cerebro; influyes en mis simpatías y antipatías, y en mis gustos, cientos de veces, aunque no me dé cuenta. En verdad, eres parte de mí.

Volvió hacia mí sus ojos brillantes y llenos de fe, y las lágrimas afluyeron despacio.

–¿Cómo es eso posible, habiendo conocido a tanta gente y con tanto como te he decepcionado? ¿No es maravilloso, Jim, que dos personas puedan significar tanto la una para la otra? No sabes cuánto me alegro de que estuviéramos unidos cuando éramos pequeños. Estoy impaciente porque mi hija se haga mayor para contarle todas las cosas que solíamos hacer tú y yo. Me recordarás siempre cuando pienses en los viejos tiempos, ¿verdad? Y supongo que todo el mundo piensa en los viejos tiempos, incluso los más felices.

Mientras caminábamos hacia la casa atravesando los campos, descendió el sol en el Oeste y se posó como un enorme globo dorado sobre el horizonte. Estando allí, salió la luna por el Este, grande como una rueda de carro, con su pálido fulgor argentino, veteado de rosa, sutil como una burbuja o una luna espectral. Durante cinco o tal vez diez minutos, las dos lumbreras estuvieron frente a frente con la llanura de por medio, suspendidas sobre extremos opuestos del mundo.

Bajo aquella luz singular, cada arbusto, cada gavilla de

trigo, cada tallo de girasol y cada euforbia cobraban relieve; hasta los terrones de tierra y los surcos de los campos parecían destacarse de su entorno. Sentí la llamada ancestral de la tierra, la magia solemne que surge de los campos al caer la noche. Sentí el deseo de volver a ser un niño y de que aquél fuera el fin de mis días.

Llegamos al límite del campo, donde se separaban nuestros caminos. Le cogí las manos y las apreté contra mi pecho, sintiendo una vez más que eran fuertes y cálidas y agradables aquellas manos morenas, y recordando todas las cosas buenas que habían hecho por mí. Las mantuve largo rato sobre mi corazón. Se cerraba la noche a nuestro alrededor, y tenía que forzar la vista para verle el rostro, que quería llevar conmigo para siempre; el rostro más cercano y real que había bajo las sombras de todos los demás rostros femeninos, en lo más íntimo de mi memoria.

–Volveré –le dije de todo corazón, en medio de la tenue oscuridad que todo lo invadía.

–Tal vez. –Más que ver, presentí su sonrisa–. Pero aunque no vuelvas, estarás aquí, como mi padre. Así yo no me sentiré sola.

Cuando emprendí, solo, el regreso por el camino que me era tan familiar, casi llegué a creer que un niño y una muchacha corrían a mi lado, como veíamos entonces nuestras sombras, riendo y cuchicheando entre la hierba.

Quinto libro

Los hijos de Cuzak

I

Le dije a Ántonia que volvería, pero la vida se interpuso. Tuvieron que pasar veinte años para que cumpliera mi promesa. De vez en cuando me llegaban noticias de ella: que se había casado, poco después de que la viera por última vez, con un joven de Bohemia, un primo de Anton Jelinek; que eran pobres y tenían una familia numerosa. En una ocasión en que viajé al extranjero, visité Bohemia y, desde Praga, envié a Ántonia unas fotografías de su aldea natal. Meses después me llegó una carta suya en la que me contaba los nombres y las edades de sus muchos hijos, pero poca cosa más; firmaba: «Tu vieja amiga, Ántonia Cuzak». Cuando me encontré con Tiny Soderball en Salt Lake, me contó que a Ántonia «no le habían ido bien las cosas», que su marido no era hombre de mucho empuje, y que ella llevaba una vida de penurias. Tal vez fuera cobardía lo que me mantuvo alejado durante tanto tiempo. Mi trabajo me obligaba a ir al Oeste varias veces al año y siempre pensaba en visitar Nebraska algún día para ir a ver a Ántonia. Pero siempre acababa aplazándolo para el siguiente viaje. No quería encontrarla avejentada y marchita; me horrorizaba. En el transcurso de veinte años plagados de acontecimientos, uno acaba por perder muchas ilusiones. No deseaba perder las más tempranas. Algunos recuerdos son realidades, mejores que todo cuanto después puede acaecerte.

Si finalmente fui a ver a Ántonia, se lo debo a Lena Lingard. Hace dos veranos estaba yo en San Francisco, ciudad donde también se encontraban Lena y Tiny Soderball. Tiny vive en una casa propia y Lena tiene la tienda en un edificio de apartamentos justo a la vuelta de la esquina. Después de tantos años, sentí curiosidad por ver a las dos mujeres juntas. Tiny revisa las cuentas de Lena de vez en cuando e invierte su dinero, y Lena, al parecer, se ocupa de que Tiny no se vuelva demasiado mezquina.

–Si hay algo que no puedo soportar –me dijo en presencia de Tiny– es una mujer rica y mal vestida.

Tiny esbozó una sonrisa forzada y me aseguró que Lena no iría jamás mal vestida, ni llegaría a ser rica.

–Ni ganas –convino la otra, complacida.

Lena me ofreció una visión más optimista de Ántonia y me instó a visitarla.

–Tienes que ir, Jim. Le darás una alegría. No hagas caso de lo que diga Tiny. Cuzak no tiene nada de malo. Te gustará. No es demasiado emprendedor, pero un hombre más rudo no habría sido bueno para ella. Tony tiene unos hijos preciosos... creo que llegarán ya a los diez u once. A mí no me gustaría tanta familia, pero, no sé por qué, creo que es perfecta para Tony. A ella le encantaría enseñártelos.

De camino hacia el Este, interrumpí mi viaje en Hastings, en Nebraska, y me puse en camino en una calesa abierta con un buen tiro de caballos, dispuesto a encontrar la granja de los Cuzak. Un poco después de mediodía adiviné que debía de estar cerca de mi destino. A mi derecha, sobre una loma algo apartada del camino, vi una casa grande con un granero rojo y un bosquecillo de fresnos, y corrales para el ganado en la pendiente que descendía hacia la carretera. Al detener los caballos, dudando si debía llegarme hasta allí, oí un rumor de voces. Frente a mí, entre unos ciruelos enanos que había en la cuneta, vi a dos niños inclinados sobre un perro muerto. El más pequeño, que no tendría más allá de cuatro o cinco años, estaba de rodillas, con las manos juntas y agachada la cabeza descubierta, de pelo muy corto, sumido en un profundo abatimiento. El otro niño estaba de pie con una mano sobre su hombro, consolándole en un idioma que yo no había oído en mucho tiempo. Cuando mi calesa se detuvo delante de ellos, el niño mayor cogió a su hermano de la mano y vinieron los dos hacia mí. También él tenía una expresión compungida. Sin duda era un día triste para ellos.

–¿Sois hijos de la señora Cuzak? –pregunté.

El más pequeño no alzó la vista, abrumado por sus sentimientos, pero su hermano me miró con unos inteligentes ojos grises.

–Sí, señor.

–¿Vive allí arriba, en la colina? Voy a visitarla. Subid y acompañadme hasta allí.

El niño miró a su renuente hermanito.

–Creo que será mejor que vayamos andando. Pero le abriremos la cancela.

Enfilé el camino, colina arriba, y ellos me siguieron caminando lentamente. Cuando llegué al molino de viento, otro niño, descalzo y con los cabellos rizados, salió corriendo del granero para atar los caballos. Era un pequeñajo muy guapo, con la piel blanca y pecosa, las mejillas sonrosadas y una mata de pelo rojiza y espesa como la lana de un cordero que le caía por la nuca en pequeños mechones. Ató las riendas de los caballos con dos ágiles movimientos de las manos y asintió cuando le pregunté si su madre estaba en casa. Al mirarme, sin venir a cuento, se le hicieron unos hoyuelos en la cara en un súbito acceso de regocijo y subió a toda velocidad por la torre del molino, con una ligereza que a mí me pareció desdeñosa. Sabía que me miraba mientras me dirigía a la casa.

Patos y gansos se cruzaron graznando en mi camino. Unos gatos blancos tomaban el sol entre calabazas amarillas sobre los escalones del porche. Atisbé por la puerta de tela metálica y vi una enorme y luminosa cocina con el suelo blanco. Vi una mesa larga, hileras de sillas de madera contra la pared y una reluciente cocina económica en un rincón. Dos muchachas fregaban platos, riendo y parloteando, y había una niña con vestido corto y delantal sentada en un taburete, jugando con una muñeca de trapo. Cuando pregunté por su madre, una de las muchachas soltó el paño de cocina, echó a correr sin hacer ruido con sus pies descalzos y desapareció de la vista. La mayor, que llevaba zapatos y medias, vino a abrirme la puerta. Era morena, con los ojos negros y pecho abundante, tranquila y dueña de sí misma.

–¿No quiere pasar? Madre vendrá enseguida.

Antes de que pudiera sentarme en la silla que me ofrecía,

ocurrió el milagro; fue uno de esos intervalos de silencio que encogen el corazón y requieren más valor que los momentos de mayor ruido y excitación de la vida. Ántonia entró y se acercó a mí: una mujer morena, robusta, de pecho plano, y con algunas canas en los rizados cabellos castaños. Fue una sorpresa, claro está. Siempre resulta extraño encontrarse con gente después de muchos años, sobre todo si han vivido tanto y han tenido que trabajar tan duramente como aquella mujer. Nos miramos. Los ojos que me observaban con curiosidad eran... sencillamente, los ojos de Ántonia. No había visto otros iguales desde que los contemplara por última vez, pese a que había visto infinidad de rostros humanos. Mientras la miraba, los cambios se hicieron menos evidentes, y su identidad se fortaleció. Estaba allí en todo el vigor de su personalidad, ajada pero no disminuida, mirándome, hablándome con la voz ronca y entrecortada que yo recordaba tan bien.

–Mi marido no está en casa, señor. ¿Puedo hacer algo por usted?

–¿No te acuerdas de mí, Ántonia? ¿Tanto he cambiado?

Frunció el entrecejo para ver mejor con aquella luz de la tarde que volvía su pelo castaño más rojizo de lo que era. De pronto sus ojos se abrieron de par en par, su rostro pareció ensancharse. Contuvo el aliento y extendió hacia mí sus manos maltratadas por el duro trabajo.

–¡Pero si es Jim! ¡Anna, Yulka, es Jim Burden! –Apenas había cogido mis manos, me miró con expresión de alarma–. ¿Qué ha pasado? ¿Se ha muerto alguien?

Le di unas palmaditas en el brazo.

–No. Esta vez no vengo a ningún funeral. Me he bajado

del tren en Hastings y he alquilado una calesa para venir a verte a ti y a tu familia.

Soltó mi mano y empezó a meter prisa a todo el mundo.

–Anton, Yulka, Nina, ¿dónde estáis? Corre, Anna, ve a buscar a los chicos. Están por ahí fuera, buscando a ese dichoso perro. Y llama a Leo. ¿Dónde se ha metido Leo? –Los sacó a todos de los rincones y me los acercó como una gata mostrando a sus gatitos–. No irás a marcharte enseguida, ¿verdad, Jim? Mi hijo mayor no está. Se ha ido con su padre a la feria de Wilber. ¡No dejaré que te vayas! Tienes que quedarte y conocer a Rudolph y a papá. –Me miró implorante, jadeando por la emoción.

Mientras yo la tranquilizaba y le decía que teníamos tiempo de sobra, los chicos descalzos que estaban fuera entraron sigilosamente en la cocina y se apiñaron en torno a ella.

–Bueno, dime cómo se llaman y qué edad tienen.

Cometió varios errores con las edades al presentármelos uno por uno, y ellos se rieron a carcajadas. Cuando llegó a mi amigo de pies ligeros que se había subido al molino, dijo:

–Éste es Leo, y tiene edad suficiente para portarse mejor de lo que se porta.

El niño arremetió contra ella con su rizada cabeza, como un pequeño carnero juguetón, pero su voz era desesperada.

–¡Te has olvidado! Siempre te olvidas de mi edad. ¡Eres muy mala! ¡Dísela, por favor, madre! –Apretó los puños, mortificado, y la miró con fiereza.

Ántonia enredó el dedo índice en su mata de pelo amarilla y tiró de un mechón, observando a su hijo.

–Bueno, ¿y cuántos años tienes?

–Tengo doce años –respondió él, jadeante, pero no me miraba a mí, sino a ella–. ¡Tengo doce años y nací el Domingo de Pascua!

Ántonia me miró asintiendo.

–Es cierto. Fue un regalo de Pascua.

Todos fijaron la vista en mí, como si esperaran que mostrara asombro o deleite ante aquella información. Era obvio que estaban orgullosos los unos de los otros, y de ser tantos. Cuando terminaron las presentaciones, Anna, la hija mayor, que me había abierto la puerta, los dispersó cariñosamente. Volvió con un delantal blanco que ató a la cintura de su madre.

–Ahora, madre, siéntate a charlar con el señor Burden. Nosotras acabaremos de fregar los platos sin hacer ruido, para no molestaros.

Ántonia miró a su alrededor con gran perplejidad.

–Sí, hija. Pero ¿por qué no lo llevamos a la sala de estar, ahora que tenemos una bien arreglada para las visitas?

La hija se rió con indulgencia y me cogió el sombrero.

–Bueno, ahora estáis aquí, madre, y si charláis aquí, Yulka y yo también podremos oírlo. Puedes enseñarle la sala de estar más tarde. –Me sonrió y volvió con su hermana a fregar los platos. La niña de la muñeca de trapo encontró un sitio en el último peldaño de una escalera que había al fondo y se sentó con los dedos de los pies doblados, contemplándonos con aire expectante.

–Es Nina, por Nina Harling –explicó Ántonia–. ¿Verdad que tiene los ojos de Nina? Te aseguro, Jim, que os quería a todos casi tanto como a mis propios hijos. Estos niños lo saben todo de ti y de Charley y de Sally, igual que si hubieran crecido contigo. Estoy tan emocionada de verte que no sé ni qué decir. Además, se me ha olvidado tanto el inglés. Ya no lo hablo como antes. Le digo a los niños que antes hablaba bien de verdad.

Me contó que en casa hablaban siempre en bohemio. Los más pequeños no sabían una palabra de inglés; no lo aprendían hasta que iban a la escuela.

–No puedo creer que seas tú, sentado aquí, en mi cocina. No me habrías reconocido, ¿verdad, Jim? En cambio tú estás igual de joven. Pero para un hombre es más fácil. A mi Anton no lo veo más viejo que el día que me casé con él. Aún tiene bien todos los dientes. A mí no me quedan muchos. Pero me siento tan joven como antes, y todavía puedo trabajar igual. ¡Bueno, ahora ya no es tan duro! Tenemos mucha ayuda, papá y yo. ¿Y cuántos hijos tienes tú, Jim?

Cuando le dije que no tenía ninguno, pareció apenada.

–¡Oh, qué lástima! ¿A lo mejor quieres alguno de los míos que son más traviesos? Leo, por ejemplo, es el peor de todos. –Se inclinó hacia mí con una sonrisa–. Y es al que más quiero –susurró.

–¡Madre! –protestaron en voz baja las dos muchachas desde el fregadero.

Ántonia levantó la cabeza y se echó a reír.

–No puedo evitarlo. Ya lo sabéis. Quizá sea porque nació el Domingo de Pascua, no lo sé. ¡Y no para de hacer diabluras!

Yo me decía, mientras la observaba, que no importaba nada, lo de sus dientes, por ejemplo. Conozco a muchas mujeres que han conservado todo lo que ella había perdido, pero cuya llama interior se ha extinguido. Puede que no le quedara otra cosa, pero en Ántonia ardía aún el fuego de la vida. Su piel, tan tostada y curtida, no tenía esa flaccidez que se ve cuando parece que la savia se ha secado por dentro.

Mientras charlábamos entró el niño pequeño al que llamaban Jan y se sentó junto a Nina bajo la escalera. Sobre los pantalones llevaba un curioso delantal de algodón a cuadros, muy largo, como una bata, y tenía los cabellos tan cortos que la cabeza parecía blanca y pelada. Nos miró con unos enormes y tristes ojos grises.

–Quiere hablarte del perro, madre. Lo han encontrado muerto –dijo Anna al pasar por delante de nosotros para dirigirse a la alacena.

Ántonia hizo señas al niño para que se acercara. Jan se colocó junto a su silla, apoyó los codos en las rodillas de su madre y retorció las cintas de su delantal entre los finos dedos mientras le contaba su historia en bohemio, hablando en voz baja y con las lágrimas prendidas de las largas pestañas. Su madre le escuchó, lo tranquilizó con palabras cariñosas y le prometió en un susurro algo que le hizo sonreír rápidamente entre las lágrimas. El niño se escabulló para susurrar su secreto a Nina, sentándose pegado a ella y tapándose la boca con la mano al hablar.

Cuando Anna terminó con los platos y se lavó las manos, se acercó a la silla de su madre por detrás.

–¿Por qué no le enseñamos al señor Burden nuestra despensa nueva para la fruta? –preguntó.

Cruzamos el corral seguidos por los niños. Los chicos estaban junto al molino, hablando del perro; algunos se nos adelantaron corriendo para abrir la puerta de la despensa. Cuando descendimos, vinieron todos detrás, y parecían tan orgullosos de la despensa como las chicas.

Ambrosch, el niño de cara seria con el que había hablado junto a los ciruelos enanos, llamó mi atención sobre las sólidas paredes de ladrillo y el suelo de cemento.

–Sí, está bastante lejos de la casa –admitió–. Pero, verá, en invierno siempre hay alguno de nosotros para venir a buscar cosas.

Anna y Yulka me enseñaron tres pequeños toneles; uno lleno de pepinillos en vinagre al eneldo, otro lleno de encurtidos troceados y otro lleno de cáscaras de melón en vinagre.

–¡No te puedes imaginar, Jim, lo que cuesta alimentarlos a todos! –exclamó su madre–. ¡Deberías ver la cantidad de pan que hacemos los miércoles y los sábados! No es extraño que su pobre papá no pueda hacerse rico, con todo el azúcar que ha de comprar para las conservas. Tenemos nuestro trigo para moler y hacer harina, pero luego no nos queda mucho para vender.

Nina y Jan, y una niña pequeña llamada Lucie, no paraban de señalarme tímidamente los estantes llenos de tarros de cristal. No decían nada, pero, al mirarme, seguían con la punta de los dedos el contorno de las cerezas y las fresas y las manzanas silvestres que contenía el cristal, intentando transmitirme con una expresión gozosa una idea de su delicioso sabor.

–Enséñale las ciruelas especiadas, madre. Los americanos no tienen de eso –dijo uno de los chicos mayores–. Madre las llama kolaches –añadió.

En voz baja, Leo espetó un comentario desdeñoso en bohemio.

Me volví hacia él.

–Seguro que crees que no sé lo que son kolaches, ¿verdad? Pues te equivocas, muchachito. Yo comía las kolaches de tu madre mucho antes de que tú nacieras en Domingo de Pascua.

–Tan descarado como siempre, Leo –observó Ambrosch, encogiéndose de hombros.

Leo se escondió inmediatamente tras las faldas de su madre, y me sonrió.

Nos volvimos hacia la salida; Ántonia y yo subimos la escalera los primeros. Estábamos fuera hablando, cuando los niños subieron corriendo todos juntos, grandes y pequeños, los de pelo de estopa, los de cabellos dorados y castaños, con sus ágiles y pequeñas piernas desnudas; una verdadera explosión de vida que surgía de la oscura cueva que era la despensa a la luz del sol. Por un momento me hicieron sentir mareado.

Los chicos nos escoltaron hasta la parte delantera de la casa, que yo aún no había visto; en las granjas, la vida parece ir y venir siempre por la puerta trasera. El tejado era tan inclinado que apenas había distancia entre los aleros y el bosque de altas malvarrosas, que en aquel momento eran pardas y habían granado. Durante el mes de julio, dijo Ántonia, la casa quedaba enterrada; recordé que los bohemios siempre plantaban malvarrosas. El jardín estaba rodeado por un seto espinoso de robinias negras y junto a la cancela crecían dos árboles plateados, semejantes a mariposas de luz, de la familia de las mimosas. Desde allí se veían los corrales, más abajo, con sus dos largos estanques y una ancha franja de rastrojos que, según me contaron, era un campo de centeno en verano.

A cierta distancia, por detrás de la casa, había un bosquecillo de fresnos y dos huertos: uno de cerezos, con groselleros y uva espinas entre las hileras, y otro de manzanos, protegidos de los vientos cálidos por un seto alto. Los mayores se dieron la vuelta cuando llegamos al seto, pero Jan, Nina y Lucie se metieron a gatas por un agujero que sólo ellos conocían, oculto bajo las moreras de bajas ramas.

Mientras paseábamos por el huerto de manzanos, crecidos entre hierba alta para forraje, Ántonia no dejaba de hacer comentarios sobre cada uno de los árboles.

–Los quiero como si fueran personas –dijo, pasando la mano sobre la corteza–. No había ningún árbol aquí cuando llegamos. Los plantamos todos, y también teníamos que traer agua para regarlos, después de haber pasado el día trabajando en los campos. Anton era un hombre de ciudad y se desesperaba. Pero a mí el cansancio no me impedía preocuparme por estos árboles cuando había sequía. Pensaba en ellos como si fueran mis hijos. Muchas noches, cuando él ya estaba dormido, me levantaba y traía agua para estas pobres criaturas. Y ahora, ya ves, nos dan lo mejor de sí. Mi marido trabajó en los naranjales de Florida y lo sabe todo sobre injertos. Ninguno de nuestros vecinos tiene un huerto que dé frutos como éstos.

Llegamos a un emparrado que había en medio del huerto, con asientos en los lados y una mesa que era un tablón de madera alabeada. Los tres niños nos esperaban allí. Me miraron con timidez y pidieron algo a su madre.

–Quieren que te diga que el maestro trae aquí a sus alumnos de merienda todos los años. Como aún no van a la escuela, creen que siempre es como en esas meriendas.

Después de admirar el emparrado como se merecía, los niños salieron corriendo hacia un espacio abierto donde había una enmarañada jungla de acianos, se acuclillaron entre los arbustos y empezaron a andar a gatas por allí y a tomar medidas con un cordel.

–Jan quiere enterrar aquí a su perro –me explicó Ántonia–. He tenido que decirle que sí. Es un poco como Nina Harling; ¿recuerdas cuánto le afectaban las pequeñas cosas? Jan tiene ideas raras, igual que ella.

Nos sentamos a contemplarlos. Ántonia apoyó los codos en la mesa. Se respiraba la paz más absoluta en aquel huerto. Estaba rodeado por un triple cercado: la alambrada, luego el seto de robinias negras y luego el seto de moreras que no dejaba pasar los vientos cálidos del verano y se aferraba a las nieves protectoras del invierno. Los setos eran tan altos que no se veía nada salvo el cielo azul, ni el tejado del granero ni el molino de viento. El sol de la tarde derramaba su luz sobre nosotros a través de las hojas del emparrado que iban secándose. El huerto parecía lleno de sol, como una copa, y hasta nosotros llegaba el olor de las manzanas maduras en los árboles. Aquellas manzanas silvestres pendían de las ramas, arracimadas como una sarta de cuentas, con un color rojo purpúreo y una tenue pátina plateada. Unos cuantos patos y gallinas se habían colado por el seto y picoteaban las manzanas caídas. Los patos machos eran hermosos ejemplares, con el cuerpo de un gris rosado y la cabeza y el cuello cubiertos de plumas verdes iridiscentes, que en algunas zonas se hacían más densas y oscuras, pasando al azul, como en el cuello de un pavo real. Ántonia me dijo que le recordaban a soldados, a no sé qué uniforme que había visto en su país natal, cuando era pequeña.

–¿Quedan codornices? –inquirí. Le recordé que solíamos ir a cazar juntos el último verano antes de que nos trasladáramos a la ciudad–. No tenías mala puntería, Tony. ¿Recuerdas que querías escapar y venirte a cazar patos con Charley Harling y conmigo?

–Sí, pero ahora las armas me dan miedo. –Cogió uno de los patos y le erizó las verdes plumas con los dedos–. Desde que empecé a tener hijos no me gusta matar nada. Me da angustia retorcerle el pescuezo a un viejo ganso. ¿No te parece extraño, Jim?

–No lo sé. La joven reina de Italia le dijo lo mismo a un amigo mío. Antes era una gran cazadora, pero ahora siente lo mismo que tú y sólo practica el tiro al plato.

–Entonces estoy segura de que es una buena madre –dijo Ántonia con vehemencia.

Ántonia me contó que su marido y ella se habían instalado en aquella zona cuando la tierra de labranza estaba barata y podía pagarse en cómodos plazos. Los primeros diez años habían bregado duramente. Su marido sabía muy poco sobre las labores del campo y se desesperaba.

–No habríamos conseguido salir adelante si yo no hubiera sido tan fuerte. Siempre he tenido una salud excelente, gracias a Dios, y he podido ayudarle en el campo hasta el momento mismo de parir a mis niños. Nuestros hijos han sabido cuidarse los unos de los otros. Martha, la que viste cuando era un bebé, me ayudó muchísimo, y enseñó a Anna a hacer lo mismo. Mi Martha se ha casado y ha tenido un bebé. ¡Imagínatelo, Jim!

»No, yo nunca me dejé abatir. Anton es un buen hombre, y yo quería a mis hijos y siempre confié en que se criarían bien. Soy mujer del campo. Aquí no me siento nunca sola, como me ocurría en la ciudad. ¿Recuerdas mis accesos de melancolía cuando no sabía qué me pasaba? Nunca los tuve aquí, en el campo. Y no me importa trabajar, si no tengo que soportar la tristeza. –Apoyó el mentón en la mano y miró hacia el otro lado del huerto, donde la luz del sol era cada vez más dorada.

–No debiste irte a la ciudad, Tony –le dije, sorprendido.

Ella se volvió hacia mí con viveza.

–¡Pero si me alegro de haber ido! De lo contrario, jamás habría sabido cocinar ni llevar una casa. Aprendí buenos modales con los Harling, y eso me ha permitido educar mejor a mis hijos. ¿No te parece que están bien educados para ser del campo? De no ser por lo que me enseñó la señora Harling, creo que se habrían criado como conejos salvajes. No, me alegro de haber tenido la oportunidad de aprender; pero doy a gracias a Dios porque ninguna de mis hijas tendrá que trabajar para otros. Mi problema era, Jim, que nunca creía nada malo de las personas a las que quería.

Mientras conversábamos, Ántonia me aseguró que podía pasar allí la noche.

–Tenemos sitio de sobra. Dos de los chicos duermen sobre el heno del granero hasta que llega el frío, aunque en realidad no es necesario. Leo se empeña en dormir allí, y Ambrosch lo acompaña para cuidar de él.

Le dije que me gustaría dormir sobre el heno con los chicos.

–Lo que a ti te apetezca. El arcón está lleno de mantas limpias para el invierno. Ahora tengo que irme o mis hijas harán todo el trabajo, y quiero hacerte la cena yo misma.

Cuando nos dirigíamos a la casa, nos encontramos con Ambrosch y Anton, que se iban a buscar las vacas con los cubos para ordeñarlas. Me uní a ellos y Leo nos siguió a cierta distancia, corriendo delante y saliéndonos al paso desde los arbustos de rompezaragüelles, gritando: «Soy una liebre» o «Soy una serpiente toro».

Yo caminaba entre los dos mayores; chicos erguidos, bien desarrollados, bien parecidos y de ojos claros. Charlaron de su escuela y de la nueva maestra, me hablaron de la cosecha y la siega, y de la cantidad de novillos que tendrían que alimentar aquel invierno. Me hicieron estas confidencias de una manera espontánea, como si fuera un viejo amigo de la familia... y no demasiado viejo. Me sentía como un muchacho más en su compañía, y revivieron en mí toda suerte de intereses olvidados. Al fin y al cabo, me parecía de lo más natural caminar a lo largo de una alambrada a la luz del crepúsculo en dirección a un estanque rojo y ver mi sombra moviéndose a mi derecha, sobre la hierba segada.

–¿Le ha enseñado madre las fotografías que le envió de su país? –preguntó Ambrosch–. Las enmarcamos y las colgamos en la sala de estar. Se alegró mucho al recibirlas. No creo haberla visto nunca tan contenta. –Había un tono de sencilla gratitud en su voz que me hizo desear haberle dado más motivos para sentirla.

Puse una mano sobre su hombro.

–A tu madre, ¿sabes?, la queríamos mucho todos. Era una joven muy hermosa.

–¡Oh, ya lo sabemos! –respondieron al unísono; parecían un poco sorprendidos de que hubiera considerado necesario decírselo–. Todo el mundo la quería, ¿verdad? Los Harling y su abuela, y toda la gente de la ciudad.

–A veces –me aventuré a decir–, a los chicos de vuestra edad no se les ocurre que su madre pueda haber sido joven y guapa.

–¡Oh, lo sabemos! –volvieron a decir, animadamente–. Pero no es tan vieja –añadió Ambrosch–. No mucho más que usted.

–Bueno –dije–, si no os portarais bien con ella, creo que cogería un garrote y os daría una buena. No soportaría que ninguno de vosotros fuera desconsiderado con ella, o pensara que sólo es alguien que os ha cuidado. Mirad, yo estuve muy enamorado de vuestra madre en otro tiempo, y sé que no hay nadie como ella.

Los chicos se echaron reír y parecieron complacidos y azorados a la vez.

–Eso no nos lo había contado –dijo Anton–. Pero siempre habla mucho de usted, y de lo bien que se lo pasaban juntos. Tiene una foto de usted que recortó de un periódico de Chicago, y Leo dice que le reconoció cuando llegó en la calesa al molino. Aunque nunca se sabe con Leo; a veces le gusta hacerse el listo.

Llevamos a las vacas de vuelta a la esquina del corral más cercana al granero y los chicos las ordeñaron mientras se iba haciendo de noche. Todo era tal como debía ser: el intenso aroma de los girasoles y los rompezaragüelles cubiertos de rocío, el límpido cielo, azul y dorado, el lucero vespertino, el repicar de la leche al caer en los cubos, los gruñidos y chillidos de los cerdos peleándose por la cena. Empecé a notar la soledad de un muchacho del campo por la noche, cuando todas las tareas parecen repetirse hasta el infinito y el mundo está demasiado lejano.

¡Cuántos éramos a la mesa para la cena! Dos largas hileras de cabezas inquietas a la luz de la lámpara, y otras tantas miradas entusiastas, fijas en Ántonia, que ocupaba la cabecera de la mesa y llenaba los platos y los hacía pasar de mano en mano. Sus hijos estaban sentados conforme a un sistema; uno pequeño se sentaba junto a otro mayor, que tenía que vigilar su comportamiento y asegurarse de que comía. Anna y Yulka se levantaban de la silla de vez en cuando para llenar las bandejas de kolaches y las jarras de leche.

Después de la cena pasamos a la sala de estar para que Yulka y Leo pudieran tocar para mí. Ántonia entró primero, llevando la lámpara. No había sillas suficientes para todos, así que los más pequeños se sentaron en el suelo desnudo. La pequeña Lucie me susurró que iban a comprar una alfombra si conseguían vender el trigo a noventa centavos. Leo sacó su violín con grandes aspavientos. Era el instrumento del viejo señor Shimerda, que Ántonia había conservado a lo largo de los años, y que era demasiado grande para Leo. Pero tocaba bien para ser autodidacta. El empeño de la pobre Yulka no tuvo tanto éxito. Mientras tocaban, la pequeña Nina se levantó de su rincón, se colocó en el centro de la sala e inició una bonita danza con los pies descalzos. Nadie le prestó la menor atención y, al terminar, volvió a sentarse silenciosamente junto a su hermano.

Ántonia se dirigió a Leo en bohemio. Éste frunció el entrecejo e hizo una mueca. Parecía que intentaba hacer un mohín, pero tan sólo consiguió que se le hicieran hoyuelos en lugares inusitados. Tras retorcer y dar la vuelta a las clavijas, tocó unas melodías bohemias, sin el órgano de acompañamiento, y sonó mejor. El chico era tan inquieto que yo no había tenido oportunidad de verle bien la cara hasta entonces. Mi primera impresión era la correcta; era realmente un fauno. La cabeza apenas le asomaba detrás de las orejas, y su espesa cabellera leonina le caía hasta la nuca. No tenía los ojos francos y separados como sus hermanos, sino hundidos, de color verde con matices dorados, y parecían sensibles a la luz. Su madre me dijo que se lastimaba con más frecuencia que todos los demás juntos. Siempre andaba probando a montar los potros antes de que estuvieran domados, incordiando al pavo, comprobando cuánto aguantaba el toro sin embestir una tela roja, o si la nueva hacha estaba afilada.

Después del concierto, Ántonia sacó una gran caja llena de fotografías: Anton y ella con el traje de boda, cogidos de la mano; su hermano Ambrosch y la mujer de éste, gordísima, que tenía una granja propia y manejaba al marido a su antojo, lo que me produjo un gran regocijo; las tres Marys bohemias y su numerosa prole.

–No te creerías lo sensatas que han resultado ser esas chicas –observó Ántonia–. La mantequilla que hace Mary Svoboda es la mejor de toda la región, y sabe administrarse a las mil maravillas. Sus hijos tienen las mejores perspectivas.

Mientras Ántonia iba pasando las fotografías, los jóvenes Cuzak permanecían de pie a su espalda, mirando por encima de su hombro con expresión de interés. Nina y Jan, a quienes los más altos no dejaban ver, se trajeron una silla en silencio, se encaramaron a ella y se juntaron para mirar. El niño olvidó su timidez y sonrió con deleite al ver aparecer los rostros familiares. Percibí una especie de armonía física en el grupo que rodeaba a Ántonia. Se inclinaban hacia un lado u otro, y no tenían miedo de tocarse. Contemplaban las fotografías, complacidos de reconocerlas; algunas las miraban con admiración, como si aquellos personajes de la juventud de su madre hubieran sido personas extraordinarias. Los más pequeños, que no sabían hablar inglés, intercambiaban comentarios en voz baja en su rica y vieja lengua.

Ántonia me alargó una fotografía que le había enviado Lena desde San Francisco la Navidad anterior.

–¿Sigue teniendo el mismo aspecto? Hace ya seis años que no ha vuelto por su casa.

Sí, era exactamente así, le dije; una guapa mujer, quizá demasiado rolliza y con un sombrero demasiado grande, pero conservaba los mismos ojos indolentes de siempre, y su viejo candor que le hacía hoyuelos en las mejillas y asomaba por las comisuras de su boca.

Había también un retrato de Frances Harling con un traje de montar con alamares de adorno, que yo conocía bien.

–¿Verdad que está guapa? –murmuraron las chicas. Todos estuvieron de acuerdo. Se notaba que Frances se había convertido en una heroína de la leyenda familiar. Sólo Leo permaneció imperturbable.

–Y aquí está el señor Harling, con su gran abrigo de pieles. Era muy rico, ¿verdad, madre?

–No era ningún Rockefeller –soltó el señorito Leo en voz muy baja, que me recordó el modo en que la señora Shimerda había dicho en una ocasión que mi abuelo «no era Jesús». Su escepticismo habitual era como una herencia directa de aquella anciana.

–Nada de hacerte el espabilado –dijo Ambrosch con severidad.

Leo le sacó la lengua, ágil y roja, pero instantes después soltó una risita al ver un ferrotipo[24] de dos hombres incómodamente sentados y un chico desgarbado con ropas demasiado grandes de pie entre ellos: ¡Jake, Otto y yo! Recordé que nos la habían hecho en Black Hawk el primer Cuatro de Julio que pasé en Nebraska. Me alegró ver de nuevo la sonrisa de Jake y los imponentes bigotes de Otto. Los jóvenes Cuzak lo sabían todo sobre ellos.

–Fue él quien hizo el ataúd del abuelo, ¿a que sí? –preguntó Anton.

–¿Verdad que eran buenas personas, Jim? –Los ojos de Ántonia se llenaron de lágrimas–. Aún hoy me avergüenzo de haberme peleado con Jake de aquella manera. Fui descarada e impertinente con él, Leo, igual que tú a veces, y desearía que alguien me hubiera enseñado buenos modales.

–Aún no hemos terminado con usted –me advirtieron. Sacaron una fotografía que me hicieron justo antes de irme a la universidad: un joven alto con pantalones de rayas y sombrero de paja procurando aparentar aplomo y desenvoltura.

[24] Se refiere a un tipo de fotografías para las que se utilizaba una fina placa de hierro y una sustancia llamada colodión.

–Señor Burden –dijo Charley–, cuéntenos lo de la serpiente de cascabel que mató en las madrigueras de los perros de la pradera. ¿Qué longitud tenía? Algunas veces madre dice que dos metros, y otras que metro y medio.

Me pareció que aquellos niños tenían con Ántonia una relación muy parecida a la que habían tenido con ella los hijos de los Harling muchos años atrás. Parecían sentir el mismo orgullo, y requerir de ella historias y juegos igual que hacíamos nosotros.

Eran las once cuando por fin cogí mi bolsa y unas mantas y me encaminé al granero con los chicos. Su madre nos acompañó hasta la puerta; luego nos entretuvimos unos instantes en contemplar la blanca cuesta del corral, los dos estanques que dormían bajo la luz de la luna y la larga extensión de los pastos bajo el firmamento estrellado.

Los chicos me dijeron que eligiera a mi gusto un lugar donde dormir, y yo me tumbé junto a una gran ventana, que estaba abierta a causa del calor y que me permitía ver las estrellas. Ambrosch y Leo se acurrucaron en un rincón lleno de heno, bajo el alero, riendo por lo bajo y cuchicheando. Se hicieron cosquillas el uno al otro y saltaron y se revolcaron por el heno; luego, de pronto, se quedaron quietos, como si les hubieran pegado un tiro. Apenas había transcurrido un minuto entre las risas y el profundo sueño.

Permanecí despierto durante un buen rato, hasta que la luna pasó por delante de mi ventana en su lenta andadura por los cielos. Pensaba en Ántonia y sus hijos; en lo solícita que había sido Anna con ella, en el cariño reservado de Ambrosch, en el amor celoso y animal de Leo. Aquel momento en que habían salido en tropel de la despensa a plena luz del sol era una visión que habría merecido el largo viaje para cualquier hombre. Ántonia había sido siempre una de esas personas que graban imágenes en el cerebro que no se desvanecen, que se hacen más vívidas con el tiempo. En mi memoria guardaba una sucesión de tales imágenes, indelebles como las viejas ilustraciones del primer libro de texto: Ántonia golpeando los flancos de mi poni con las piernas desnudas cuando volvimos a casa triunfantes con nuestra serpiente; Ántonia con su chal negro y su gorro de pieles, cuando estaba de pie junto a la tumba de su padre bajo la tormenta de nieve; Ántonia apareciendo en el horizonte con su tiro de caballos de labor a la luz del crepúsculo. Ántonia se prestaba a actitudes humanas inmemoriales, que por instinto reconocemos como universales y verdaderas. No me había equivocado. Ya no era una preciosa muchacha, sino una mujer ajada, pero aún poseía ese algo que inflama la imaginación, aún podía hacer que a uno se le cortara la respiración con una mirada o un gesto que, sin saber cómo, desvelaba el significado de las cosas vulgares. Sólo tenía que encontrarse en el huerto, poner la mano sobre un manzano silvestre y alzar la vista hacia las manzanas, para hacerle sentir a uno la bondad de plantar, cuidar los árboles y, finalmente, recoger los frutos. Todo lo que de fuerte había en su corazón se expresaba mediante su cuerpo, que siempre había sido tan infatigable y generoso en derramar emociones.

No era de extrañar que sus hijos caminaran erguidos. Ántonia era una cálida fuente de vida, como los fundadores de las razas primigenias.

II

Cuando me desperté por la mañana, los rayos del sol entraban por la ventana, alargándose hasta el rincón bajo el alero donde dormían los dos chicos. Leo estaba completamente despierto y le hacía cosquillas a su hermano en una pierna con una rubeckia seca que había sacado del heno. Ambrosch le dio una patada y se volvió del otro lado. Cerré los ojos y fingí dormir. Leo se tumbó de espaldas, levantó un pie y empezó a hacer ejercicios con los dedos. Cogía flores secas con los dedos y las agitaba bajo el haz de luz. Después de divertirse así durante un rato, se incorporó sobre un codo y me miró, con cautela, con ojo crítico después, entornando los ojos para ver mejor. Su expresión era cómica; me desechaba con ligereza. «Este viejo no es diferente de los demás. No conoce mi secreto.» Parecía consciente de poseer una mayor capacidad de disfrute que los demás; su rápido entendimiento le hacía ver con frenética impaciencia todo lo que fuera reflexión. Sabía lo que quería en todo momento sin tener que pensar.

Después de vestirme sobre el heno, me lavé la cara con

agua fría del molino. Encontré el desayuno preparado al entrar en la cocina y a Yulka haciendo tortitas. Los tres chicos mayores se fueron temprano a trabajar en los campos. Leo y Yulka se irían a la ciudad en el carro para recoger a su padre, que regresaba de Wilber en el tren del mediodía.

–A mediodía comeremos ligero –dijo Ántonia– y asaremos el ganso para la cena, cuando papá esté con nosotros. Ojalá mi Martha pudiera venir a verte. Ella y su marido tienen ahora un Ford y ya no me parece que viva tan lejos como antes. Pero su marido no piensa más que en la granja y en que todo se haga bien, y casi nunca salen, salvo los domingos. Es un muchacho muy guapo, que algún día será rico. Todo lo que él emprende sale bien. Cuando traen a su bebé aquí y me lo enseñan, parece un pequeño príncipe; Martha lo cuida estupendamente. Ahora ya me he hecho a la idea de que estemos separadas, pero al principio lloraba como si la hubiera metido en el ataúd.

En la cocina no había nadie más que nosotros y Anna, que vertía crema de leche en la mantequera. La muchacha alzó la vista para mirarme.

–Sí, es cierto. Nos avergonzábamos de ellas. No hacía más que llorar, cuando Martha era tan feliz y todos los demás estábamos contentos. Desde luego Joe tuvo mucha paciencia, madre.

Ántonia asintió, sonriendo para sí.

–Ya sé que era una tontería, pero no podía evitarlo. Quería que estuviera aquí. No se había separado ni una sola noche de mí desde que nació. Si Anton hubiera puesto peros cuando era un bebé, o me hubiera pedido que se la dejara a mi madre, no me habría casado con él. Pero él siempre la quiso como si fuera hija suya.

–Yo ni siquiera supe que Martha sólo era medio hermana hasta después de que se prometiera con Joe –me contó Anna.

Hacia la mitad de la tarde, llegó el carro con el padre y el hijo mayor. Yo estaba fumando en el huerto y, cuando fui a recibirlos, Ántonia salió corriendo de la casa y abrazó a los dos hombres como si hubieran estado varios meses ausentes.

«Papá» me interesó desde que lo vi por primera vez. Era más bajo que sus hijos mayores; un hombrecillo arrugado que llevaba los tacones de las botas gastados por un lado y caminaba con un hombro más alto que otro. Pero se movía muy deprisa y daba una impresión de desenfadada vitalidad. Tenía el rostro rubicundo y una espesa mata de cabellos negros, algo encanecidos, un mostacho ensortijado y los labios rojos. Su sonrisa dejaba al descubierto los fuertes dientes de los que su mujer estaba tan orgullosa y, al mirarme, sus ojos vivaces y socarrones me indicaron que sabía cuanto se podía saber de mí. Tenía la apariencia de un filósofo burlón que había alzado un hombro ante las pesadas cargas de la vida y había seguido adelante, disfrutándola siempre que podía. Vino a mi encuentro ofreciéndome una mano endurecida, con el dorso enrojecido y cubierto por un espeso vello. Iba endomingado, con un traje demasiado grueso para aquella época del año, una camisa blanca sin almidonar y una corbata azul de grandes lunares blancos, como la de un niño, con un nudo suelto. Cuzak empezó enseguida a hablar de su viaje, empleando el inglés por cortesía.

–Mamá, ojalá hubieras visto a la señora que bailó anoche en la cuerda floja, en la calle. La iluminan con una luz brillante y es hermoso verla flotar en el aire, ¡como un pájaro! Tienen un oso bailarín, como en nuestro país, y dos o tres tiovivos, y gente en globos y, ¿cómo se llama esa rueda grande, Rudolph?

–Noria –respondió Rudolph, entrando en la conversación con su grave voz de barítono. Medía un metro noventa y tenía el pecho de un joven herrero–. Anoche fuimos a la sala de baile que hay detrás de la cantina, madre, y bailé con todas las chicas, y padre también. Jamás había visto juntas a tantas chicas guapas. Ten por seguro que eran todos de Bohemia y de por allí. En la calle no oía hablar una palabra de inglés, salvo a la gente del espectáculo, ¿verdad, papá?

Cuzak asintió.

–Y muchos te envían saludos, Ántonia. Discúlpeme –añadió, volviéndose hacia mí–, mientras se lo cuento.

Volviendo hacia la casa, relató anécdotas y transmitió mensajes en la lengua que hablaba con fluidez y yo me quedé un poco rezagado, sintiendo curiosidad por saber cómo había cambiado la relación entre ellos, o cómo seguía siendo. Parecía una pareja en la que había una cordialidad espontánea, con un toque de humor. Sin duda ella era el impulso y él el correctivo. Mientras ascendían por la colina, él no dejaba de mirarla de reojo, para ver si le comprendía, o cómo reaccionaba. Más tarde me di cuenta de que Cuzak miraba siempre de reojo, igual que mira un caballo de labor a su compañero de yugo. Incluso cuando estaba sentado frente a mí en la cocina, charlando, giraba un poco la cabeza hacia el reloj o los fogones y me miraba de soslayo, pero con expresión franca y afable. Esta costumbre no sugería disimulo ni un carácter reservado, sino que se trataba únicamente de un hábito que se hacía con el tiempo, como le ocurría al caballo.

Había traído un ferrotipo de él y Rudolph para la colección de Ántonia y varias bolsas de papel llenas de caramelos para los niños. Sufrió una pequeña decepción cuando su mujer le enseñó la gran caja de caramelos que yo les había comprado en Denver; Ántonia no había permitido que los niños la tocaran la noche anterior. Cuzak guardó sus caramelos en la alacena, «para cuando lloviese», y miró la caja, riendo entre dientes.

–Supongo que se enteró de que mi familia no era pequeña –dijo.

Cuzak se sentó detrás de la cocina económica y contempló a las mujeres de la familia y a los niños pequeños con el mismo aire divertido. Era evidente que le parecían guapos y graciosos. Había estado lejos de casa, bailando con chicas jóvenes, olvidando que era un carcamal, y ahora su familia le sorprendía; parecía considerar como una broma que todos aquellos niños fueran suyos. Cuando los más pequeños se acercaban a su retiro, él iba sacándose cosas de los bolsillos: muñecos de centavo, un payaso de madera, un globo en forma de cerdo que se inflaba con un pito. Hizo una seña al niño que llamaban Jan, le susurró algo y le ofreció una serpiente de papel, poniendo mucho cuidado en no asustarlo. Mirando por encima de la cabeza del niño, me dijo:

–Éste es tan tímido que se quedaría sin nada.

Cuzak había traído consigo un rollo de periódicos ilustrados de Bohemia. Los abrió y empezó a contarle a su mujer las noticias, gran parte de las cuales parecían referirse a la misma persona. Oí el nombre Vasakova, Vasakova, repetido varias veces con interés entusiasta, y acabé por preguntarle si hablaban de la cantante Maria Vasak.

–¿La conoce? ¿La ha oído cantar, tal vez? –preguntó él con incredulidad.

Al asegurarle yo que la había oído, me señaló su fotografía y me dijo que Vasak se había roto una pierna escalando los Alpes austríacos, lo que le impediría cumplir con sus compromisos artísticos. Se mostró encantado cuando le dije que la había oído cantar en Londres y en Viena; sacó su pipa y la encendió para disfrutar más y mejor de nuestra charla. La cantante era oriunda de la misma parte de Praga que él. El padre de Cuzak le remendaba los zapatos cuando era estudiante. Cuzak me interrogó sobre su aspecto, su popularidad, su voz; pero sobre todo quiso saber si me había fijado en sus diminutos pies y si creía que había ahorrado mucho dinero. Era manirrota, claro está, pero él confiaba en que no lo despilfarraría todo, quedándose sin nada en la vejez. Siendo él joven, cuando trabajaba en Viena, había visto a muchos artistas viejos y pobres, haciendo que una jarra de cerveza les durara toda la noche, y eso «no era nada agradable».

La mesa ya estaba puesta cuando volvieron los chicos de ordeñar y dar de comer a los animales y a Ántonia le pusieron delante dos gansos asados, rellenos de manzanas, que aún chisporroteaban. Ella empezó a trincharlos y Rudolph, que estaba sentado al lado de su madre, fue pasando los platos. Cuando todo el mudo quedó servido, me miró desde el otro lado de la mesa.

–¿Ha estado usted en Black Hawk últimamente, señor Burden? Quería preguntarle si está enterado de lo que les pasó a los Cutter.

No, no sabía nada en absoluto.

–Entonces tienes que contárselo, hijo, aunque sea horrible de oír mientras cenamos. Ahora, niños, todos callados, Rudolph va a hablar del asesinato.

–¡Hurra! ¡El asesinato! –exclamaron los niños, complacidos e interesados.

Rudolph contó la historia con pelos y señales y algún que otro apunte de su madre o su padre.

Wick Cutter y su mujer habían seguido viviendo en la casa que Ántonia y yo conocíamos tan bien y del mismo modo que también conocíamos. Llegaron a ser muy ancianos. Él se arrugó tanto, me dijo Ántonia, que acabó pareciendo un viejo mono amarillo, porque la barba y el flequillo no le habían cambiado nunca de color. La señora Cutter no perdió la tez rubicunda ni los ojos saltones con que la habíamos conocido, pero con el transcurso del tiempo se vio aquejada por una parálisis agitante, que convirtió en perpetuos los movimientos nerviosos de la cabeza, antes esporádicos. ¡Le temblaban tanto las manos que ya no podía afear porcelanas, pobre mujer! A medida que la pareja iba envejeciendo, menudearon aún más las disputas sobre la disposición testamentaria de sus «bienes». Se había aprobado una nueva ley en el estado que aseguraba para la viuda un tercio de las propiedades del marido difunto en cualquier circunstancia. A Cutter le atormentaba el miedo de que la señora Cutter viviera más que él y que, al final, la heredara «su gente», a la que él tanto había odiado siempre. Sus peleas traspasaban los límites de los cedros que rodeaban la casa y podía oírlas cualquier transeúnte que deseara pararse a escuchar.

Una mañana de hacía dos años, Cutter fue a la ferretería y tienda de armas y compró una pistola, aduciendo que quería matar a un perro; añadió que «una vez puestos, tal vez le pegaría también un tiro a un gato viejo». (Aquí los niños interrumpieron la narración de Rudolph con risitas ahogadas.)

Cutter se fue a la parte de atrás de la tienda, colocó un blanco, practicó durante una hora, más o menos, y luego regresó a casa. A las seis de la tarde, unos hombres que pasaron por la calle de vuelta a casa para cenar oyeron un disparo de pistola. Se detuvieron y se miraron unos a otros sin saber qué hacer, cuando de repente una bala atravesó el cristal de una ventana superior. Corrieron al interior de la casa y encontraron a Wick Cutter tendido en un sofá de su dormitorio, en el piso de arriba, con la garganta destrozada y manando sangre sobre unas sábanas enrolladas que se había colocado junto a la cabeza.

–Entren, caballeros –les dijo con voz débil–. Estoy vivo, como pueden ver, y en posesión de mis facultades. Son ustedes testigos de que he sobrevivido a mi esposa. La encontrarán en su dormitorio. Háganme el favor de examinarla de inmediato para que no quepa la menor duda.

Uno de los vecinos telefoneó a un médico, mientras los demás entraban en la habitación de la señora Cutter. Estaba tumbada sobre la cama, vestida con el camisón y la bata y con un disparo en el corazón. Su marido debía de haber entrado mientras ella dormía la siesta y le había pegado un tiro a quemarropa en el pecho. La pólvora había quemado el camisón.

Los horrorizados vecinos se apresuraron a volver junto a Cutter. Éste abrió los ojos y dijo con toda claridad:

–La señora Cutter está muerta y bien muerta, caballeros, y yo estoy consciente. Mis asuntos están en orden. –Luego, dijo Rudolph, «exhaló un último suspiro y murió».

El juez de instrucción halló una carta sobre su escritorio, fechada a las cinco de aquella misma tarde. En ella declaraba que acababa de matar a su esposa, que cualquier testamento que ella pudiera haber hecho en secreto quedaba invalidado, puesto que la había sobrevivido. Tenía la intención de matarse a las seis y, si le quedaban fuerzas, dispararía un tiro a la ventana con la esperanza de que entrara algún transeúnte y lo viera «antes de que se extinguiera su vida», en palabras de su puño y letra.

–Bueno, ¿a que no hubieras imaginado que era un hombre tan cruel? –Antonia se volvió hacia mí cuando terminó la historia–. ¡Mira que quitarle a aquella pobre mujer todas las comodidades que habría podido tener con su dinero, muerto él!

–¿Había oído usted hablar de alguna otra persona que se hubiera suicidado por rencor, señor Burden? –preguntó Rudolph.

Admití que no. Cualquier abogado tiene infinidad de ocasiones para comprobar hasta qué extremos puede llegar el odio, pero en mi colección de anécdotas legales no tenía ninguna que pudiera compararse con aquélla. Cuando pregunté a cuánto ascendía el valor de los bienes, Rudolph me contestó que sobrepasaba ligeramente los cien mil dólares.

Cuzak me miró de refilón con los ojos centelleantes.

–Seguro que los abogados se llevaron buena parte –dijo, alegremente.

Cien mil dólares; ¡así que ésa era la fortuna amasada mediante negocios turbios y por la que el propio Cutter había acabado matándose!

Después de la cena, Cuzak y yo dimos un paseo por el huerto y nos sentamos junto al molino para fumar. Me contó su historia, como si me incumbiera conocerla.

Su padre era zapatero, su tío, peletero, y él, como hijo segundón, trabajaba de aprendiz en el negocio del tío. No se llega a ninguna parte trabajando para los parientes, me dijo, de modo que, al hacerse oficial, se fue a Viena y trabajó en una gran peletería, donde ganaba un buen sueldo. Pero un hombre joven con ganas de divertirse no podía ahorrar en Viena; había demasiadas maneras agradables de gastar por la noche lo que ganaba durante el día. Al cabo de tres años se fue a Nueva York. Mal aconsejado, se puso a trabajar durante una huelga, cuando las fábricas ofrecían salarios elevados. Ganaron los huelguistas y Cuzak fue a parar a una lista negra. Contando con unos cientos de dólares ahorrados, decidió ir a Florida y cultivar naranjos. ¡Siempre había creído que le gustaría cultivar naranjos! Durante su segundo año, una helada mató su joven huerto y él cayó enfermo de malaria. Llegó a Nebraska para visitar a su primo Anton Jelinek y por ver dónde vivía. Lo que vio fue a Ántonia, y era exactamente el tipo de mujer que había estado buscando. Se casaron de inmediato, aunque tuvo que pedir dinero prestado a su primo para comprar el anillo de boda.

–Fue un trabajo muy duro preparar esta tierra y hacer que crecieran las primeras cosechas –dijo, echándose el sombrero hacia atrás para rascarse la cabeza entrecana–. Algunas veces lo pasaba muy mal aquí y quería dejarlo, pero mi mujer siempre me decía que era mejor quedarse. Los hijos llegaban uno tras otro, así que, de todas maneras, no era fácil irse a otra parte. Creo que tenía razón. Ahora este lugar está libre de deudas. Pagamos sólo veinte dólares por acre en su momento y ahora me ofrecen cien. Hace diez años compramos otra parcela y la pagamos casi al contado. Tenemos muchos hijos; podemos trabajar mucha tierra. Sí, es una buena esposa para un hombre pobre. Y no siempre es muy severa conmigo. Algunas veces, a lo mejor, bebo demasiada cerveza en la ciudad y, cuando vuelvo a casa, ella no dice nada. No me hace preguntas. Siempre nos hemos llevado bien, ella y yo, igual que al principio. Los niños no han sido motivo de peleas entre nosotros, como ocurre a veces. –Encendió otra pipa y siguió dando bocanadas con aire satisfecho.

Cuzak era un hombre de lo más cordial. Me hizo muchas preguntas sobre mi viaje por Bohemia, sobre Viena y la Ringstrasse y los teatros.

–¡Caray! Me gustaría volver algún día, cuando los chicos sean lo bastante mayores para dirigir la granja. Algunas veces, cuando leo los periódicos de mi país, me entran ganas de salir corriendo para allá –confesó, con una breve carcajada–. Nunca pensé que sentaría la cabeza así.

Seguía siendo, como afirmaba Ántonia, un hombre de ciudad. Le gustaban los teatros, las calles iluminadas, la música y una partida de dominó cuando terminaba la jornada de trabajo. Tenía un carácter más sociable que codicioso. Le gustaba vivir al día y disfrutar la noche, compartiendo la agitación de las multitudes. Sin embargo, su mujer había conseguido retenerlo en una granja de una de las tierras más solitarias del mundo.

Imaginaba perfectamente a aquel tipo menudo sentado junto al molino todas las noches, con la pipa en la mano, escuchando el silencio, el resollar de la bomba, el gruñido de los cerdos, algún que otro cacareo cuando una rata alteraba a las gallinas. Tuve la clara impresión de que Cuzak había sido el instrumento de la misión particular de Ántonia. Aquélla era una buena vida, desde luego, pero no de la clase que él habría querido para sí. ¡No estaba seguro de que la vida que era adecuada para una persona pudiera ser adecuada para dos!

Pregunté a Cuzak si no le resultaba difícil pasarse sin la alegre compañía a la que había estado acostumbrado. Vació la pipa, golpeándola contra un montante del molino, suspiró y se la metió en el bolsillo.

–Al principio estuve a punto de volverme loco de soledad –contestó con franqueza–, pero mi mujer es una persona muy cariñosa. Siempre procuró hacerme la vida más llevadera. Ahora ya no es tan malo; ¡ya puedo empezar a divertirme un poco con mis chicos!

De camino hacia la casa, Cuzak se ladeó el sombrero airosamente y alzó la cabeza para contemplar la luna.

–¡Caray! –dijo con la voz ronca, como si acabara de despertarse–. ¡Me parece increíble que lleve veintiséis años lejos de allí!

III

Al día siguiente, después de comer, me despedí y volví a Hastings para coger el tren de Black Hawk. Ántonia y sus hijos se apiñaron en torno a la calesa antes de mi partida, e incluso los más pequeños alzaron hacia mí sus rostros llenos de simpatía. Leo y Ambrosch se adelantaron corriendo para abrirme la cancela. Cuando llegué al pie de la colina, volví la vista atrás. El grupo seguía allí, junto al molino. Ántonia agitaba el delantal.

Al llegar la calesa a la cancela, Ambrosch apoyó el brazo sobre la llanta de la rueda. Leo salió por la cerca y se alejó corriendo por los pastos.

–Él es así –dijo su hermano, encogiéndose de hombros–. Está un poco loco. A lo mejor está triste porque usted se va o quizá está celoso. Tiene celos de cualquier persona a la que madre demuestre interés, aunque sea el sacerdote.

Me di cuenta de que lamentaba muchísimo dejar a aquel muchacho de voz agradable, hermosa cabeza y hermosos ojos. Tenía un aire muy viril con la cabeza descubierta y el viento agitando su camisa sobre el cuello y los hombros morenos.

–No olvides que Rudolph y tú vendréis a cazar conmigo el verano que viene al río Niobrara –dije–. Tu padre ha accedido a dejaros marchar después de la cosecha.

Ambrosch sonrió.

–No creo que se me olvide. Es la primera vez en la vida que me ofrecen algo tan agradable. No sé por qué es usted tan amable con nosotros –añadió, ruborizándose.

–¡Ya lo creo que lo sabes! –dije yo, volviendo a empuñar las riendas.

A esto, respondió dedicándome sin reparos una afectuosa sonrisa de deleite, mientras yo me alejaba.

Mi día en Black Hawk fue decepcionante. La mayoría de mis viejos amigos habían muerto o se habían mudado. Unos niños desconocidos, que no significaban nada para mí, estaban jugando en el gran jardín de los Harling cuando pasé por delante; habían talado el enorme fresno y sólo quedaba un tocón con nuevos brotes del alto chopo lombardo que antes custodiaba la cancela. Apresuré el paso. El resto de la mañana lo pasé con Anton Jelinek, bajo la sombra de un álamo de Virginia que tenía en el jardín, en la parte de atrás de su cantina. Mientras comía en el hotel, me encontré con uno de los viejos abogados, que aún ejercía; me llevó a su despacho y me comentó el caso Cutter. Después de eso, nada me quedaba por hacer hasta la salida del expreso nocturno.

Di un largo paseo hacia el Norte de la ciudad, saliendo a los pastos donde el terreno era tan áspero que no había podido ser nunca cultivado y la alta y enmarañada hierba roja de tiempos pretéritos seguía creciendo sobre lomas y barrancos. Allí volví a sentirme como en casa. El cielo tenía ese azul indescriptible del otoño: brillante y sin sombras, duro como el esmalte. Hacia el Sur alcancé a ver las escarpadas riberas del río, que antes me parecían tan altas, y los maizales que se extendían por doquier, secándose, con aquel pálido color dorado que recordaba a la perfección. Los cardos volaban sobre las tierras altas, llevados por el viento, y se amontonaban junto a los alambres de espino como barricadas. A lo largo de las cañadas, los racimos de flores de las varas de oro empezaban a marchitarse, adquiriendo un aterciopelado tono gris con trazos dorados. Yo había escapado a la curiosa depresión que pende sobre las ciudades pequeñas y mi cerebro estaba lleno de pensamientos agradables; de excursiones que pensaba hacer con los hijos de Cuzak, a las Bad Lands y por el río Stinking Water. Había Cuzaks más que suficientes con los que pasarlo bien durante mucho tiempo. ¡Aunque los hijos crecieran, siempre tendría al padre! Mi intención era recorrer unos cuantos kilómetros de calles iluminadas con Cuzak.

Mientras deambulaba por aquellos agrestes parajes tuve la suerte de dar con un tramo de la primera carretera que partía de Black Hawk hacia el Norte, que llegaba a la granja de mi abuelo y luego seguía hasta la casa de los Shimerda y el asentamiento noruego. El resto del camino había desaparecido bajo el arado al trazarse las nuevas carreteras; aquel medio kilómetro, aproximadamente, que aún se veía dentro de los límites de los pastos, era cuanto quedaba de la vieja carretera que recorría las praderas en alocada carrera, sin alejarse de las colinas, dando mil y un rodeos como un conejo perseguido por los sabuesos.

En las zonas llanas, las rodadas habían desaparecido casi

por completo; eran meras sombras en la hierba y un forastero apenas se habría percatado de ellas. Pero allí donde el camino atravesaba un barranco eran fáciles de encontrar. La lluvia había convertido en canales los surcos dejados por las ruedas, horadando de tal modo el terreno que ya nada podía cubrirlos. Parecían heridas abiertas por las garras de un oso pardo en las pendientes donde los carros solían emerger de las hondonadas con un tirón que tensaba los músculos de los suaves flancos de los caballos. Me senté a contemplar cómo los almiares se tornaban rosados bajo la luz del sol poniente.

Aquél era el camino que recorrimos Ántonia y yo la noche en que descendimos del tren en Black Hawk y nos acostamos sobre la paja de un carro, como niños asombrados que no sabían adónde los llevaban. Sólo tenía que cerrar los ojos para oír el traqueteo de los carros en la oscuridad y para sentirme invadido de nuevo por aquella devastadora sensación de lo desconocido. Sentía tan próximas las emociones de aquella noche que podía tocarlas con sólo alargar la mano. Tenía la impresión de que volvía a ser yo mismo y de que había descubierto hasta qué punto es pequeño el círculo de la experiencia de un hombre. Para Ántonia y para mí, aquélla había sido la carretera del Destino, que nos había conducido a aquellos primeros accidentes de la fortuna que habían determinado nuestra vida para siempre. Ahora comprendía que el mismo camino volvería a unirnos. Pese a cuanto pudiéramos habernos perdido, teníamos un pasado en común, precioso e inefable.

FIN